近代日本における読書と社会教育

図書館を中心とした教育活動の成立と展開

山梨あや著

法政大学出版局

刊行に寄せて

米山光《みつ》儀《のり》

このたび、山梨あや君の学位論文「近代日本における読書と社会教育――図書館を中心とした教育活動の成立と展開」が加筆・修正を経て、単行書として刊行され、多くの人々の目に触れる機会を得たことは、たいへん悦ばしいことである。

山梨君は、慶應義塾大学文学部人間関係学科教育学専攻で故波多野誼余《ぎよお》夫教授の下で教育心理学を学び、大学院に進学してからは、同じ教育学でも方法を大きく異にする教育史、特に近代日本社会教育史を専攻し、今日に至っている。

私は、同君が大学院に入学して以降のことしか知らないが、入学当初から「読書」をキーワードとして研究をしたいという意欲をもって、新しい分野の研究に取り組んでいた。その頃は、「音読」から「黙読」への変化を中心とした、いわば「読書」の社会史とでもいうようなことに関心があったように思うが、それを実証することの難しさもあり、何を対象にして論文を書くかということについては、同君の中で試行錯誤があったと推察される。そこで修士論文では、読書の実態というよりも、時期を区切って読書に関わる政策について把握することに焦点を絞り、「明治末期から大正中期にかけての社会教育構想――井上友一の『自治民育』と読書政策を視点として」として纏めた。その後、博士課程に進学してからは、いよいよ読書の実態に迫るべく、具体的な図書館活動を研究対象とし、東京市立図書館での今澤慈海の思想と実践を丹念に追っていた。

私は、都市だけでなく、農村地域での図書館活動も視野に入れるべきと考えていたこともあり、たまたま以前に長野県の下伊那地方にある飯田市歴史研究所で旧千代村の青年会の図書館に関わる史料をみたことがあったことから、同君は飯田とのつながりを持つことになり、そこでさまざまな史料と出会うとともに、実際に読書活動をしている人々、特に女性たちと出会うことができ、そのお陰で、近代だけでなく、現代といってよい一九六〇年代の読書活動にまで研究の範囲を広げ、最終的に学位論文として纏め上げることができた。

同君の関心は、大学院入学当時は抽象的な「読書」にとどまっていたが、歴史研究を進めていくにしたがって、具体的・個別的な「読書」になっていったように思える。本書の構成は、必ずしも同君の研究の順序に沿ったものではないが、それでも読み進んでいくなかで、研究の進展を実感できるものになっているといえよう。

学位論文審査では、①「読書」という視点から、「読書」が普及し始める一九〇〇年代から大衆化する一九六〇年代までの長い期間を対象とし、読書行為の普及を近代日本教育史の問題として設定し、「日本の近代化過程における読書の教育的位置づけ」を論じている点、②読書行為の普及を論ずるにあたって、性差、階層差、地域差の問題を十分に視野に含み入れている点、③「教育」への関心から読書行為の意義を捉え返すアプローチを通して「近代教育」の問題性を社会教育の視点から論じている点、の三点が高く評価された。これまでも近代日本における「読書」の歴史的な研究は、相応の蓄積と成果があるといってよいが、同君の研究はそれらのものとは異なり、「教育」の問題として「読書」を論じ、しかも「教育」の内実に迫るべく、教育者（指導者）と被教育者の関係性のなかで「読書」がどのようにして「教育」に転化していくかという問題に正面から取り組んだ意欲作となっている。

もちろん、本書には研究として不十分な点も見られる。対象とする期間が長いだけでに、それぞれの時代へのアプローチのアンバランスもある。しかし、一九六〇年代まで対象を広げることによって、当事者と直接に出会うことが可能になった点は重要である。その人たちへ思いをどのように抱えて、これから研究していくかが、課題となってこよう。

同君は、現在、イギリスに留学中である。私のイギリスでの指導教授であったバーナード・ジェニングスは、しばしばトーマス・ハーディーの『日陰者ジュード』を引き合いに出し、ジュードが労働者教育協会（ＷＥＡ）設立後まで生きていれば、彼の人生は変わっていたであろうことを述べる。そして、ジェニングス自身はＷＥＡの労働者教育にも携わりながら、多くのローカル・ヒストリーの業績を残していった。このように、イギリスには、市井の人々とその人たちが生きる地方の歴史を繋ぐ回路が存在している。そのような伝統の中に身を置いて、下伊那に暮らす女性たちに思いを馳せながら、研究をしていくことによって、さらに飛躍できるものと考える。

本書には、さらに補足されなければならない課題は残っているであろうが、ひとつの新しい成果として世に問うことの意義は十分にある。研究者だけでなく、「読書」に関心を持つ多くの人々が手に取ってくれることを願っている。

目次

本書では引用資料に一部差別的表現が含まれているが、資料的価値に鑑みてそのままの形で掲載した。また、引用した文献・資料中の旧字体はできる限り新字体に改めた。

序章　教育問題としての読書

一　本書の研究目的

本書の研究目的は、日本の近代化過程における読書の教育的位置づけを歴史的に検討することである。具体的には、読書という行為を教育の中に位置づけようとする動きが見られる一九〇〇（明治三〇）年代から、農村の女性を含め多くの人々に読書行為が一般化したと考えられる一九六〇年代までを対象として、社会教育、特に図書館における活動を中心に読書が教育の中にどのように位置づけられ、人々はどのように読書行為に参入していったのかを考察する。

近年、「朝の二〇分間読書運動」や「生涯読書」などが提唱され、教育の一環として読書活動の推進が積極的に行なわれている。「子どもの読書活動の推進に関する法律」(1)（二〇〇一年）や、「文字・活字文化振興法」(2)（二〇〇五年）の施行、これらに付随する「これからの図書館の在り方検討協力者会議」の開催（二〇〇五―二〇〇六年）や学校図書館支援センター推進事業の展開（二〇〇六年―）などは、子どもから成人に至るまでの読書活動の推進とその支援を目的とした法整備とその実践である。これら一連の動向の背後には、読書が人間形成に寄与するものであり、それゆえ教育の一環として推進しなければならないという前提があるといえよう(3)。

しかしながら、読書という行為はどのように人間形成にかかわるものであるのか、またどのような意味において教育的営為として位置づけられるのか、さらに何を目的として読書が推進されようとしているのかという根本的な問題は十分に検討されてはいない(4)。読書を教育の一環と位置づけ、推進していくのであれば、読書は人間形成にどのように関わるものであるのかを把握することが不可欠である。

読書と人間形成の関わりを把握する一つの方法として、読書という行為が教育としてふさわしいという前提がどのように形成され、教育の中にどのように位置づけられてきたのかを歴史的に検討することが挙げられる。読書という行為が教育の中に組み込まれてゆく過程を解きほぐすことにより、読書がどのような意味において人間形成に関わるものと捉えられ、教育的営為としての働きかけが実践されたのかを明らかにすることができるだろう。さらに、人々の読書行為への参入(5)とその意味を検討することにより、教育的営為としての働きかけがどのように受容されたのか、あるいはされなかったのかという問題が明らかになるはずである。本書では以上の問題意識に基づき、近代日本の教育に読書という行為がどのように位置づけられたのかという理念の問題を教育者の視点から、さらに読書行為への参入とその意味は何かという実態の問題について被教育者の視点から歴史的に考察する。

日本における読書行為の変遷に目を転じると、読書は学校教育の普及と就学機会の拡大に根ざした識字率の向上、印刷・出版技術の向上と流通の発達に基づくメディアの普及により、階層差、地域差、性差をはらみつつも、明治維新前には読者として想定されていなかった人々の間にも広まり、大正から昭和初期にかけては大衆読者層を形成するに至った。この意味において、読書は日本における近代化の所産の一つであるといえよう。さらに、読書は人々が新たな知識や価値観と出会い、これらを獲得する手段のすべてではないにせよ、重要な契機の一つとなったと考えられる。一方、維新以降普及していくことになる教育制度は、階層性を根強く残しつつも、従来の身分制によって社会的地位が規定されるのではなく、教育を通じた社会的地位の上昇、階層移動の可能性を示す役割を果たしていた。

このように、読書と教育はともに近代化の所産であるという共通項を持ち、さらに人々が新たな知識や価値観と出会う重要な契機となるものであった。このような意味において、読書と教育は近代的な思考を持つ人間の形成に深く関わるものであるといえる。したがって、読書と教育の関わりを検討することは、近代日本における人間形成のあり方を歴史的に明らかにする一助となると考えられる。

本書においては、読書の教育への位置づけとその実践について、一九〇〇（明治三〇）年代から一九六〇年代までの長いスパンで検討する。

一九〇〇（明治三〇）年代を分析の起点とする第一の理由は、読書行為の普及が近代学校教育（特に初等教育）と密接な関係を有していると考えられることである。なぜなら、①読書は学校教育（特に初等教育）の普及に根ざした一定の識字率の向上を前提としなければ成り立たない行為であること、②一九〇〇（明治三三）年の第三次小学校令改正以降の就学率の急激な向上は識字率を上昇させる[6]とともに、大多数の子どもに小学校教育を通じて「教科書を読む」という読書経験をもたらし、このことが読書習慣を形成する一因となったと想定されること、という二つの理由が挙げられるからである。したがって、読書という行為は一見私的な営みであるものの、学校教育の普及と表裏一体の関係にあるといえよう。大正期に入ると、小学校の通学率は実質九〇パーセント後半を超えるようになるが、このことは大部分の国民が小学校教育において、文字を読み書きする最低限の知識を得、さらに教科書という「本を読む」経験をしたことを意味している。

実際に、女子教育を含め、制度レベルで学校教育制度の整備がなされるようになるのは一九〇〇（明治三〇）年代以降のことである。また、この時期は日清戦争を経て、人々の教育に対する関心が高まりを見せた時期でもあった。日清戦争後の「教育熱」は、初等教育の普及のみならず中等教育への進学者の増加にも反映されている。このような中等教育も含めた教育機会の拡大を背景として、読書という行為は人々にとってより身近なものとなり、大正後期から昭和初期にかけて「大衆読者層」が形成されることとなった[7]。このように、読書という行為がさまざまな階層、地域、性別の違いを超えて拡大していく上で、学校教育が果たした役割を見逃すことはできない。このことから、読書という行為は学校教育の普及を踏まえて検討する必要があり、そのためには一九〇〇（明治三〇）年代を起点として分析をする必要がある。

第二点目の理由は、読書行為の普及が社会教育の成立と密接な関係を有していることである。裏田・小川が指摘しているように、明治末期から大正期にかけての図書館の飛躍的発展は、内務省の政策である地方改良運動、それに端を発する社会教育の成立と結びついている(8)。なかでも地方改良運動を推進した内務官僚・井上友一は「自治民育」をスローガンとして打ち出し、国家の発展を自発的に担う国民を形成する手段として図書館の教育機関としての役割を重視した。永嶺重敏は、この時期に国家によって読書の有用性が発見されたと指摘し、一定の知的水準を有する「読書国民」の形成を目的として読書の普及を図った構想と政策を「読書政策」と捉えている(9)。このような永嶺の指摘にも見られるように、明治三〇年代から注目される社会教育の進展と、読書を「教育」の一環として位置づける過程は軌を一にしているのである(10)。したがって、社会教育の成立過程を見ていくことは、読書という行為がどのようにして人間形成に関わろうとする「教育」の問題として位置づけられていったのかを歴史的に明らかにする上で有効である(11)。

以上が分析の起点を一九〇〇（明治三〇）年代とする根拠であるが、一九六〇年代までの長期間を分析対象としたのは、読書という行為の普及は性差、階層差、地域差という問題を孕んでいることによって、必ずしも一様ではないと考えられるからである(12)。たとえば、学校教育を受ける機会に見られる性差は、「民主化」が進行した戦後にあっても根強く残っている。学校教育も読書行為も知的営みという範疇で捉えるとするならば、学校教育を受ける機会、さらには知的営為へのアクセスにおける性差の問題が、読書行為にも反映されるという予測はあながち的外れなものとはいえないだろう(13)。高等学校への進学率が男女とも七〇パーセントを越えるようになったのは一九六〇年代のことであり(14)、ここに六〇年代を分析の対象に含めた第一の理由がある。

六〇年代における教育機会の拡大は、ホワイトカラー人口を増加させるとともに、エリート文化とも大衆文化とも異なる「中間文化」(15)の担い手を生み出すこととなった。このような「中間文化」は文化の享受層の拡大によって支えられており、その意味において文化は相対的に「大衆化」したといえよう。このような文化の「大衆化」現象は、人々の読書に対する意識や行動にも大きな変化をもたらすこととなる。「中間文化」の代表ともいえる全集ブームや新書ブーム、さらに週刊誌ブームは読書という行為を大衆化するが、その一方でマス・コミュニケーション、特にテレビの普及の過程で、読書そのものの地位は後退していった。このことは昭和二〇年代には「活字あるいは書物が一つのオリエンテーションになるという」活字信仰があったが、昭和三〇年代初頭には大衆化現象をきっかけに活字信仰の崩壊が始まり、昭和四〇年代後半にはことば自体の限界がはっきり見えてきたという前田愛の指摘[16]にも反映されている。このような読書の大衆化現象は、「当然のことながら、読書の質そのものに大きな変化を与えないではおかない。何より読書の型が「教養から娯楽へ」と移行したことだ[17]」という認識をもたらすことになる[18]。

したがって、一九〇〇（明治三〇）年代を人々の間に読書や活字が普及し始める時代とすれば、一九六〇年代は読書が大衆化するとともに、大衆化によって活字に対する信仰が終焉を迎えようとしていた時代であるといえよう。本書は、読書の教育的位置づけを歴史的に明らかにすることを最終的な目標としており、それゆえに読書や活字に対する意識が大きく変化したと考えられる一九六〇年代までを分析対象とする。これが、分析の終点を六〇年代とする第二の理由である。

このように、一九六〇年代は、後期中等教育を含めた教育機会の拡大、都市と農村の生活格差の縮小[19]を背景としたマス・コミュニケーションの急速な普及、さらに文化の大衆化が見られる時期である。このような意味において、一九六〇年代は「近代化」が一定の到達段階に達した時代であるとも言えよう。読書という行為が内包する問題を考慮しつつ、教育との関係を検討するためには、「近代教育」の起点と考えられる一九〇〇（明治三〇）年代から教育制度の整備、教育機会の拡大という面も含めて近代化が一定の到達段階に達したと考えられる一九六〇年代後半までの長期的なスパンで分析をすることが不可欠である。本書が分析対象とする時期は、以上の観点に基づいて設定されている。

最後に、本書において一九六〇年代までを「近代」の射程とした意義について言及しておきたい。「近代」の区分の仕方には諸説あるものの、一般的には第二次世界大戦敗戦を「現代」の画期とし、一九六〇年代は「近代」の区分には含まれていない。しかしながら、天野正子が「制度の連続性と意識の非連続性」ということばで端的に表現しているように、農村地域では「家制度」をめぐる問題が一九六〇年代、あるいは七〇年代まで根強く残っている。[20]このことは、封建遺制を内包するという日本の「近代」における問題が依然として存在していたこと、換言すれば日本の「近代」は、封建遺制を内包するという問題も含め、「現代化」が進行する一方で、一九六〇年代まで「底流」として存続していたことを示すものである。さらに、この「近代」の問題が知識人ではない一般の人々に自覚的に問われるようになるのは、一九五〇年代の生活記録運動の展開過程でのことである。女性は「家制度」に代表される封建遺制の問題に直面する存在であるが、女性の学習・文化活動への参入は男性よりもやや遅れがちであった。これに付随して、封建制の残滓という問題も含めた「近代」の自覚的な捉え返しは、生活記録運動の全盛期より後になることを考慮すると、[21]本書が近代日本における読書と教育の関わりを検討しようとする以上、一九六〇年代までを「近代」の射程に入れて検討しなければならない。

読書に関する研究前史を検討する前に、本書で使用する「読書」という用語について、その示すところを明確にしておきたい。近年、「読書」という行為に焦点をあてた研究においては、研究領域を問わず「読む（こと）」という用語が使われている。[22]「読む（こと）」という用語の用法を見てみると、書物、あるいはテクストを読むという従来の意味に加えて、一つ一つの単語、もしくは文字を「読む」、そして理解するという認知的なレベルでの「読む」という意味を含みこんでいる。したがって、「読む（こと）」という用語は、文字を一字一句拾い読みするという「読書」から、文字を読むことに習熟した人の読書にいたるまで、多様なレベルの「読書」を示すことができる。その一方、「読む（こと）」という用語は、文字を読むというレベルにまで還元することにより、人間の読書という行為そのものを相対化する意味をも併せ持っている。

このことから、「読む（こと）」という用語はきわめて多義的であるといえよう。[23]本書においては、読書とはそれまで無縁と目されていた人々が読書という行為に参入するプロセスを描き出すことを目的としている。このプロセスを描くためには、「読む（こと）」という用語がより適切であるかも知れない。しかしながら、近代化の過程で、読書という行為が非日常的なものであった人々の中で、次第に「読む（こと）」から知的営為としての「読書」へと質的な向上が見られること、読書が教育の中に位置づけられたのは、このような質的向上を目標とするものであったと考えられること、さらに本書においては永く知的営為の象徴として捉えられていた「読書」という行為に、人々が参入する過程とその意味を明らかにするという関心に即して進められることから、基本的に「読書」、特に行為的側面を強調する際には「読書行為」を用いることとする。以下、本書では「読書」という用語を用いて、読書の教育への位置づけ、人々の読書行為への参入の過程とその意味を描き出すことにしたい。

二　読書に関する研究前史

読書行為に関する研究は、これまで文学、哲学、社会学、教育学（主に教育社会学、社会教育史）、図書館学などにおいて行なわれてきた。文字社会の成立や出版業の普及の観点から近世の読書行為や読者のありようを検討した近世史における研究蓄積もある。最近では、一冊のテクストを読むという「読書」から、テクストに書かれている一語一語の「読み」と理解過程のレベルまでを含む「読むこと」についての研究が、認知心理学や言語学の分野においてなされている。このことから、一語一語のレベルでの「読み」を問題とする研究も含めると、読書を含む「読むこと」に関する研究はより豊かなものになっているといえよう。しかしながら、本書では既述したように基本的に「読書」レベルの問題を分析対象とする。以下ではこの点を踏まえて、各分野における読書に関する研究成果を概観しつつ、本書の位置づけと課題を明確にしていく。

社会教育史の分野では、早くから図書館の果たした役割に注目し、読書が人間形成に与える影響について示唆されてきた。たとえば倉内史郎は『明治末期社会教育観の研究』（一九六一年）において、「図書館の事業が第一義的に教育的・人間啓発的性格を持つことは明らかである。社会教育の主要施設として、地域団体の活動とはその作用の仕方をまったく対蹠的に異にする図書館がかならずあげられていたのは、あらためて注意されてよいことであろう」[24]と指摘している。[25]また、宮原誠一は「おとなの読書にかんする科学的研究の最新の成果を紹介しながら、日本における独自の問題の位置づけを行ない、読書指導関係者の実践に理論的な背景をあたえ」[26]ることを意図して青年の読書行動の分析を行なうとともに、読書会が「自主的なものであるという性格からして、とりたてて、教育学の対象として、スポット・ライトをあてられぬままですておかれた」と問題提起をした上で、読書会を対象として、社会教育の学習論を追求しようとしている。[27]このように、読書と教育の関わりを検討する研究は一九六〇年代の社会教育の分野において盛んであったが、後述するように一九九〇年代以降、再び教育学研究の分野において脚光を浴びることになる。

文学研究においては、読書の問題を近代化や近代的な人間形成とのかかわりで捉えようとする研究蓄積がある。その代表的な存在として挙げられるのが前田愛の『近代読者の成立』（一九七三年）であろう。前田は、大正期における文学のあり方とそれを基盤として生まれた読者の関係に言及した研究[28]や、戦後の『思想の科学』において展開された大衆文学研究などを踏まえつつ、「読者」の存在を踏まえた文学研究のあり方を提示した。前田の提示した「読者論」、さらに『近代読者の成立』で示した「音読から黙読へ」の「読み」の形態変化、読者層の拡大とそれに応じた読み物の誕生という図式は、その後さまざまな批判を受けつつも[29]、今なお読書や読者に関する研究の基盤となっている。

前田に始まる読者論研究は、その後ヤウスの『挑発としての文学史』（一九七〇年、日本語版一九七六年）や彼の僚友イーザーによる『行為としての読書』（一九七六年、日本語版一九八一年）らが紹介されたことにより、文学研究の一分野として定着していくこととなる。ヤウスは『挑発としての文学史』において、読者は読書の過程で「次はこうなるだろう」という「期待の地平」をもって能動的に読書という行為をしていること、さらに文学は読者の「共同幻想」の上に展開されていることを示した。[30]また、イーザーはヤウスの「期待の地平」を一歩進め、読書という行為が、読者みずからの経験とテクスト理解が出会うところに生じること、つまり読者を作者と読者の相互作用としてとらえるべき行為であるという見解を「受容美学」を援用しながら展開している。(31) ヤウスやイーザーによる「受容美学」に基づく読書論は、今日の読書行為を研究する上での理論的枠組みを提供するものであったといえよう。(32)

さらに、メディア史研究の蓄積も無視することはできない。山本武利の『近代日本の新聞読者層』（一九八一年）は、新聞というメディアを分析対象としてさまざまな階層の読者層がどのように形成されたのかを検討している。山本の研究は前田が示した「近代読者」像を階層性の問題も含めてより精緻に描き出したものといえ、前田の研究と並んで近代日本の読書を検討する上での基礎的な研究としての地位を占めるとともに、日本におけるメディア史研究の嚆矢となっている。(33)

このように、読書、さらに読者の問題は主に文学・メディア史研究の領域で論じられてきたが、この研究領域の裾野を広げる上でアンダーソンの『想像の共同体』（一九八三年、日本語版一九九一年）が果たした役割はきわめて大きい。アンダーソンの「想像の共同体」は、「国民」という意識が、実際には会ったことも話したこともない「匿名」の人々を「同胞」という一つの共同体に属するものとして認識する上に成り立つものであることを指摘した。さらにアンダーソンは、この想像の共同体としての国民意識を形成する上で重要な役割を果たしたのが近代特有の「出版資本主義」であるとし、これによって読者同胞は自己と他者を結びつけることが可能になったという。(34) アンダーソンの研究は、読書という行為が人々の共同体意識（同胞意識）を形成し、これがやがて「国民」という意識の形成と「国民」として人々を組織化することへと接続していく可能性を示すものである。

さらに一九八五年に発表されたシャルチエの「書物から読者へ」は、読書の問題を歴史的に検討する上での具体的な方法を示し、「読書史」という分野を成立させる役割を果たすものであった。シャルチエはヤウスやイーザーの「受容美学」が示した読書行為についての説明に一定の評価を下しつつも、作者と読者の関係を分析するだけでは、読書史を描き出すことはできないと批判する。シャルチエは、印刷のあり方が読者（特に読書という行為に慣れていない者）

の理解を助け、読書を促進する役割を果たしたことを指摘し、作者／読者／印刷物（業者）三者の関係を明らかにするべきであると主張した(35)。

一九九〇年代に入ると、文学・メディア史のみならず、社会学、教育学などの分野においても読書が研究の対象として取り上げられるようになる。このことはけっして偶然ではなく、アンダーソンが読書行為を媒介とする国民（国家）の形成という図式を指摘する一方、シャルチエによって読書行為そのものを歴史的に解明する方法論が示されたからであろう(36)。実際に、文学研究においては、小森陽一を中心とした「読み」の理論が展開されたほか、歴史社会学や教育社会学の分野を中心に学歴社会、エリートの知識・教養形成のあり方を読書行為との関連において検討する研究が始まっている(37)。

また、読書行為と知識・教養形成および人々の組織化との関わりについては、近代以降のみならず近世史研究の分野においても指摘されていることが興味深い。たとえば青木美智雄の研究は、近世の文字社会の成立が庶民の間に読書行為を普及させていく基盤となったことを指摘している(38)。また『江戸の思想』においては一九九六年に「読書の社会史」の特集が組まれ(39)、近世の文字社会の成立と書物の流通を基盤として、読書を媒介とした「知的共同体」が形成された可能性が論じられている。近世教育史の分野における八鍬友広の研究(40)もこれらの研究の延長線上にあるものといえ、読み書き能力の獲得が民衆の（政治的参加というレベルでの）主体形成に深く関わることを指摘するものである。文字社会の成立と書物の普及、これらを基盤とした「知的共同体」の形成を明らかにしようとする研究は、維新後の読書行為の普及および読者層が拡大していく潜在的な可能性が近世から育まれていたことを示唆しているといえよう(41)。

また、近年、教育学においても読書を分析対象として取り上げる傾向が見られる。これらの研究の特徴としては、さまざまな雑誌の読書を通して、人々の意識が「主婦」や「子ども」、「女性」など特定の規範と共に組織化されていくことを指摘していることが挙げられる(42)。さらに大門正克の『民衆の教育経験』（二〇〇一年）は講義録や雑誌の購読を通して、民衆の子どもが社会的移動をしていく状況が大正期以降生まれていたこと、つまり「読書」という行為が一つの教育経験となり、人々の人間形成に大きな影響を与える要因の一つとなったことを実証的に示した。[43]

教育史の分野においても、その研究対象として「読書」がとりあげられるようになってきている。教育史学会編『教育史研究の最前線』(二〇〇七年)では「教育のメディア史」(第一一章)や「識字と教育」(第一五章)が研究項目として位置づけられている。「教育のメディア史」(第一一章)は、「歴史的には多様な回路やメディアを通して人間形成がなされてきた」ことを踏まえれば、「「教育のメディア史」という主題は子ども期の近代教育を学校に独占させてきた緊縛を解く視点を手にすることにつながる」[44]と指摘しているし、「識字と読書」(第一五章)では、「リテラシーや読書行為の歴史的意味を取り上げる場合に必要なことは、問題を絶えず広い文脈のなかで捉え直す」ことであり、「こうした広がりの随所に組み込まれた学校と教育の機能を確認することは、教育(史)研究を多様な分野で展開された新しい文化史の世界へと導き、近代教育思想の歴史性とそれ自体の捉え直しを迫る研究上の可能性を持っている」[45]という。ここで注目されるのは、読書をはじめとする「メディア」の問題、そしてメディアを利用する基本的要件の一つである「識字」の問題を検討することは、学校教育に根ざした教育(史)研究に対する単純な批判や研究対象の広がりではなく、教育の本質的問題との関連において教育(史)研究そのものの枠組みを捉え直し、これをより豊かにする可能性を持つものとして捉えられていることである。[46]

このような多様な研究領域における読書論、読者論研究の「復活」とも言うべき現象が九〇年代以降には見られるのであるが、ここで注目されるのは読書と知識や教養形成との関わりが指摘されていること、さらに性差や階層性の問題がクローズアップされ、この問題との関わりにおいて読書という行為が持つ組織化の作用に注目していること、である。これらの研究は、読書という行為を検討することが、人々の意識形成や知識形成のあり方を明らかにする上で有効であるという認識に基づいたものであるといえよう。

永嶺重敏の一連の研究[47]は、以上のような研究動向を踏まえた上で、近代日本における読書という行為を歴史的に明らかにする上で大きな貢献をしている。永嶺は、従来の読書行為の主体／対象／形態に加え、読書行為そのものを促進する読書装置という分析視点を設定し、読書行為が誰に、どのように、何を目的として営まれていたのかを立体的に描き出している。また、永嶺は、アンダーソンらの見解を踏まえ、読書を媒介とした人々の組織化の作用を「読者共同体」の形成という言葉で表現した[48]。さらに、永嶺は前田の「近代読者」という枠組みでは国民形成を捉えることができないと批判し、読書行為の普及が国民形成と深く関わることを「読書国民の形成」というキーワードで表現している[49]。永嶺のいう「読書国民」はあくまで理念上のものであるが、明治三〇年代以降、読書行為が国民形成とのかかわりにおいて重視されてきたという事実を鋭く指摘する概念である。

これらの研究を総括し、和田敦彦は「読書行為はすべての学問領域の知が成立するうえでの基盤、土台となる行為」であり[50]、それゆえに読書という行為にまつわる問題、すなわち読書や読者の問題を検討することの意義は、「ある知識が誰に、どのように提供されていたのか、そしてそのことが自身やその階層の社会的な位置づけや力関係にどう関わっていたのか」を示す「知」の布置を問いなおすことにあるという[51]。

このように、読書に関してはさまざまな領域における研究蓄積がある。これらの先行研究から示唆されるのは、読書という行為が「知」の形成だけではなく、人々の意識の形成やそれを基盤とする意識の組織化、さらには人間形成に深く関わるということである。特にアンダーソンや永嶺が指摘した「読者共同体」という概念は、読書という行為が人々の意識を組織化する作用があること、さらに人間形成に影響を与える可能性があることを端的に示したものといえよう。

しかしながら、先行研究においては、徐々に読書という行為を歴史的に検討する意義、さらにその方法については明らかにされているものの、以下の問題点が十分に検討されているとはいえない[52]。

第一点目は、読書という行為と教育との関係である。先行研究においては読書が知識形成や意識形成に深く関わることが示唆されているにもかかわらず、読書という行為を営むのに最低限必要な「読み（書き）」能力を習得させる上で多大な貢献をしたと考える学校教育との関連や、学校教育制度の枠外にいる人々が読書に参入する上で重要な役割を果たしたと考えられる社会教育との関連が明らかにされてはいない。読書行為の普及が、学校教育の普及とそれに基づく識字率の向上[53]、印刷・出版技術の向上と流通の発達などに象徴される近代化過程に根ざしたものであり、さらに「知」や「国民」の形成と深くかかわるものであるとするならば、これらのものを通して人間形成に関わろうとする「教育」の中に読書行為はどのように位置づけられてきたのかという問題が問われなければならないのである。

第二点目は、読書という行為における性差、階層差、地域差の問題である。従来の読書に関する研究は資料的な制約もあり、比較的「男性、中間層以上、都市」を対象として読書行為を検討するものが多かった[54]。しかしながら、読書行為が以上のような問題を内包していることを考慮すると、読書行為の普及はどのように一様ではないのか、またこれらの「差」は具体的にどのような形で現われ、相互にいかなる関係を持つのかを明らかにすることによって、はじめて読書の普及の実態を明らかにしたといえる。また、このような観点から研究を行なうことによって、読書という行為を視点として、人々と「知」との関係をより重層的に描き出すことが可能になると考えられる。

そこで本書では、先行研究の成果および上記二点の問題点を踏まえ、読書行為が近代日本の教育の中にどのように位置づけられ、読書とはそれまで無縁と思われていた人々はどのようにしてこの行為に参入するようになり、それはいかなる意味を持つものであったのかを歴史的に明らかにしていく。この研究を通して、読書という行為が教育に果たす固有の役割を検討する糸口としたい。

三　研究方法・資料

本書の課題は、①近代日本の教育への読書行為の位置づけ、②近代化過程における人々の読書行為への参入とその意味、を明らかにすることを通じて、読書が近代日本の教育にどのように位置づけられ、いかなる教育活動が展開されたのかを歴史的に明らかにすることである。

上記の課題を考察する際に、本書は、㈠読書行為が「教育」の中に組み込まれていく過程、㈡人々が読書行為に参入していく過程、の検討を行ない、これら二つの分析を重ね合わせることによって、より重層的に研究課題を明らかにしたい。

㈠においては、地方改良運動を推進し、図書館の果たす教育的役割にいち早く注目した井上友一の「自治民育」論から、第一次大戦後の社会教育成立過程において、図書館政策を推進しようとした乗杉嘉寿、川本宇之介の論にいたるまで検討をし、近代教育の基盤が形成される過程で、どのように読書という行為が「教育」の中に位置づけられようとしていたのかを明らかにする。具体的には、官僚個人の著作である『自治要義』(井上友一、一九〇九年)、『社会教育の研究』(乗杉嘉寿、一九二三年)、『社会教育の体系と施設経営・経営編』(川本宇之介、一九三一年)などのほか、『斯民』、『社会と教化』(後に『社会教育』と改称)誌上の論稿を分析する。

㈡においては、

(a)明治三〇年代後半から大正期にかけて、多種多様な書物が発行される中での、人々の自発的な読書行為への参入

(b)戦前から戦後にかけての社会教育を契機とする読書行為への参入

の二種の読書行為への参入を検討する。

(a)では、読書という行為の形態変化に注目して、読書という行為を論じる際の分析視角(性差、階層差、地域差)を提示し、その問題について検討する。

(b)では、㈠の視点で明らかにした、読書が教育にふさわしいものとみなされるようになる過程、さらに(a)で明らかにした読書行為への参入に関わる問題点を踏まえ、社会教育を契機として人々はどのように読書行為に参入したのかを検討する。具体的には、教育者と被教育者が出会う場として図書館を設定し、図書館側の読書行為の普及をめざし

た働きかけを検討した上で、この働きかけを披教育者側の視点から捉え返すという方法をとる。

社会教育を契機とした読書行為への参入に関しては、第一に図書館を「生涯的教育」機関と位置づけ、戦前に東京市立図書館を国内有数の公立図書館へと発展させた今澤慈海の図書館論および実践を検討する。今澤の図書館論は、戦前の日本における公共図書館論の代表的なものである。したがって、今澤の図書館論を検討することは、戦前の公共図書館において、読書を介した教育がどのように模索されていたのかという問題について一つのモデルを提示することになる。具体的な方法としては、今澤の著作である『図書館小識』(一九一五年)、『児童図書館の研究』(竹貫直人と共著、一九一八年)のほか、東京市立図書館館報『市立図書館と其事業』誌上の論稿から今澤の図書館論およびその実践について明らかにしていく。また、今澤と同時期に「自己教育機関」としての図書館のあり方を模索していた中田邦造の図書館論について、中田の著作である『公共図書館の使命』(一九三三年)のほか、『図書館雑誌』や『石川県立図書館月報』を参照して明らかにしていく。これらの研究は、図書館における独自の教育がどのように模索されていたのかを当時の社会教育の動向との関連において検討する上で有効である。

第二に、今澤や中田の図書館論が展開される一方、公共図書館においてはどのような働きかけが構想され、実践されたのかを検討する。具体的には、農村における「青年」を対象に読書の普及を図った長野県立中央図書館長・乙部泉三郎の図書館論および実践を検討し、教育者側の視点から読書行為と教育の関わりを明らかにしていく。乙部の理論と実践については著作である『農村図書館経営の手引き』(一九三四年)などのほか、長野県立図書館の館報『長野県立図書館報』(一九三九年より『読書信州』と改称)を分析する。本研究により、読書指導において何が問題とされていたのか、そして読書指導がどのように展開されようとしていたのかを明らかにすることができる。

第三に、図書館における読書指導が人々にどのように受け容れられ、読書行為が営まれるようになったのかを被教育者の視点から明らかにしていく。具体的には、長野県下伊那地方の三穂青年団における読書(会)活動を検討する。これは、三穂青年団が県立図書館の働きかけを受けて「時局文庫」を積極的に受け入れ、回覧したほか、青年団による自発的な読書活動が活発に行なわれていた経緯があるからである。この問題については、三穂青年団関係資料（飯田市歴史研究所所蔵）、また当時の活動を回想した読書会指導者である宮沢三二（当時三穂国民学校長・青年学校長）の著作『青年読書の実際』（一九四九年）などから、具体的にどのような活動が営まれていたのかを検討する。

第四に、戦後の読書活動がどのように展開されたのかを長野県を対象として検討する。これは、戦前の読書指導と比較検討を行ない、その連続性／不連続性について検討するためである。具体的には松本市立図書館長・小笠原忠統が展開した読書指導について、『松本図書館協会報』（後『松筑図書館協会報』と改称）、『松本市立図書館日誌』（松本市立中央図書館所蔵）のほか、小笠原の論稿（『図書館雑誌』、『月刊社会教育』に掲載）を分析するほか、読書活動の実態、参加していた人々の読書活動に対する意識に迫るため、読書会連絡会の機関誌『遠近』の他、長野県連合青年団および下伊那連合青年団関係の資料（長野県歴史館所蔵）を補助的に参照する。

小笠原の活動の分析を通して戦後の長野県における全県的な読書活動の動向を概観した上で、下伊那地方の読書活動を検討する。まず、戦前に引き続き、戦後も地域の読書指導に携わった宮沢三二による農村婦人を対象とした読書会活動について検討する。これについては、宮沢の日記（宮沢恒介氏所蔵。本書では一九二九－一九三五年までを分析。ただし、一九三一年分は欠落している）のほか、宮沢の執筆原稿（宮沢恒介氏所蔵）、さらに宮沢と同時期に大島村（当時）の社会教育主事を務めていた松下拡氏からの聞き取りを補助的に利用する。宮沢の読書会指導の分析は、一地方における農村婦人を対象とした指導の理念と実態を明らかにするとともに、戦前の読書会指導との連続性／不連続性を考察する上でも有効である。

上記の読書活動および読書指導について検討した上で、戦後の女性の読書行為への参入を検討し、読書における性差の問題を検討する。具体的には、長野県下伊那地方において展開された飯伊婦人文庫の活動について婦人文庫発行の文集『かざこし』、『読書についての文集』を分析することによって明らかにし、女性の読書行為への参入とその意味を明らかにしていく。(55) また、必要に応じて古老からの聞き取りも利用する。戦前から戦後にかけての時間軸で下伊那地方における読書活動を検討することは、特定の地域についてであるにせよ、読書における性差や階層性の問題を総合的に把握することが可能になると考えられる。また、古老からの聞き取りでは、個人の経験に即して読書とのかかわりを把握し、読書が彼女たちにどのような意味を持つものであったのかを明らかにするだろう。個々人の読書経験に即した分析を通して、テクストを「読む」ことを介して読者が新たな思想、価値の地平をどのように切り拓いていくことになったのかを描き出していきたい。

四　本書の構成・内容

第一章では、維新前後の近代化の過程で、読書行為がどのように普及していったのかを検討する。具体的には、音読から黙読への「読み」の形態の変化（第一節）、多様な読者層に対応した「読む」対象の多様化（第二節）、そして公教育の普及とリテラシーの向上に根ざした「読む」主体の拡大（第三節）について検討し、本書の研究課題を遂行するために必要な分析視点の析出を行ない、読書に関する性差、地域差、階層差の問題を明確化する。本章は、読書という行為が教育上の問題として論じられなければならない背景を描き出すことを目的としている。

第二章では、第一章において検討した読書を教育上の問題として捉えようとする意識が、どのような教育構想、政策に結実していったのかを、社会教育の成立過程との関連において検討する。具体的には、読書の教育的意義についていち早く注目した内務官僚・井上友一の「自治民育」論において、読書がどのような教育的役割を期待されていたのかを検討した上で（第一節）、「社会教育」の成立過程において、読書、そして図書館に求められた教育的役割について、文部官僚・乗杉嘉寿、川本宇之介の図書館論を検討する（第二節）。これらの研究によって、内務省による「通俗教育」から文部省による「社会教育」への展開過程で、その教育目的や内容はどのような質的転換を内包するものであったのか、そして読書や図書館はいかなる教育的役割を期待され、付与されていったのかという問題が、国民統合の問題との関連で明らかにされるはずである。読書が「社会教育」の関心の対象となり、さらに図書館が社会教育（実質的には社会教化）機関として位置づけられていく動向を踏まえた上で、実際に図書館で働く図書館員たちは、図書館をどのような教育機関として位置づけようとしていたのかを検討し（第三節）、独自の教育機関としての図書館のあり方がどのように模索されていたのかを明らかにしていく。

第三章では、社会教育機関としての位置づけを確立した図書館において、具体的にどのような教育が模索され、またそれが実践されようとしていたのかを今澤慈海の図書館論と東京市立図書館における実践を視点として明らかにしていく。まず、東京市立図書館がどのような性質の図書館であり、いかなる実践を展開していたのかを概観した上で（第一節）、このような実践を導く今澤の図書館論がどのようなものであったかを検討する（第二節）。これらの研究によって、今澤の図書館論が「生涯的教育」という教育論に根ざし、図書館を生涯的教育機関として発展させていこうとする意図の下に構築され、さらに東京市立図書館における実践が「生涯的教育」の達成と密接に結びついていることが明らかにされるはずである。さらに、今澤とほぼ同時期に図書館を「自己教育」機関として機能させていくことを構想した中田邦造の図書館論を検討し（第三節）、図書館の教育機関としての自律性がどのように模索されていたのかを明らかにしていく。その上で今澤の図書館論と中田の図書館論を比較検討することによって、独自の教育を模索した図書館論の可能性とその限界性を論じる。

第四章では、「戦時下」という時代背景において、読書そして図書館がどのような教育的役割を期待されていたのかを明らかにしていく。まず、一九三〇年代以降盛んに展開されるようになる読書指導論を検討し、従来の「思想善導」から「読書指導」への移行はどのような質的転換を孕むものであったのかを論じる（第一節）。この研究により、「読書指導」においてはなぜ集団的な形式に基づく指導が必要とされるようになったのかを明らかにした上で、集団形式の読書指導がどのように構想されていたのかという問題について、長野県立中央図書館長・乙部泉三郎の論を中心に検討していく（第二節）。当時の読書指導理念を踏まえ、実際の読書会指導はどのように展開されていたのかを、三穂青年団の読書会を事例として明らかにする（第三節）。これらの研究を重ね合わせることで、戦時下における読書指導の理念と実態とが明確に把握されるはずである。

第五章では、第四章での研究を踏まえ、戦後の読書会を中心とした読書活動がどのように展開されたのかを長野県、特に下伊那地方を中心に検討する。まず、松本市立図書館長・小笠原忠統の読書運動を検討し、戦後長野県における読書活動の展開を概略的に把握する（第一節）。本研究は小笠原による読書会指導が停滞するまでを分析の対象とすることにより、読書活動が教育活動として成立する要因を考察する。次に、従来読書を初めとする知的営為全般から疎外されていたと考えられる、農村女性の読書行為への参入がどのように行なわれたのかを明らかにしていく（第二節）。まず、農村女性を対象とした読書指導を展開した宮沢三二の活動を検討し、宮沢の読書会指導の目的を明らかにするとともに、戦時下における読書会指導の連続性・不連続性の問題を考察する。次に、飯伊婦人文庫の活動がどのように展開されたのかを検討し、農村の女性たちの読書行為への参入とその意義を明らかにしていく。これらを踏まえ、女性たちにとって集団で読書活動を営むことはいかなる意味を有するものであったのかという問題を、読書会活動や当時の活動に携わった女性たちの聞き取りを分析することによって明らかにしていく（第三節）。これらの研究を重ね合わせることにより、読書という行為はいかにして教育活動として位置づけられるのか、そして読書行為に付随する「読み」すなわち解釈は、読書が教育活動として成立する上でどのような役割を果たすのかという問題を論じる。

終章では、これまでの研究を総括し、近代化過程における読書行為の教育への位置づけ、人々の読書行為への参入とその意味を検討する。

（1）「子どもの読書活動の推進に関する法律」（二〇〇一年一二月一二日、法律第一五四号）。

（2）「文字・活字文化振興法」（二〇〇五年七月二九日、法律第九一号）。

（3）「子どもの読書活動の推進に関する法律」の第二条（基本理念）は、「子どもの読書活動は、子どもが、言葉を学び、感性を磨き、表現力を高め、想像力を豊かなものにし、人生をより深く生きる力を身に付けていく上で欠くことのできないものであることにかんがみ、すべての子どもがあらゆる機会とあらゆる場所において自主的に読書活動を行うことができるよう、積極的にそのための環境が整備されなければならない」となっている。この条文からも、読書が「人生をより深く生きる力を身に付けていく上で欠くことができないものである」ことは半ば自明のこととして捉えられていることがわかる。また、「文字・活字文化振興法」の第一条（目的）においても、「文字・活字文化が、人類が長い歴史の中で蓄積してきた知識及び知恵の継承及び向上、豊かな人間性の涵《かん》養並びに健全な民主主義の発達に欠くことのできないものであることにかんがみ、文字・活字文化の振興に関する基本理念を定め、並びに国及び地方公共団体の責務を明らかにするとともに、文字・活字文化の振興に関する必要な事項を定めることにより、我が国における文字・活字文化の振興に関する施策の総合的な推進を図り、もって知的で心豊かな国民生活及び活力ある社会の実現に寄与することを目的とする」とされ、「文字・活字文化」が「豊かな人間性の涵養並びに健全な民主主義の発達に欠くことのできないものであること」を踏まえ、「文字・活字文化の振興」について施策の推進を図る必要性が主張されている。一連の読書推進運動は、いわゆる「心の教育」への取り組み、さらに「学力低下」論争と関連する形で盛り上がりを見せたことにも注意する必要があるが、この問題は本書とは別に論じられるべきであろう（拙稿「「読書力」育成の行方――子どもの読書活動の推進をめぐって」『現代教育の争点・論点』（仮題）所収、一藝社、二〇一〇年刊行予定）。なお、子どもの読書活動の推進事業は二〇〇九（平成二一）年一一月一一日に行なわれた行政刷新会議における「事業仕分け」により廃止となる。しかしながら、「事業仕分け」の対象となった理由の一つは「教育的効果が明確でない」というものであり、読書行為になんらかの「教育的効果」が期待されていることに変わりはない。

（4）国語教育史の一分野に位置づけられる読書教育史研究においては、読書指導の理論および実践に関する研究蓄積がある（たとえば、滑川道夫『こどもの読書指導』国土社、一九四九年）。しかしながら、これらの研究は必ずしも読書という行為の教育的意義を十分に吟味しているとはいえない。増田信一によって、「「何のために読書するのか」という問題について基本的な問題が問われなければならないし、この問いに対する読書主体の明確な認識がなければ望ましい読書活動は期待することは出来ない。（中略）従来の読書教育において、「人間形成のための読書」であるという共通認識がなされてきたが、その中身については、あまり具体化されなかったきらいがある。この点を明らかにし、徹底させていくようにしなければならない」（増田信一『読書教育実践史研究』一九九七年、三〇四頁）という問題提起がなされていること自体、読書が教育にどのように位置づくのかが問われないままに読書指導をはじめとする読書教育が推進されてきたことを裏づけている。

（5）本章「三　研究方法・資料」でも言及するが、本書では読書行為への参入について、教育的な働きかけを契機とするものと、このような働きかけの影響を直接的には受けていない自発的なものと二種の「参入」を想定している。
（6）一八九七（明治三〇）年の就学率は男女平均して六六・七パーセントであったが、一九〇七（明治四〇）年には九七・四パーセントとなっている。女子の就学率だけをみても、一八九七年と一九〇七年を比較すると五〇・九パーセントから九六・一パーセントへと上昇している（数字は文部科学省編『二〇〇一　我が国の教育統計——明治・大正・昭和・平成』財務相印刷局、二〇〇一年による）。
（7）前田は大正後期から昭和期にかけて「円本」や講談社文化の象徴ともいえる『キング』などの出版物によって啓蒙され、同時に出版機構を左右しうる「大衆」読者が登場したことを指摘している（前田愛『近代読者の成立』有精堂、一九七三年、三〇〇頁）。また永嶺も「円本」は「それまで読書とは無縁であった多くの大衆を読書階層へと導く」役割を果たしたとしている（永嶺重敏『雑誌と読者の近代』日本エディタースクール出版部、一九九七年、二〇三頁）。
（8）裏田武夫・小川剛「明治末期公共図書館研究序説」『東京大学教育学部紀要』第八号、一九六五年、一五三—一八九頁。また実質的な内容は資料が散逸しているため不明であるが、一九一一（明治四四）年の通俗教育調査委員会の設置も読書という行為が教育の範疇として捉えられつつあったことを示している。具体的に言えば、通俗教育委員会は「読み物」を統制する一方、思想善導にふさわしい読み物を提供することを試みており、それまで私的な営みとしてしか捉えられていなかった読書という行為が思想形成に多大な影響を持つものと認識され、教育の対象として捉えられていたことを明確に示すものである。さらにこの動きは、地方改良運動とともに展開される通俗教育、第一次大戦後の臨時教育会議後の社会教育にも継承されていることを踏まえると、一九〇〇（明治三〇）年代を起点として検討することは妥当であると考えられる。通俗教育調査委員会については、倉内史郎『明治末期社会教育観の研究』（『野間教育研究所紀要』第二〇輯、一九六一年所収）を参照。
（9）永嶺重敏「読書装置の政治学——新聞縦覧所と図書館」『〈読書国民〉の誕生　明治三〇年代の活字メディアと読書文化』日本エディタースクール出版、二〇〇四年、一六九—二一四頁。
（10）このことは、読書という行為が、社会教育を含む当時の教育における最重要課題である国民形成に関わるものと捉えられていたことを示すものであり、読書という行為が教育の問題として問われなければならないことを意味している。
（11）したがって、本書は「社会教育」概念や成立過程そのものを検討することを主たる目的とはしていない。本書において社会教育やその実践を担うものとしての図書館に注目するのは、それまで個人的な営みとしてしか捉えられていなかった読書という行為を、社会教育が「教育」の問題として取り込みながら成立していったという事実に基づいている。国語という教科においては、

「読書科」が設けられているものの、これはむしろ「読み書き科」と読み下すのが適当であり、ここでは正確な文字の読みと綴りを習得することがめざされていた。読書を人間形成にかかわるものと捉え、その内容にまで踏み込む読書指導は、主に社会教育の分野で展開されている。国語科の「読書」に、読書を通じてなんらかの価値（たとえば文化の理解、経験の拡大など）を読み取る能力の育成をめざした読書指導の意味が明確に付与されるようになるのは一九四七（昭和二二）年度試案の学習指導要領（国語科編）以降のことである（生野金三「国語科「読書」の歴史をめぐって」『西南学院大学教育論集』第二六巻第二号、二〇〇〇年、二八九―三二六頁）。

(12) 拙稿「近代化と「読み」の変遷――読書を通じた自己形成の問題」（『慶應義塾大学社会学研究科紀要』第五二号、二〇〇一年、七一―八四頁）を参照。

(13) たとえば、戦後の「民主化」の過程でも農村地域などでは女性が読書行為をすることに対する否定的な考え方が根強く残っていた（拙稿「一九六〇年代における読書運動――飯伊婦人文庫の活動を中心に」『日本社会教育学会紀要』第四一号、二〇〇五年、七三―八三頁）。

(14) 文部科学省編『二〇〇一　我が国の教育統計――明治・大正・昭和・平成』財務省印刷局、二〇〇一年、二八頁。

(15) 「中間文化」論は一九五七（昭和三二）年、加藤秀俊によって提唱された。また、松本健一による、一九六四年（昭和三九）年の東京オリンピックを境に急激な社会変化が起こり、それと同時に従来の大衆文学対純文学、大衆対知識人という知の枠組みが崩壊したという指摘も、この中間文化論の延長線上にあるものと考えられる。以上の問題を竹内洋は学生文化における「教養」という観点から検討している（竹内洋『教養主義の没落　変わりゆくエリート学生文化』中公新書、二〇〇三年）。また、永嶺重敏は、昭和三〇年代の東大生の読書傾向は「岩波文化への絶対的な信頼」として特徴づけられるが、昭和四〇年代に入ると新潮社の人気が高まり、同時代の人気作家中心の読書へと移行し、六〇年代には学生運動と相俟ってマルクス主義に代表される左翼理論書を中心とした共同的な読書が誕生するものの、七〇年代には彼らの読書傾向も大衆化する傾向にあったと分析している（永嶺重敏『東大生はどんな本を読んできたか　本郷・駒場の読書生活一三〇年』平凡社新書、二〇〇七年）。

(16) 前田愛「戦後における読書の変貌」『思想の科学』第二七五号、一九七六年、二―一〇頁。

(17) 清水義弘「社会と読書」清水義弘編『読書』有斐閣、一九六一年所収、一頁。この文章の中で、清水は岩波文庫の発刊の辞「読書子に寄す」を取り上げ、この「読書子」は「進取的なる民衆には違いないが、同時に新しい意味での特権階級ではないのか」、したがって、「読書の範囲を知識と美のみにかぎることは、いわゆる知識人を、ひと握りの知識人、文化人、学生層に限定することである」と主張している。富永はさらに続けて「彼らにとっては、大衆小説や週刊誌を読んだり、手引書を備えたり、娯楽雑誌に興じたりする大衆は、「進取的ならざる民衆」であるかもしれない。しかしそのような大衆の読書にも、彼らなりの生活からのきびしい要求があることをみのがしてはなるまい」という問題提起をしている（同前書、三頁）。富永の問題提起は、「知識人」やその予備軍である「学生層」という従来の読書人のカテゴリーには含まれず、むしろ読書をはじめとする知的営為から疎外されていた人々の間にどのように、またなぜ読書行為が普及したのかを検討しようとする本書において重要な示唆を与えるものである。

(18) なお山口健二は大衆消費社会の到来とともに、読者層に都市ホワイトカラー層を中心とした中間知識人層が急増して一般読書人口が拡大、結果として一九七〇年代は読書文化の構造的な転換期となったことを指摘している（山口健二「読書文化の構造転換期としての七〇年代」『岡山大学教育学部研究集録』一一六、二〇〇一年、一五七－一六五頁）。

(19) たとえば、テレビをはじめとする耐久消費財の普及に関して都市と農村の差がほとんど見られなくなった。

(20) 大門正克・安田常雄・天野正子編『戦後経験を生きる』吉川弘文館、二〇〇三年、一四九頁参照。

(21) 一九五〇年代後半の生活記録文集には、「嫁」の立場にある女性たちによって、「姑」との物事に対する考え方の世代間格差や地域社会の付き合いのあり方について悩む様子が綴られている。しかしながら、このように悩む自分自身が「封建」的な意識や観念にとらわれていることを自覚的に表現するようになるのは、一九六〇年代後半になってからのことである（拙稿「一九六〇年代における読書運動――飯伊婦人文庫の活動を中心に」『日本社会教育学会紀要』第四一号、二〇〇五年、七三－八三頁）。山口健二が読者層の構造的転換期を一九七〇年代と設定していることを勘案すると、一九六〇年代は女性も含めた大衆読者層が形成される揺籃期と規定できるかも知れない。

(22) 読書に関するさまざまな領域の研究成果を含む雑誌の特集などでは、この傾向が顕著である。一例として、『言語』第二七巻第二号（一九九八年）の特集は、「〝読む〟――知的営為の原点」であり、『環』第一四号（二〇〇三年）の特集は「「読む」とは何か」となっている。

(23) 「読む」という用語の持つ多義性は、「文字を目でたどり、それらが言葉を表記した記号であると認識すること」であると同時に、「テクストの言葉を通して、他己組織化と自己組織化を同時進行させながら、それらの相互作用の運動を一回的に展開していくような出来事」であると指摘した小森陽一の論にも反映されている（小森陽一『出来事としての読むこと』東京大学出版会、一九九六年、三－五頁参照）。

(24) 倉内、前掲書。

(25) 宮原誠一『図書館と社会教育』（春陽堂、一九五四年）にも同様の指摘がある。

(26) 宮原誠一「青年の読書の特質――読書指導の理論的基礎づけのために」『青年の学習』一九六〇年、国土社、三三〇頁。なお、本書では『社会・生涯教育文献集Ⅲ』第二五巻、日本図書センター、二〇〇一年を使用した。
(27) 宮原誠一「青年の読書会」『青年の学習』一九六〇年、国土社、三五〇頁参照。
(28) たとえば、片上伸『文芸教育論』文教書院、一九二五年、大宅壮一「文壇ギルドの解体期」(『新潮』所収)一九二六年、青野季吉『転換期の文学』春秋社、一九二七年。
(29) 特に、音読から黙読への「読み」の形態の移行については、同時期に一様に起こったものではなく、徐々に音読が駆逐されて黙読が優位となる階層的な歴史的過程として捉えることが適切であるという批判がなされている(山田俊治「音読と黙読の階層性――前田愛「音読から黙読へ　近代読者の成立」をめぐって」『立教大学日本文学』第七七巻、一九九六年、五五―七七頁参照)。
(30) H・R・ヤウス『挑発としての文学史』岩波現代文庫、二〇〇一年、四〇頁参照。
(31) W・イーザー『行為としての読書』岩波現代選書、一九八二年、一八四頁参照。
(32) 実際に、前田愛はヤウスの研究は自身が文学研究の一端を担うものとして読者論を展開していく上で「百万の援軍を得た」と評価している(「座談会「読者論・読書論の今日的意味――文学論の前提として」『国文学解釈と鑑賞』第四五巻第一〇号、一九八〇年、二五頁)。
(33) 山本の研究はメディアを分析対象として読者層の実態やメディアの受容のあり方を描き出そうとするものであり、本書も多くの示唆を得ている。山本の方法は、有山輝雄の研究(たとえば「一九二、三〇年代のメディア普及状態」『出版研究』第一五号、一九八四年、三〇―五八頁)にも受け継がれている。
(34) アンダーソンが出版資本主義を重視した背景には、会話において使用される「口語」はしばしば互いの理解を困難にするのに対し、「機械的に複製された出版語」は相互理解を促進したことがある。この均質な「出版語」は国語の原型となるものといえ、「国語」の成立と、印刷物を読むことを介した「国語」との接触、さらに国民形成との関連を検討する上でも示唆に富んでいる。
(35) R・シャルチエ「書物から読書へ」、R・シャルチエ編『書物から読書へ』みすず書房、一九九二年所収。
(36) ロバート・ダーントン『禁じられたベストセラー　革命前のフランス人は何を読んでいたか』(ロバート・ダーントン著、近藤朱蔵訳、新曜社、二〇〇五年。原著は *The Forbidden Best-sellers of Pre-revolutionary France*, Norton(一九九五年)の第一部から第三部である)では、いわゆる「悪書」や「禁書」が人々の思想形成にいかに関わるものであったのかという興味深い分析を行なっている。また、ダーントンは「読者がルソーに応える――ロマンティックな多感性の形成」(原著は *THE GREAT CAT MASSACRE AND OTHER EPISODES IN FRENCH CULTURAL HISTORY*, Basic Books(一九八五年所収)の *"Readers respond to Rousseau: The Fabrication of*

Romantic Sensitivity". 本書では海保眞夫・鷲見洋一訳『猫の大虐殺』岩波現代文庫、二〇〇七年を使用した）において、作者であるルソーが読者に対してテクストの吸収の仕方を提示し、読者はそれに忠実に応えることによって、作者と読者は協力して伝達方式に新しい変換をもたらしたことを示している。

(37) たとえば筒井清忠『日本型「教養」の運命』（岩波書店、一九九〇年）、竹内洋『立志・苦学・出世』（講談社現代新書、一九九一年）、天野郁夫『日本の教育システム』（東京大学出版会、一九九六年）、渡辺かよ子『近代日本の修養論』（行路社、一九九七年）など、学歴社会の形成と教養形成の問題を検討した一連の研究が挙げられる。

(38) 青木美智男「幕末期民衆の教育要求と識字能力」『講座日本近世史』第七巻、有斐閣、一九八五年。

(39) 『江戸の思想　五　読書の社会史』ぺりかん社、一九九六年参照。その他、横田冬彦編『知識と学問をになう人びと』（吉川弘文館、二〇〇七年）にも横田冬彦「書物をめぐる人びと」、渡邉仁美「本屋――書物市と草双紙」、横田冬彦「知識と学問をになう人びと――ある城下町町人の日記から」などが所収され、読書と知の形成の問題が多角的に論じられている。また、鈴木俊幸『江戸の読書熱――自学する読者と書籍流通』（平凡社、二〇〇七年）においても書籍の流通と「自学」ブームとの関連を論じており、日本近世史における書物、出版史研究は、読み手の問題も含め、より豊かになっているといえよう。

(40) 八鍬友広『近世民衆の識字と政治参加』校倉書房、二〇〇一年。

(41) 近世の文字社会の成立および出版文化の発達は、いわゆる「知識人」層を対象とした学術書だけではなく、黄表紙や女訓書など多様な書物を生み出し、女性をはじめとして多様な人々に読書行為を普及させる上で多大な役割を果たしたと考えられる。したがって、近世史の観点からすれば維新後に突如として多様な「読者」が登場したのではなく、すでに近世にその可能性は胚胎していたということになろう。しかしながら、近代においては小学校という教育機関が設立され、しかもその教育機関への就学は理念上、義務制を前提としていたことによって、近世とは比較にならないほど多くの人々が「読み書き」の基礎を習得することになる。また、学校教育以外の社会教育の登場は、さらに人々の教育機会を拡大させた。「読み書き」の習得と読書行為の普及は一対一対応ではないものの、読書行為に参入する可能性のある人々も、近世とは比較にならないほど増加あるいは拡大したことは、近代における読書行為の普及要因の特徴として捉えられなければならない。

(42) 婦人雑誌を分析対象として「主婦」読者層の形成過程を検討した木村涼子の「婦人雑誌の読書空間と女性大衆読者層の成立」（『思想』第八一二号、一九九二年、二三一―二五二頁）や、女性の国民化を目的とした良妻賢母思想の普及に女性向けの修身の教科書や育児書が果たした役割を検討した小山静子の『良妻賢母という規範』（勁草書房、一九九一年）などがある。また、社会学における成田龍一の「『少年世界』と読書する青年たち」（『思想』第八四五号、一九九四年、一九三―二二一頁）なども、読書を媒介とした人々の意識の組織化に注目した研究といえよう。

(43) 大門正克『民衆の教育経験』青木書店、二〇〇一年。

(44) 辻本雅史「教育のメディア史」教育史学会編『教育史研究の最前線』日本図書センター、二〇〇七年、第一一章、二二五―二五四頁所収。

(45) 松塚俊三・橋本伸也「識字と読書」教育史学会編、同前書、二五五頁。

(46) たとえば、松塚・橋本は「……人々が読み書き能力を身につけることを志し実際それを果たしたのは学校的な「教育」の場を介してであったのかあるいは人はもっぱら教育的意図のもとでのみ読書をしていたかというと、当然のことながらそのようなことはありえない。識字と読書と教育との間には単純な因果関係では説明できない、多様な要因の入り組んだ複雑な構図が存在し、さらにその後背には人々の情意や欲望、切々たる思いを漲らせた広大な空間が控えていた。同時に官房的教育観では捉え切れない、多様で豊かな教授と学習の活動も繰り広げられていた」と述べている（同前、傍点は引用者）。この指摘は、単純に従来の教育観を拡大することを主張したものではなく、教育の本質的問題を踏まえた際に、より妥当な研究方法とその対象は何かを追究したものといえ、本書も多大な示唆を受けている。

(47) 永嶺、前掲注7、永嶺重敏『モダン都市の読書空間』（日本エディタースクール出版部、二〇〇一年）、永嶺、前掲注9。

(48) この表現は、女性学や教育社会学などの研究に多大な影響を与えるものであった。一例として、佐藤（佐久間）りか「清き誌上でご交際を」（『女性学』第四号、一九九六年、一一四―一四一頁）、永井紀代子「誕生・少女たちの解放区」（『閲ぎ合う女と男――近代　上』藤原書店、二〇〇〇年、二七八―三一一頁）、今田絵里香「少女雑誌における「少女ネットワーク」の成立と解体――一九三一～四五年の少女雑誌投稿欄分析を中心に」（『教育社会学研究』第七〇集、二〇〇二年、一八五―二〇二頁）などが挙げられる。また今田は小山静子の提示した「国民形成の一手段としての良妻賢母主義女子教育」の枠組みを援用しつつ、少女雑誌を通して（理念上ではあるものの）少女が国民として組織化されていく過程を描き出している（今田絵里香『〈少女〉の社会史』勁草書房、二〇〇七年）。

(49) 永嶺、前掲注9。

(50) 和田敦彦『メディアの中の読者』ひつじ書房、二〇〇二年、二二頁。

(51) 同前書、四四頁。

(52) 宇野田尚哉は、読書論を思想史的に研究する際に最低限問われねばならない問題の系列は、「いつ、どこで、だれが、なにを、いかに読んだか、そしてその結果何が起こったか」であるという。宇野田は「いつ、どこで、だれが、なにを、いかに読んだか」の実証的解明自体が必要であるが、それだけでは歴史学の研究ではありえても、そのまま思想史的研究とはなりえないのではないか、読書行為を通して読書する主体はいかに再編成されたかといった問題にまで踏み込むことが思想史研究は求められているのではないかという問題提起をしている（宇野田尚哉「方法的視野としての読書論――コメント」『日本思想史学』第三六号、二〇〇四年、三六―三七頁参照）。読書の教育的位置づけを歴史的に検討しようとする本書も、宇野田からは多大な示唆を受けている。しかしながら、教育学研究に位置づくものとして読書論を検討する際には、宇野田の指摘に加え、「どのような教育的意図に基づき、いかなる働きかけが行なわれたのか」という問題も問われなければならないと考える。

（53）識字率の向上が義務制就学の定着の後に見られるものであるということについては清川郁子「「壮丁教育調査」にみられる義務制就学の普及」（『教育社会学研究』第五一集、一九九二年、一一一―一三五頁）を参照のこと。

（54）たとえば筒井清忠、前掲書、渡辺かよ子、前掲書。また、いわゆる「知識人」以外の青年層を対象とした学習活動に関する研究（大串潤児「山本茂美と「葦会」」（『年報日本現代史』第八号、二〇〇二年、六九―一〇八頁）、北河賢三「青年団における戦後の出発」（『社会科学討究』第四二巻第三号、一九九七年、一一九―一四五頁）などにおいても、検討される「青年」は主に男性である。しかしながら稲垣恭子はかつて女学生であった人々の日記や手紙、また読書など生活のあらゆる側面についてのアンケート調査をもとに、「軽薄な知」の表象としてさまざまに語られてきた女学生の文化や教養の内実に迫ろうとする研究を行なっている（稲垣恭子『女学校と女学生　教養・たしなみ・モダン文化』中公新書、二〇〇七年）。また、同書の基となった「関西地域における高等女学校の校風と女学生文化に関する教育社会学的研究（研究課題番号 14510276）」（『平成一四年度～平成一五年度科学研究費補助金（基盤研究(C)(二)）研究成果報告書』研究代表者稲垣恭子、二〇〇四年）においては女学生を経験した女性へのアンケートなどを踏まえ、「女学生」の出身階層、親の教育意識、家庭の文化的環境、趣味嗜好、学校生活に対する意識、読書など多岐にわたる詳細なデータに基づき、女学生の教養・文化の実態に迫ろうとする研究報告がなされている。

（55）戦後の下伊那地方における女性の読書活動および学習活動の動向を知る手がかりとして、各地域の婦人会で発行された生活記録文集なども参照する。

第一章　近代化と読書行為の普及

明治維新以降、西欧の学問、思想、科学技術などが輸入され、日本の近代化が進行した。教育もその例外ではなく、教育制度のみならず教育思想、学問内容においても西欧に依拠するところは大きかった。特に学問を通じた人格陶冶（Building）という「教養」概念は、従来の儒学を基本とする漢学に基づく知識および人格形成に西欧の人格陶冶が接ぎ木される形で、近代日本における新たな思想とこれに基づく人間形成のあり方を生み出した。依然として階層差は根強かったものの、従来の身分制によって社会的地位の上昇が規定されるのではなく、「教育」を通じた社会的上昇の可能性が示されたこと、さらに自分の親や師から授けられた規範のみに依って自己形成するのではなく、新しく出会った価値観や思想をみずからの生きる指針として、親や自分の生まれた境遇とはまったく異なる人生を歩む可能性や選択性が示されたことは、日本における人間形成の「近代化」を意味するといえよう。

それでは、親をはじめとする既存の規範とは異なる思想、価値観と人々はどのようにして出会い、みずからの生きる指針としていったのであろうか。本章では明治維新前後の人々が新たな思想や価値観に触れるきっかけとなったであろう「読む」行為に焦点をあて、この行為が近代化の過程でどのような変遷をとげたかをたどることで、読書行為の教育への位置づけを検討するための視点を析出したい。

日本において「読む」という行為に注目し、読む対象だけでなく読者にも注目した研究は大正期に端を発している。(1)

しかしながら、読むという行為の分析を通じて人々の思想形成やその伝達に注目した研究は、一九四六年に発足した思想の科学研究会を中心として本格化したといえよう。(2) 一九五二年発行のパンフレット『思想の科学　趣旨と行動』において鶴見俊輔が掲げた目標は以下のようなものである。「ひとびとの哲学の探求／コミュニケーションの研究（日本の大衆がお互いの、心持をつたえあうのにどんな方法によっているかという問題）／私たちがもっとはっきり考えられるための、さまざまなこころみ」。「今まで日本のインテリの考えや言葉が日本の大衆から浮き上がっていたことを、私たちははずかしく思う。（中略）私たちの方向はこれまでのように、大衆をマスとしてとらえるのではなく、大衆のひとりひとりに関心を持つことである。この関心を通して大衆からまなび、私たち自身の感覚・思索行動を高めて行きたいと願う(3)」と。

以上の記述から浮き彫りにされるのは、戦前の日本において思想を語ることばが一人歩きし、明晰な思考ができないまま人々がことばに取り込まれていった状況である。つまり戦前において思想は「ひとびと」のためのものではなく、ごく一部の階層、たとえば教養人、知識人と呼ばれた人々、「ことば」を共有する人々のためのものとしてしか存在していなかったのである。戦後「日本の大衆がお互いの心持をどのように伝えあっていたのか」という問題提起がなされる背景には、大衆のみならず大衆と教養人・知識人両者がまったくのディスコミュニケーション状態にあったことを示している。換言すれば、両階層間をつなぐ「ことば」そのものが欠如していたのであり、その原因の一つとして人々がさまざまな情報、思想、価値観に接するための「読む」行為に関する分離が想定される。なぜなら「読む」行為の分離やこの行為そのものからの疎外は、後にものの考え方、思想などにおける階層間の分離、断絶に発展したといえるからである。「読む」という行為を成立させている読みの形態、対象、人間の関係に焦点をあて、人々の営みの中で「読む」という行為がどのように行なわれていたかを明らかにすることは、「読む」という行為の教育的位置づけを検討する際の予備的考察となる。本章では明治維新以降の、音読から黙読への読みの形態変化に焦点をあて、「読む」行為が人々の間にどのように普及していったかを検討することで、読む行為に従事する人々の階層、思想がどのように想定されうるのかを論じ、「読む」行為が思想の形成や階層間の思想の分離をどのように説明しうるものであるかを明確にしていく。

誰が、何をどのように読むのか、という「読み」に関わる問題を近代化の歴史的文脈の中に位置づけた研究として、前田愛の一連の著作が挙げられる。(4) 前田は音読から黙読へと読みの形態が変化してゆく過程に注目し、この形態の変化が書物を「批判的に」読む姿勢を形成し、やがて「近代的な」理性、批判的精神をもった思考とそれに基づく自己形成を模索する人間を生み出すという論を展開している。これに対して、山田俊治は前田の論を評価しつつも、前田の主張する音読から黙読への変化は、急速な勢いで一様に起こったものではなく、その根底には階層性という問題があるため、音読から黙読への「形態の」変化を単線的に成立させると、数多くの例外を抱え込むことになると批判した。(5) つまり山田は、印刷技術、リテラシーの向上などと連動して、音読から黙読への移行が階層、性別を問わず、同時期に一様に起こったものとすると、多くの矛盾が生じることを指摘したのである。山田はシャルチエの論を支持しつつ、「音読から黙読への移行は非常に長い時間を要した一個の歴史的な過程として理解」した方がよく、それは「徐々に音読が駆逐されて、黙読が優位する享受形態へと移行する階層的な歴史的過程であったかもしれない」(傍点引用者)という見解を示している。(6)

明治維新前後は音読、黙読いずれの形態にせよ「読む」に十分なリテラシーを持つものはきわめて限られており、(7) 小学校への就学率が九〇パーセントを超えるのは日露戦争期の一九〇四(明治三七)年であることを考慮するならば、「読む」という行為を通した人々の自己形成のあり方を考察するためには、読みの形態変化と読む人間の階層性とはともに論じられなければならない。この問題について、山本武利は新聞読者層という視点から明治維新以降の幅広い階層への「読む」行為そのものの定着の過程を論じている。(8) 山本は書籍よりも安価でより入手しやすい新聞に焦点をあて、さらに多種多様の新聞の内容を比較検討することで、異なる階層がどのように、どのような場所で、どのようなことばで書かれた文章を読んでいたのかという問題を明らかにしている。山本の論は、どのような新聞が、どのような階層に向けて発信されていったのかという論の展開を通して、間接的にではあるものの新聞を読んだ人々がその内容をどのように受容し思想形成の一助としていたかについての示唆をあたえるものといえよう。

さらに、近代化過程における読書を通じた「人格形成」、「教養形成」という関心から「読む」行為を論じているのが筒井清忠[9]と渡辺かよ子[10]の研究である。筒井は「教養」概念の成立を、日本において伝統的に存在していた「修養」概念との関連性を視野に入れ、その受容の仕方について旧制高校生を対象とした書籍、雑誌類の読書調査をもとに分析している。渡辺は一九三〇年代の大正教養主義期における「教養」「修養」思想の連関と分離について、旧制高校生が愛読した書籍の内容から分析している。両者ともに、「読む」行為と読む人間の自己形成、さらには思想形成との関わりを「教養」や「修養」概念の成立過程と関連させつつ論じているが、中心的な分析対象は読書習慣が定着し、これを行なうことが日常的となっている旧制高校生であるため、同時代の他の階層における「読む」行為と自己形成や思想形成との関連は見えにくいものとなっている。以下では、先行研究を踏まえつつ、「読む」という行為を成立させる形態、対象、人間という三要素の関わりとその変遷を網羅的に検討することで、「読む」という行為を分析するための分析視点の確認と問題点の整理を行なう。

一　「読み」の形態の変化――音読から黙読へ

㈠　明治維新前の「読み」――読みの形態と読書、知識形成のあり方

そもそものを「読む」という行為はどのようなものであり、いかなる歴史的変遷をたどっているのだろうか。「音読」と「黙読」という二つのことばが示すとおり、「読む」行為は二種に大別され、前者の歴史が後者のそれよりも圧倒的に長いことは洋の東西を問わない。黙読という行為の普及は、活版印刷技術の改良により大量印刷が可能とな

り、書物を入手することが容易な状況が生まれること、ひとりでの読書を可能にする識字率の向上、そして黙読を要求する書籍の内容や図書館に代表される読む空間の誕生などの条件の上に成り立つ、近代化の産物の一つなのである。[11]

それでは、黙読が普及する以前の音読という読みの形態に基づく読書はどのようなものであり、それは日本人の知識形成、自己形成にどのような影響を及ぼしていたのだろうか。長い間日本人の知識形成は儒学を根本とする漢籍、漢学の学習を通じて行なわれ、この学習は人格形成の役割をも担っていた。特に「素読」は学習の入門期に実施されていた方式であり、藩校であっても寺子屋・手習塾であっても初学者が必ず経験している。[12]素読は四書五経、論語などの入門的教材を、学習者が指導者の下で教材を音読して暗誦するというものである。この過程では教材の意味そのものの理解よりも、まず教材そのものを記憶し、身体化することが求められた。[13]山本は幕末から明治維新前後にかけて存在した、あるいはこの時代に教育を受けた「知識人」の多くは、素読に始まる漢籍の学習を基本とする知識形成をした「伝統的知識人」であるとし、彼らが維新後の新聞を普及させた読者層を形成する有力な存在であったと位置づけている。[14]前田は植木枝盛や、幸田露伴らの著名な明治啓蒙期知識人の「素読」に関する自伝、伝記類を整理し、素読という訓練を経て青年たちはほぼ同質の文章感覚と思考形式を培養していたため、彼らは出身地や支配階層の中における階層の違いを超えて、エリートとしての連帯感情を形成することが可能であったとしている。[15]

これらの分析を通して言えることは、素読という一種の「音読」という読みの形態に基づく学習方式は、知識のみならず「素読」を十分に身体化しえた人間に共通の思考を形成する働きをも有していたということである。換言すれば、素読という読み形態を基調とする学習方式、知識形成のあり方は、「音読」することによって「伝統的知識人」相互のつながりを可視化し、さらに感情レベルでの連帯感をも生み出させるものであったといえよう。また、この素読を基調とする学習方式は漢学だけのものではなく、医学や、洋学、維新後の英学の学習に適用されることもあった。[16]素読という「読み」に基づく知識形成のあり方は、維新後もその影響力を失うことなく、新たな学問の学習方式として生き続ける。

素読という「読み」の形態を、江戸から近代日本にかけての「知」の形成の問題としてとらえる中村春作は、「素読」という読みの形態が江戸の昌平坂学問所にとどまらず各地の知識人層に普及していたことによって、そのなかに近代を予想させる均質な「知」が形成されていくことになったのではないか、という見解を示している。[17] 中村正直や植木枝盛らに代表される明治啓蒙知識人は漢学の素養を有し、これを基盤として西欧諸国の「近代的」な学問、思想を学び、これを広く日本の人々に紹介する「啓蒙」活動を展開している。このことは、維新前から存在した素読という「読み」の形態を基盤とする知識形成のあり方が、「近代」のそれとなんら矛盾することなく、むしろ連続的なものとして機能したことの証左である。[18] つまり「素読」という音読の一形態は、漢学にとどまらぬ知識形成の方式として成立し、機能していたがゆえに、維新前には存在しなかった新たな学問知識、思想をも取り込みうるものだったのである。前田は幕末期に禄を失った士族の父親が『学問のすすめ』を息子に読ませた話を紹介しているが、『学問のすすめ』は、漢学を基調とした知識、人格形成という共通項を持つ「父」の世代と「子」の世代とが共感できる最後の書物であったかも知れない。

たとえば、スマイルズの『西国立志編』やフランクリンの自伝は「立身出世」を志した青年たち、すなわち「子」の世代のバイブルであったけれども、「父」の世代には受け容れられなかった。松沢弘陽は、中村正直がスマイルズの著書を翻訳するに際して「西国の強」（さらに富）の源を民主的な政治に、さらに人民の「自主ノ権」、「品行」に、そしてそうしたエートスの究極の源泉を「天道ヲ信」じ「敬」する教法、——キリスト教に求めていたが、この教法の摂取がはたして日本固有のそれと矛盾しないかという「疑問」を引き出すとしている。[19] さらに松沢は、中村正直が「薫陶益受ク」と感謝していた安井息軒が儒者としてキリスト教の思想的影響力の増大に危機を感じて『弁妄』を著し、当時日本に受容されたキリスト教の論理の弱点を鋭く的確に衝いた例を挙げ、西洋の「自由之権」や「教法」の受容が、旧体制のもとで儒教によって人格を形成した世代に、どれだけ反発を引き起こしたかがうかがわれるという。[20] このことは、漢学を基調とする知識、人格形成のあり方を共有しながらも、「父」の世代には受け容れがたい価値観、思想がその書物の中に記されていたことを示すものである。松沢は「敬宇における儒教は、幕藩体制における正統教学としてのそれの、ほとんど自己否定といえるところまで変身することによって新しい社会にかなりの程度まで適応することができた」と評価するが、実際にこの「変身」が可能であったのは、「父」の世代ではなく、その「子」の世代、青年たちであったのではないだろうか。

スマイルズの著書に示された自己形成のあり方は、「父」に代表される年長者や既存の規範に縛られることのない、まさに「近代的」なものであり、そのことが記された書物はけっして「音読」という読みの形態を通して「父」の世代と共有されるものではなかった。従来ならば、「素読」を通して年齢、出身階層を超えた思想や価値観の共有が保障されていた。しかしながら、ここにおいて「素読」という音読の形態によって形成された価値観のみでは理解されない書物、すなわち青年たちが新しい価値観や思想と対峙し、受容するべく「黙読」する書物が誕生したと考えられるのである。(21)

一方、維新前における「伝統的知識人」の範疇外の人々も寺子屋・手習塾で「素読」を学習する機会があったとはいえ、その位置づけは藩校におけるそれとは大きな格差があった。石川謙は藩校と寺子屋の教科内容が時代と共に相互に接近してきた経緯を示しつつも、寺子屋においては一般に読み書きが重視され、寺子屋における「素読」は「大学」(22)や「論語」がせいぜいで、藩校に学ぶ人々のようにその講釈まで進んだものは微々たるものであったと指摘している。また、高井浩も、庶民を対象とした寺子屋の教科書および学習過程を分析し、『四書』は弟子のもつ素質と才能、生活環境に応じて課せられたものであったとしている。(23)このことからも、寺子屋・手習塾における「素読」は学習の「入門」以上の意味を持つものではなく、藩校における素読のように他の学習との連続性や関連性は希薄なものであったといえよう。

伝統的知識人とそれ以外の階層の人々における「素読」の位置づけの格差は、維新後の「読む」行為、新しい価値観や思想の受容における階層差へと受け継がれていくことになる。これらの階層の人々における素読以外の「読む」

行為も、知識人のそれと比較するときわめて限られたものであると考えられる。もちろん、滑稽本や洒落本の流行、さらにこれを供給する貸し本屋の存在は知識人以外の人々の間でも「読む」行為がなされていたことを端的に示すものではあるが、その機会に恵まれたのはごく一部の豪農、豪商、都市部の町人であっただろう。そもそも「読む」ためのリテラシーを有する人間そのものの割合が知識人階層とは比較にならないほど少なかったのである。

したがって、知識人階層以外の読書形態は、家中での音読や拾い読み、読み聞かせなど「協同的」なものが主流であった。[24] 印刷技術の未発達により書物そのものがきわめて貴重な存在であったため、一人が一冊の本を独占的に所有するのではなく、家族共有のものとして存在していたのである。その結果、一冊の本を家族の団欒の場で、リテラシーのあるもの――大部分は父である――が家中のものに読み聞かせるという読書形態が一般的であった。山川均は「なにか特別の家でもない限り、どこの家庭にも蔵書というほどのものはなく（中略）、懇意な家に『八犬伝』があったので、一と冬『八犬伝』を借りて来て、毎晩父が面白く読んでくれるのを、母は針仕事を、姉は編み物をしながら、家内中で聞いたことがあった」[25]と述べているし、新渡戸稲造も「僕がまだ子どもの時であった。五才頃と思ふ。父は毎夜炉辺で家族一同と盛岡名産の饅頭を食ひながら、読書をして居たことを朧げながら記憶してゐる。母は傍らに針仕事をしながら座し、兄や姉も謹聴してゐた。（中略）父は一同に八犬伝を読んで聞かせた」[26]と回想している。つまり書物そのものが貴重であり、しかも読書に耐えうるリテラシーのあるものが少なかったこともあって、人々の間では、音読による協同的な読書形式、あるいはその享受が一般的なものとして存在していたのである。

これらのことから、江戸から明治維新前後にかけては、「音読」が読みの形態としては階層間を問わず一般的なものであったこと、さらに女性が「読む」行為から疎外されがちであったことがわかる。しかしながら、「音読」という読みの形態をとる原因は階層、性別によって大きく異なっていた。伝統的知識人階層における音読は「素読」に代表される、漢学に基づく知識、教養、文化形成の現われとしての「音読」であり、知識人階層以外の人間の「音読」は主に書物が貴重な存在であり、本を個人的に所有することが困難であったこと、さらに読書するに十分なリテラシーを有するものが少なかったことに起因している。このことは「音読」という読みの形態を生み出す原因には階層差、性別などの問題が根底にあり、維新以後の「読み」に関する階層性や性差の問題を示唆するものともいえよう。

(二) 明治維新後の「読む」行為――新聞の普及と「読む」の習慣の確立

明治維新前後の活版印刷技術の導入は大量印刷を可能にし、読みの形態の変化に多大な影響を与えている。このことは明治一〇年代に始まる新聞の興隆にも反映されている。そしてリテラシーの向上と相俟って新聞が徐々に普及してゆくことによって、維新前の「伝統的知識人」とその子の世代のみにとどまらず、より多くの人々に「読む」習慣を成立させることとなったのである。(27) 一八八一(明治一四)年の時点で新聞雑誌の出版総数は二五三であったのが、一八八七(明治二〇)年には五九七となり、一〇年にも満たない期間で約二倍の増加を示している。もちろん、新聞は当初から多くの人々に受容されたわけではない。欧州視察の結果、新聞の「上意下達」の役割に注目した政府は、新聞を人々の間に定着させるべく、県の訓導や教員などを招いて、新聞の内容を人々にわかりやすく解説する新聞解話会を各地で催した。(28) この会は法令を民衆の間に徹底させることを目的に、開化政策の一環と位置づけられ、小学校を拠点として行なわれたものである。この場において小学校教員は新聞を介した政府の政策の「伝達者」としての役割を担い、生徒のみならず村の有識者をも対象として新聞の「講説」を行なうことを求められた。(29) 総じてリテラシーが低く、自力で新聞を読むことのできるものが少数であったため、新聞を人々に「読み聞かせ」、さらにその内容をわかりやすく解説するには小学校の教員が適切であったのである。

もちろん新聞の普及を図ったのは政府ばかりでなく、新聞を発行する新聞社においても同様であった。民衆の啓蒙を目的として、解話会を催し、新聞の効用を説き、これを読むことを政府が奨励したものの、新聞の読者層は豪農、官吏、教員などの「知識人層」に限定されていた。奥泉和久は当時の新聞購読に関する調査を整理し、新聞購読者は当時全国平均で一万人中四〇人前後であったこと、当時の新聞の購読料が高かったという理由もあって、新聞の読者は新聞を購読しうる経済力を持った豪農や、職場で購読される新聞に接する機会に恵まれた官吏や教員に限定されると指摘している。(30) もちろん、解話会が催されたことにも象徴されるように、人々のリテラシーは総じて低く、新聞を読むことが困難なものが大多数であったことも新聞読者層が限定されていた一因である。そのような状況下で新聞社は売り上げ向上を図るため、新聞を閲覧できる新聞縦覧所を各地に設け、人々に新聞の存在を認知させることをめざしたのである。たとえば、ミルクホールなどの人々が集まる場所に縦覧所を設置し、簡単な茶菓を提供したり、勧業博覧会会場に「休憩所」兼新聞縦覧所を設け、その優待券を新聞につけたりしたことなどは、その目論見の最たるものといえよう。このような政府と新聞社双方の動きが徐々に、人々の間に新聞の存在を認知させることになったのである。

解話会は小学校教員に代表されるリテラシーのある者が新聞を読み、その内容を人々にわかりやすく解説することが本義であったが、新聞社が設置した新聞縦覧所や閲覧所に「みずから」足を運ぶ人びとは、黙々と新聞を読んでいたわけではない。縦覧所において新聞の「朗読」が行なわれていたという山本の指摘(31)や、「新聞読」ということばの存在(32)は、伝統的な音読による「読み」の形態、知識吸収と理解の習慣が明治初期の人々の中に根強く残っていたことを示すものである。そして新聞を読みこなすだけのリテラシーを持つものが少なく、初期の新聞は、大多数の人々にとってはかなり難解な漢文調で書かれていたことを勘案すると、新聞を「朗読」する人間の周りにそれを聞く人々の輪ができたこと、つまり自然発生的に「読み聞かせ」が行なわれていたことは想像に難くない。人々の間に長く息づいていた「音読」を基調として、新聞の内容理解を可能にする場が新聞縦覧所、閲覧所において誕生したことは、新聞がより幅広い階層の人々に認知され、普及、定着していく要因の一つとして無視できないものである。

新聞は明治一〇年代後半から急速にその発行部数を伸ばしてゆくが、この時期に大量に増加した読者層は主に「小新聞」についてであって、「大新聞」の読者が急激に増加したわけではない。(33) 明治初期の新聞は、伝統的知識人を読者層とし、漢文調で書かれた『日本』に代表される「大新聞」と、女性を含む知識人以外の層、リテラシーがそれほど高くはない層を読者層とし、ルビをつけ、戯作を音読するような話し言葉に近いことばで書かれていた『読売』を筆頭とする「小新聞」に大別された。しかしながら、明治三〇年代には両者の格差は影を潜め、より多くの読者を獲得すべく、大部分の新聞が平易な文章で綴られる傾向が見られる。「通俗的で平易な言文一致体を用いた思想の伝達は双方向的なコミュニケーションの可能性をもたらすものであると考えられる」という金子明雄の指摘[34]があるように、言文一致運動を推進した山田美妙、この運動を社会改良運動の一環と位置づけた堺利彦の啓蒙活動の影響は大きい[35]。新聞に書かれていることばと話し言葉が一致し、しかもそれを音読する、あるいは聞くことによって、新聞に書かれている内容の理解が一層促進されたことは想像に難くない。家庭においては家長が家人に新聞を読み聞かせることが一般化し、それを想定した雑誌も刊行されている[36]。

このような読みの形態は、明治維新前の読みの形態との連続性を保ちつつ、リテラシーのある家長のみならず、これを持たない婦女子においてもごく自然なものとして定着しつつあったと考えられる。つまり、新聞は従来から日本人に根強く残っていた音読を想定した文章で新聞を綴ったこと、さらにその普及の手段として「読み聞かせ」の場を設けたことによって、リテラシーの向上とともにその読者数、読者層を確実に拡大していくことに成功した。結果的に新聞は、毎日届けられるもの——そのなかには読者の中で人気を博す「つづきもの」の小説が書かれていることが多い——を「読む」という行為、つまり「読む」という習慣を多くの人々に形成することに貢献したのである。伝統的知識人層以外の人々にも受け容れられた新聞小説の登場は、新聞を契機とする新興読者層の創出と読書習慣の定着を可視化するものであった。

明治末期から大正初期にかけて大新聞と小新聞の格差はなくなり、以前のように新聞によって読者の階層を明確に規定することは困難な状況が生まれた。大新聞として孤高を保ち、伝統的知識人を読者とし、漢文調で記事を綴り続けていた『日本』が一九〇六（明治三九）年に事実上の廃刊となったことは、新聞を綴る文章において階層を問わずに読めるものが大部分になっていたこと、リテラシーの向上が「読む」行為に耐えうる程度になったことを端的に示している。この時点で、新聞は少なくとも記事を綴る文章に関しては、階層差を超越する可能性を持つ、一つの新しい「ことば」を生み出したといえよう。

こののち、少なくとも新聞の中では、あらゆる階層の人々が均質なことばで、新聞記者という新たなことばの使い手を通して語られることになる。この動きは言文一致運動とも相俟って、新聞にとどまらず、印刷技術の改良に裏打ちされた雑誌ブームに乗じてあらゆる活字媒体、「読む」対象へと波及し、多くの人々を巻き込み、その均質なことば——それは後に多くの国民が用いる「国語」の創出を予見させるものであるが——にさらしていくことになった。

二 「読む」対象の多様化——特定の読者層を対象とした書物の登場

(一) 図書館——黙読普及のための装置

前述したように、新聞は「伝統的知識人」とその子ども世代以外のみならず、かつては有力な「読者」ではなかった人々に「読む」習慣を徐々に定着させ、彼らを新興の読者層として「読む」行為に参入させる役割を果たしていた。その一方で、人々は新聞をどのように読んでいたかといえば、階層を問わずなんらかの形で「音読」することが一般的であり、その傾向が長く続いたと考えられる。

音読していたのは、新興読者だけではなかった。新聞を読みこなすだけのリテラシーを具えた知識人においても、「音読」の習慣は根強く生き残っていたようである。たとえば伝統的知識人階層をその読者対象とし、漢文調の文章で紙面を綴った『日本』も一九〇六(明治三九)年までは発刊していたことから、少なくともこの時期までは漢文の素養を持った人々が新聞を「音読」（朗読）していたことが想像されるのである。このように階層を問わず人々の間に根強く「音読」が存在している状況下で、「黙読」はどのように普及していったのだろうか。「伝統的知識人」の子ども世代が、立身出世を志す一つのきっかけとなったスマイルズの『西国立志編』は、彼らの親世代とは共有されない、そして「黙読」を要求する可能性を持った存在であったことはすでに述べたとおりである。しかしながらこの黙読を要求する『西国立志編』を当時読んだ人々は、伝統的知識人の子世代、すなわち非常に限られた層の人間であって、それ以外の人々は黙読を要求される事態にほとんど遭遇しなかったといえよう。より多くの人々に声に出さずに書物を「読む」、新たな読みの形態を知らしめ、さらにこれを要求し、習慣化するものとして重要な役割を果たしたのが図書館である。

永嶺重敏は、明治時代に一般的であった「音読」が公共空間、特に図書館において禁止されることを通じて「黙読」が「制度化」されていく過程を、図書館の利用規則の分析をもとに明らかにしている[37]。永嶺の調査によれば、一八七二（明治五）年に文部省により設立された日本初の公共図書館となる書籍館（筆者注＝一八七五（明治八）年、東京書籍館となる）においてすでに音読の否定が打ち出され、以降設立されていく図書館の規模、属性にかかわらず「音読排除は見事に貫徹されて」おり、「このことは換言すれば階層・属性・年齢の如何を問わず、あらゆる利用者に対して音読禁止令が発令されていたことを意味」しているという[38]。

しかしながら、音読の習慣になじんだ多くの人々にとって図書館は「遠い」存在であったと考えられる。たとえば、一九〇二（明治三五）年の新聞雑誌縦覧場について、以下のような記述がある。

> 東京に牛乳コーヒ店をかねて、新聞雑誌を縦覧せしむるところ数多けれども、或る数種の他は見るべくもあらず。上野図書館の如きも、これに対しては頗る冷淡なり。新に造らるべき博文館の図書館は、大いにこの点に注意すべしと伝へられたれど、如何あらむ[39]（傍点引用者）

ここでは縦覧場と図書館が対照的なものとして描写され、当時の図書館の代表格とも言える上野の図書館が「頗る冷淡」なものととらえられている。この記事は「市民娯楽の所たらしめ」、「子守見は子を背負ひながら子供は菓子を食べながら」自由に新聞雑誌を閲覧することが可能な「図書館」の設立を要求して終わるのだが、ここからも、黙読を強いる図書館になじむことができない人々の姿が浮き彫りにされる。また、多くの人々が一様に黙読をする「図書館」が東京の名所として紹介されていたという永嶺の指摘[40]もこのことを裏づけるものであろう。図書館で「音読」が禁止されている以上、「読み聞かせ」は不可能であり、一人で文字を読むに足るリテラシーのない者にとっては、図書館は「遠い」存在であった。永嶺は、黙読が制度化された空間の例として図書館の他に学校の寄宿舎での音読禁止を挙げているが、当時中学校、高等学校に入学する者はごく一部にすぎない。

したがって「黙読」の普及を図書館、学校などの近代的な「空間」を中心に考えた場合、黙読は教育機関やリテラシーの高い人々が集中する都市部から地方へ、教育歴、リテラシーの高い者から低い者へと普及していったといえる。もちろん黙読を要求する図書館は中等、高等教育機関に付属するものばかりではなく、一八七五（明治八）年の官立の書籍館設立以降、一九〇二（明治三五）年には博文館の大橋図書館が、一九〇八（明治四一）年には東京市立図書館が相次いで設立されている。東京などの大都市のみならず、日露戦争時の国民の要求の高まりに応じて教育会や青年団が簡易図書館の設立運動を各地で展開し、実現を見たものは少なくなかった。図書館という公共性の高い施設の整備によって、黙読という読みの形態は徐々に人々の間に浸透していったと考えられる。

音読と黙読の力関係が逆転し、黙読が優位となったのは、印刷技術の向上、就学率の向上に伴うリテラシーの向上によって文字文化が確立した明治三〇年代であると考えられている[41]。この頃になると、公共の場における音読に対して人々は従来のような寛容さがなくなり、これを白眼視する傾向が見られるようになった[42]。図書館をはじめとする公共の場での音読の禁止に耐えうるほどの総体的なリテラシーの向上は、明治三〇年代における「黙読」の習慣の普及、あるいは「黙読」に対する社会的認知、受容を高めるものであったといえよう。

㈡ 「読む」ための方法——読書法と「黙読のすすめ」

前項で述べたように、図書館は黙読という読みの形態を人々の間に普及させる場としての機能を果たしていた。もちろん人々が「黙読」という読みの形態を身につけたのは、図書館のみによるものではないだろう。図書館では黙読することを強いられたが、その強制の一方で、自発的に黙読を身につけてゆく人々が存在したがゆえに、黙読は図書館以外の場で、すなわち黙読を強制されることのない場においても習慣的に行なわれるようになったのではないか。この「自発的な黙読」へと人々を向かわせる原動力となったと考えられるのが、明治三〇年代に雑誌、書籍などを賑わせた「読書法」である。

明治維新以降、社会的地位の上昇に関する身分的障壁がとりはらわれ、「立身出世」や「成功」熱が青年の中で高まりをみせる。その過程で学歴は社会的上昇の手段として重要かつ必要不可欠な役割を果たすものであった。しかしながら教育制度の整備にともない、「立身出世」の「正系」コースが中学校→高等学校→(帝国)大学→国家エリート(官界)[43]……のように定型化されるようになると、この社会的上昇の正系コースから疎外される人々が明確化する。かつての『学問ノスヽメ』や『西国立志編』を読んで一念発起し、都会に出て「立身出世」、「成功」することは事実上困難な時代が到来していた。一八八〇(明治一三)年には『学問ノスヽメ』と『西国立志編』が小学校の教科書から除外されている。これは文部省の儒教的モラルの復活をめざした政策の影響によるものであるが、その一方で維新後の「立身出世」の第一段階が終わったことを示唆するものであるともいえよう。したがって、この時期に社会的地位の上昇に成功した世代が、学歴エリートを再生産していく時代が到来したことになる。「斯く今日は高等の教育を受けんとするには、勢い学資あるものにあらずば出来ざるやうになりたるを以て、学資の欠乏を訴ふるが如き人は、早く業に就き其業を真面目に勤め、之に依て発展を期するを最も得策とす[44]」という記述からも、明治三〇年代には学歴による階層間の移動も固定化しつつあり、学問による立身出世、社会的上昇をいさめなければならなくなった状況が読み取れる。

ここにおいて学問はかつての「身ヲ立ツルノ財本」ではなくなり、「やればできる」時代は終わりを告げたのである。もちろん、それだからといって正系の立身出世コースから外れた人々が社会的地位の上昇を諦めたわけではない。そのような人々の「立身出世」、「成功」に対する意欲を汲み取り、「正系」のコースに参入する手だてを講じ、紹介するものとして登場したのが『成功』、『向上』などの雑誌である。[45] このほかにも「独学」や「苦学」、「自己教育」を銘打った書籍や雑誌記事の特集が数多く存在したことは、人々の「上昇」志向が並々ならぬものであったことを示すものであろう。しかしながら立身出世は事実上困難な時代となっていたことから、結果的にこれらの雑誌、書籍の論調は各々の分限に応じた能力の充実、進歩発達を促すものへと収束していくことになる。そして、これを可能にする有効な手段として登場したのが「読書法」であった。

新渡戸稲造が一九一一（明治四四）年に実業之日本社から出版した「予が実験せる読書法」を含む『修養』とこれに続く一連の著作は明治、大正、昭和初年にかけてベストセラーとなった。[46] 新渡戸はこの執筆依頼を受けた理由を次のように記している。「中学を半途退学したり又は中学の教育さへも受けられなかつた人々を教育し、その観念を改めさせることは今日最も必要なことと思ふ。（中略）学問を修めることの出来なかつた人に学識と徳藻とを涵養させる機関がない。又一家を離れ不幸の縁に沈んで居る人を慰安する設備も欠け、不幸の人は愈々不幸に陥るのみである。明治の聖世、万物の整備して居る今日、この欠点あるは僕の甚だ遺憾とする所である」。そして、「学問のない人に学問を与え、煩悶している者に精神的慰安を与える」ためにこの本を著したのだという。[47]

このように正系の出世コースから外れた人々を対象とする「読書法」が存在する一方で、正系のコースにあって、これを維持しなければならない人々、すなわち学生を対象とした「読書法」も存在し、これもまた重要な意味を持つものであった。教育制度の充実とともに、試験、資格制度も整備され、さまざまな「試験」にパスすることが彼らに課された課題であり、そのためには効率的な読書による知識の吸収が不可欠であったからである。この異なる階層を包含する「読書法」を通じて、より多くの人間が「黙読」を受容することになり、結果的に黙読が人々の間に普及することに貢献したのだと考えられる。

読書法は明治三〇年代を中心に多くの書籍、雑誌で紹介されているが、これらの記述で共通するのは、「黙読」を推奨していること、濫読（多読）を戒め熟読（精読）すること、各人の興味と必要にしたがって選択的に読書すること、批評的態度をもって読書すること、「他日の用」に備えるべく、なんらかの方法で、読んだものの概要がわかるように工夫しておくことであり、これらの事項が常に「注意」を怠らぬことと「記憶」との関連において述べられていることが特徴的である。

まず黙読に関しては「読書の際には音読をすることは悪いです。音読するとどうも発音の方に興味を生じて意味の方を疎かにする虞れがあります、それで必ず読書は黙読を善しとする、沈黙してさうして其意義のある所を冷静に了解するやうにして行くべきでありますⁱ(48)」と、音読することによって、書かれている内容の理解が妨げられないように注意を喚起している。また、音読は内容を理解する上での「注意」を離散させ、書物の意義を「脳髄に印象」することを困難にし、「記憶保存するに不利」なる「悪癖」であるとする見解が多い(49)。その上で「読書をして得る所多からんと欲せば、努めて音読を避け、黙読の習慣を養成せざるべからず(50)」と、黙読をすすめるのである。

他方、濫読（多読）に関しては「自己の思想力を鈍くすること著し」く、濫読（多読）することによって「其頭脳には他人の思想のみが積聚され(51)」、「彼の書物も、此の書物も、半ば了解し、彼の人の説、此の人の説に付て、漠然と知る(52)」ようになり「頭脳が粗雑に流れて緻密を欠く(53)」弊害があるという。手当たり次第に多くの書物を読み漁るのではなく、熟読することで書かれている内容の理解に努め、「自己の」思想を形成していくべきだ、ということである。そして自分の興味を感じた本、必要とするものについて書かれたものを選択して読むことによって、「大変に記憶を強くし、研究の成果も頗る面白くなって来る」のであり、「批評眼を以て迎へないで唯々書籍を読んで居るといふと其著者の説に巻き込まれて仕舞ふ(54)」という忠告がなされる。さらに、書物を通して得た知識を「回復して必要に応じ得るの用意」をするべく、書物の欄外に書き入れをしたり、目録カードを作成することなどが提案されている。

それでは、これらの微に入り細を穿った読書法は何を意味するのだろうか。これは黙読を前提とする「読書」が、「注意」や「記憶」との関係と共に述べられていることと関連があると考えられる。かつての「素読」による読書、学習システムにおいては、テクストそのものを記憶することが予め組み込まれていた。書物の第一ページ目をぱらりとひらいただけで、後はテクストを見ることなくテクストそのものを再生できる「素読」は、内容理解はさて置き、テクストの「記憶」に関して心配する必要はなかったのである。しかしながら、黙読にはテクストそのものを「記憶する」段階は基本的に含まれておらず、むしろ内容を理解しつつ読むことに重点が置かれていた。

その一方、読書によって得た知識を「記憶」し、「他日の用」に備えることが、近代化しつつあった日本においては不可欠であった。そしておそらく「記憶」の段階が含まれていない黙読という「読み」の行為に対する不安が、「注意」や「集中力」の喚起、精読や復読、読んだ本の内容を後に思い出すための数々の記憶法の提案に反映され、黙読による読書と併置して述べられるに至ったのではないだろうか。

本の内容を丸暗記することの弊害を述べる一方で、以下のような記述も見られる。「精読の欠乏と云ふことは、今日学ぶべき物が多くなって来たことの結果であるだらうと思はれるが、此の点に於ては、昔の学者達は余程優つて居つたものであると思ふ、昔の学者は同じ書物を数十回も読み、殆ど暗誦出来る位に精読したものである」[55]（傍点引用者）。明治三〇年代に「読書法」を青年たちに示した井上哲次郎らは、素読による読書、学習を経験し、黙読による読書にも触れた世代である。だからこそ、黙読ではテクストの記憶が自動的にはなされないことに不安を抱き、「注意」や「集中力」の喚起を促したのだと考えられる。

いずれにせよ、「正系」の立身出世コースにある人、あるいはこれをめざす人間、成功をもくろむ人間にとって、「正しい」読書の仕方、読書によって得た知識の記憶、後々への応用のあり方を具体的に示した読書法はきわめて重要な意味を持つものであった。そして立身出世の正系コースにいない人間、正系コースにある人間双方に「黙読」という読みの形態が普及し、読みの形態を共有することは、「読む」行為に従事する人間の階層差を見えにくいものとし、さらに階層差から生じる不満や疎外感を解消する働きを持つものであったと考えられる。つまり社会の中に存在した「階層差」は、「読む」行為に従事し、しかもその形態を共有することによって正系コースにある者への同化意識へとすりかえられるのである。

このような意識の創出は、正系コースから疎外された人々に対して積極的に行なわれた。「独学」を論ずる本では、読書を代表とする学校以外の「自己教育」の重要性が、学校教育が「偉人」を生み出すのに最低限の影響力しか持たぬことを強調することによって論じられ、「自己教育」によって成功を収めた偉人のエピソードが多数列挙される。そして学校教育によらず「自己教育」することの有用性を述べることで、学校教育から疎外された人間、つまり当時の立身出世の正系コースから外れた人々を正当化するという構図が描かれるのである。(56)

このように「読書法」の読者層の間には埋めがたい溝があるものの、いずれの階層を対象とする読書法においても、読む対象となる本をみずから選択すること、そしてこれを「批評的な態度を以て」読むことが奨励された。かつてのように、与えられたテクストを、全面的に正しいものとして身体化していくことが当然であった享受的な読書は、「読む」行為に関して常にこの行為を行なう「自己」を問う選択的な読書へと変質してゆく。このような読書を通じて、青年たちの思考が個人化、内省化していくのは当然の成り行きともいえるだろう。みずからの生き方を、みずからの手で切り拓き、構築していく方向性を青年たちに示したのは、親や既存の価値観ではなく、「読む」という行為を通じた新たな思想や価値観との出会いであり、その受容であった。そしてこの「読む」行為を根本から支え、人々の間にみずからの思想を形成する原動力となる一方で、立身出世の正系コースから疎外された人々の不満を解消する役割をも担っていたのが「読書法」という「黙読のすすめ」なのである。

三　「読む」主体の拡大――公教育の普及・リテラシーの向上と読書

一八七二（明治五）年の学制の発布以降、教育制度の整備が進むとともに、就学の機会は、男子と比較すると格段に少なかった女子も含めて拡大した。それにともない、リテラシーも総体的に向上し、明治二〇年代に始まる雑誌ブームや「日清戦争を境として増す、マス・コミュニケーションの送り手と受け手の変化[57]」は、商工業読者層、軍人、これらの家族からなる家庭読者層、さらにはそれほど多くはないと考えられるものの下層読者層など多様な読者層を参入させていく[58]。平田由美によれば、『女学新誌』を皮切りに女性をターゲットとする雑誌は短期間の内に驚異的な発行部数の増加を見せ、この動向は大正期になっても続き、第一次大戦の好景気がもたらした新中間層の拡大と相俟って、女性読者を消費者として無視できぬ地位にまで押し上げたのである[59]。

階層や性別を問わない一定程度のリテラシー向上、新聞雑誌の興隆、「読む」行為の定着と読む人間の拡大が見られる一方で、「読む」人間の階層間の分離も進行していたと考えられる。明治三〇年代の『帝国文学』では多種多様なジャンルの小説やその内容に関する論議が盛んであった。「小説の読者の範囲は極めて広し。上は高貴縉紳より、官吏、商人、医師、学者、車夫、別当、芸者、娼妓の輩に至る迄、苟も目に一丁字を解する程のものは、何れも此内に含まれざるはなし[60]」という記述からも、小説を読むという行為が多くの人々に浸透しつつあった状況を見いだすことができる。さらに記事は以下のように続く。「夫れ読者の種類は此の如く多様なり。（中略）彼等が趣味は列挙すること能はず。然りと雖、教育ある読者と、教育なき読者とは、嗜好趣味の上に於て、自ら其間に逕庭あるを免れず。教育ある読者は、小説に対して多少の批評眼を有す。（中略）之に反して、教育無き読者にありては、批評眼を有するものは極めて稀なり。彼等が小説を読むは、ただ快を求め、興を買はむが為めのみ[61]」。

『帝国文学』の記者は、当時社会問題となっていた「小説の悪影響」とそれへの対応策として小説を読むことの規制を次のように批判する。「現時の小説中、少なくとも一部の読者の心を動かして、罪悪の方向に誘ひ、痴情の方面に導くの力あるもの果たして之れ有りとせむか、所謂此一部の読者なるものは、無教育なる読者の範囲に属すべきものにあらずや。苟しくも多少の教育を有し、倫理、道徳の何物たるを解せるの徒が、いかでか、小説の為に感化せられて、罪悪を犯し、痴情に陥るものならむや。強いて小説を禁ずるの範囲に定めむと欲せば、先ず無教育の読者より禁ぜざるべからず(62)」。

ここで特徴的なのは、読者が「教育ある読者」と「教育無き読者」とに分類されていること、そして彼らが同じ「小説」を読むにせよ、その「読む」ことに対する態度が対照的であり、結果として「読む」行為から引き出されるもの――ここでは主に道徳的な問題であるが――にも影響すると考えられていたことである。つまりここでは小説を読むことそのものではなく、誰が小説を読むのか、ということが重要な問題となっているのである。「人類の最劣等の欲望を描く小説は、中等以下の読者の情欲を煽動して、模倣の念を起こさしむる事なしとせず(63)」(傍点引用者)の記事にも見られるように、小説の内容そのものの批判にとどまらず、それを読む人間の階層との関連性をもって「不健全な」小説を糾弾するのが当時の一般的な論調であった。それだけに読む人間の「読む」行為に関する分離は一層明確なものとなり、これが読む対象や読みの形態にも波及したと考えられる。

明治初期の「大新聞」と「小新聞」においては、読む対象から読む人間をほぼ一義的に想定すること、そしてその逆もまた可能であり、しかもその読む人間は維新前の身分制を色濃く反映するものであったが、明治中期から後期にかけてはこの対応関係がきわめて複雑化していたと考えられる。それは教育制度の整備の結果、階層がかつての身分制によってのみ規定されるのではなく学歴によって規定されるようになっていたこと、そして「読む」行為に関して言えば、「何を読むか」ということのみならず「誰が、何を読むのか」が問題になったことを示している。換言すれば、同じ物を読むにしても「誰が」読むかによって、その行為の意味するところはまったく異なったものとなる可能性を持っていたといえよう。

教育程度を基本とする階層や、家庭や学生など社会的カテゴリーによって類型化された読者層に対応する作品を書くという動きがもっとも顕著な形であらわれたのは、「家庭小説」や『少年世界』(一八九五=明治二八年)の発刊である。このことは、音読から黙読へと読みの形態が移行し、「読み」が個別化する一方で、「読む」行為が階層ごとに組織化されていったことを意味している。ただし、この動きは、かつてのように「読み」の形態や行為そのものが階層によって分離していたというよりも、特定の階層を対象とする「読み」の対象が文学の一ジャンルとして誕生し、これによって読者が組織化されていったことを意味するものといえよう。換言すれば、このような文学のジャンルに対応する、あるいは少なくとも対応するという意識を持つ階層、中産階層が成立したのである。

家庭小説や『少年世界』に代表される少年文学というジャンルが成立した背景には、日清戦争直後に流行した深刻小説、悲惨小説の流行と、これを批判する論調がある。この論調は『帝国文学』においても顕著であり、小説の増加とそれに伴う「不健全な」小説を憂うる論が誌上を賑わしている。これらの深刻小説や悲惨小説の流行、新聞雑誌上の小説に対する教育関係者からの数々の批判は、学生のみならず年少の者や、善悪の判断が明瞭でない「中等以下の者」が小説を読むことは、人間を堕落させるとして、小説およびこれ読む行為を否定的に捉えるものであった。巌谷小波は『教育時論』誌上において、「危険だからといつて川遊びを止めさせるよりは、水泳を教えて、水に溺れしめぬ方が得策ではあるまいか」、「実にかふいふひとには、予め健全な小説を読ませて置く方が善い、血清治療法と同一の効果を奏して大いに功徳ある人になるのである」[64]と、小説を「教育的」メディアとして利用することを提言している。

その意味において明治三〇年代に流行した家庭小説は、「中等以上」の家庭に持ち込むことが可能であり、しかも健全な家族の育成や、家族の団欒などの教育的メディアとしてふさわしいものであった。事実、『家庭雑誌』を刊行し、『家庭の新風味』を著した堺利彦は、「中等社会」の人々を読者対象とし、ここから社会改良の運動が広がっていくという見解を示しているし、『少年世界』の読者たちは「苦学するものを対象化できる、物質的にも、精神的にも余裕のある少年たち」であったとされている[65]。当時の家庭小説に対する位置づけをみてみると、「家庭小説とは、一家団欒の和楽、棠様韓々《とうようかんかん》の快観水入らずの間に成立つ渾然たる愛の叙事詩なり。我が輩の敢て之を薦むる所以は一方愛の反面を発揮し、他方社会改良の一助とならむことを信ずればなり(66)」とされている。また、少年文学については「余輩は其物語の無邪気にして無害なる点は確かに之を認むるに吝《やぶさか》ならず。然れと単に是れ消極的の用意のみ、何ぞ一歩進めて積極的に有益なる物語を作為せざる。何ぞ有益なる教誨を含蓄せしめ健全醇正なる観念を鼓舞せんことを力《つと》めざる(67)」とそのめざすところが示され、少年文学を維新後の産物とみなし、その可能性について「流暢平易にして趣味多き文学化の筆によりて、少年児童の為に叙説せられつつあり。これ独り思想単純なる年少児童の、娯楽を目的とするのみに非ず、亦その心理上の発達を助成するに於て、種々の方面より其の効甚大なれはなり(68)」と述べている。これらの論は、家庭小説や少年小説が「教育的」メディアとしての役割を担っていたことの証左である。

　しかしながら、ここで「教育的」メディアとしての意味を持ち、その役割を果たしうるのは読者が「中等社会」の階層の人々である場合であって、この階層以下の人々は、これらの小説を「読む」ことに参入していようとも、「疎外」されていたと考えられる。なぜなら、これら家庭小説や少年小説が、「中等社会」を構成する人間、あるいは今後その階層社会を担う少年、少女を読者層として予め想定している以上、その小説は中等社会の人々の価値観や論理で貫かれ、これ以外の階層の人々、特に中等以下の階層の人々は一方的に対象化され、疎外され、ときには断罪されていくからである。

　それはたとえば、『少年世界』（傍点引用者）という雑誌名にあるように、少年というカテゴリーによって構成される一つの完結した読者共同体が形成され、それによって「われわれ」という意識や、(69)「われわれ」／「かれら」という区分が創出される一方で、雑誌を通して「われわれ」内部での差異化が進行することや、堺利彦は「健全なる中等社会の家庭」を社会改良の中核としたものの、そのような家庭を想定することができたのは一部の中産階級の人々にすぎなかったという指摘(70)にも見ることができる。

　リテラシーの向上によって、家庭小説や『少年世界』は多くの多様な読者に読まれうるものであった。女性を中心とする多くの読者を獲得した徳冨蘆花の『不如帰』は国民新聞に、菊地幽芳の『己が罪』、『乳姉妹』は大阪毎日新聞に掲載された人気新聞小説であったし、『少年世界』も「低廉」を売り物にした雑誌であった。しかしながら、「中等以上」の階層以外の人々がこれらの小説を読むとき、そこに描かれているのは、彼らの境遇とは異なる階層にある人々の「家庭」像であり、「少年」像であって、これらの「あるべき」像を支える価値観や論理は彼らのそれとは別のものであった。それゆえに、これらの小説を読んだ「予め想定されていなかった読者」は、疎外されていくのである。成田龍一が引用した「少年界と博文館の少年世界とを比べてみれば」「少年世界の方は少し四角張っており」、『少年界』を買ったら「実に面白くて今度少年世界を読むのがいやになってしまいました」という少年の投書は、このことを端的に示すものといえよう。(71)(72)

明治三〇年代に流行した家庭小説では、小説に書かれた「あるべき家庭の姿」が読者の趣味を高め、小説中の道徳的思想が、一等国たるにふさわしい高尚な思想をもたらすものととらえられていた。家庭小説は健全なる家庭を育成する一家団欒の一助であり、また「父子姉妹の間に読みて、顔を赤うすべき節一《ひとつ》もなし」とあるように、健全な思想を培う手段として、家長が家人に読み聞かせる「音読」が想定されるものであった。そして、この家庭小説における「音読」は、黙読の普及やスマイルズの著作の受容に関してみられた親と子の世代間の価値観の断絶を防ぎ、価値観を共有する目的をも併せ持っていたと考えられる。そしてこのような家庭小説を然るべき読者が読むことによって、中等家庭およびその構成員が組織化されるのである。(73)

一方、少年小説は成田が指摘するように、「黙読」される個別的な読みの対象でありつつも、これを読む中等階層の少年たちに「われわれ」意識に基づく読者共同体を創出した。つまり少年たちは個別的に小説を読みつつも、少年小説の根底にある「われわれ」意識によって組織化されていったのである。

このように、家庭小説においても少年小説においても、その読みの形態こそ異なるにせよ、ともにこれを読む「予め想定された読者」を組織化する一方、組織化する対象、階層を明示的、あるいは非明示的に限定することによって、対象外の「読む」人々を疎外していく構図が共有されていた。しかしながらその「疎外」は、これらの小説が「家庭」や「少年」という抽象性の高い、曖昧なことばで規定されていたがゆえに、その排他的な性質は明示されず、結果として「疎外」の構図は見えにくいものとなっていったのである。

やがてこの「家庭」や「少年」という、一定の階層を組織化する一方で、それ以外の階層の人々を疎外する機能を持っていたことばは、「国民」というより抽象性の高い概念で表現され、それによって人々は組織化されていくことになる。「国民」という概念は「われわれ」や「同胞意識」を創出し、人々を組織化していくことによって、その中に存在する差異や疎外を一層複雑、深化したものとするだろう。そして「国民」の中に存在するさまざまな階層間の差異、差異から引き起こされる疎外、矛盾、不満は、読書法において疎外された階層にある人々がその読みの形態を「正系」の出世コースにある人々と同じくすることで不満を解消したのと同様の構図で、「国民」ということばや意識の中に解消され、収斂していくことになるのである。

このようにして「読む」対象そのものは多くの人に対して開かれているにもかかわらず、「誰が」読むかによってその意味はまったく異なったものとなる可能性が生まれた。「読む」行為に参入する人間が多くなる一方で、読者対象を限定した文学が成立することによって、同じものを読みながらも読む人間の階層が分離し、ときとして読む対象の理解から排除され、疎外されるという構図が生まれることになったのである。「家庭小説」や「少年文学」の成立は、かつてのように「読む／読まない」による読者層の分離のみならず、「読む」読者層の中での複雑化した分離を示唆するものである。

小　括

明治維新以後、「読む」という行為は新聞の普及、就学機会の拡大によるリテラシーの向上などと相俟って、維新前には読者層として想定されていなかった階層の人々をも取り込みつつ、人々の間に習慣化されていった。そして「読む」行為が音読から黙読へと緩やかに変遷していく過程を辿ることで明らかにされたのは、外面的には同一の形態を示しながらも、「黙読」の成立・受容過程には「読む」行為に関わる人間の階層差が深く関わっているということである。

素読に基づく音読、リテラシーの低さに起因する読み聞かせや拾い読みをも含む音読の習慣は、人々の間に根強く残っていたものの、リテラシーの向上や黙読を強制する場としての図書館の普及は、次第に人々の間に黙読する習慣を形成、あるいは認知させていくことになった。特に明治三〇年代に盛んに紹介された「読書法」は立身出世の正系コースにある人、さらにこのコースから外れてしまった人の上昇志向を汲み取りながら、読書による知識の吸収、形成の具体的な方法を示し、より多くの人々に黙読を普及させる役割を果たしたと考えられる。この「黙読のすすめ」であるところの読書法において、読者は常に自己の判断に基づいて書物を選択し、注意してこれを読むことで自身に必要な知識を吸収、記憶することを求められた。かつてのように、必要とされる一定の知識の吸収が保障される享受的な読書から選択的、主体的な読書へと移行することで、人々は常に読む行為に従事する「自己」という存在を問われることになったのである。

「読む」行為に参入する人間が拡大し、彼らに大量の印刷物が提供される一方で、読む人間の分離を進行させ、分離した読者層に適した読みの対象が、なんらかの意図をもって提供されることになる。ここにおいて、読む人間と対象との対応関係は複雑化し、誰が何を読むかが重要な問題となり、同一の書物を読むにせよ「誰が」読むかによって、読むという行為そのものの意味はまったく異なったものとなる可能性が生まれた。読むという行為の問題が「読む／読まない」で類型化される時代は終わりを告げ、明治三〇年代からは読むという行為の中での分離が始まったといえる。それは、「読書法」の読者層が正系の出世コースにある人々のみならず、そのコースから外れていたり、途中で断念した人々をも含んでいたことに端的に示されている。

両者は共に「読書法」を読んでいた。しかしながら、彼らの「読む」行為の意味はまったく異なったものである。前者は現在の地位の維持、あるいはそれ以上の地位への上昇の可能性を持つ者であるが、後者にはその可能性はほとんどないのである。必然的に正系の出世コースから疎外された人々にとっての読書法は、正系コースにあるものにおける「社会的地位の上昇の手段」としてではなく、現在の地位をどれだけ「充実」させるかという問題へと変換されていくこととなった。読書による修養の方法を論じる「修養書ブーム」は、この動きを象徴するものであるといえよう。しかしながらこの「読書法」の根底にある階層間の分離は、個人的な「黙読」という、共通した読みの形態で「読む」という行為そのものの存在によって見えにくいものとなり、一層深化したレベルで読者層の複雑な分離と疎外、思想の断絶を生み出すことになるのである。

ここで問題となるのは、思想の断絶を予想させる読者層――それは「階層」とも密接に関わるのだが――の分離をいかに克服し、「国民」として統合していくかという問題であり、さらには公教育の普及・リテラシーの向上による潜在的な読者層の拡大を見据えて、読書行為に対する教育的関心がどのような高まりを見せたのか、という問題である。次章では、これらの問題について社会教育（通俗教育）の成立と展開という文脈の中で検討していくことにしよう。

（1）たとえば、青野季吉「女性の文学的要求」一九二五年、『転換期の文学』一九二七（昭和二）年所収、片上伸『文学評論』一九二六年、新潮社、大宅壮一「文壇ギルドの解体期」『新潮』、一九二六年。

（2）『思想の科学』の一九四六年二号、八号および一九四七年五号では「大衆」文学や文芸を取り上げ、戦前期における大衆の思想形成を分析する論が展開されている。

（3）鶴見俊輔『思想の科学趣旨と行動』思想の科学社、一九五二年。

（4）前田愛『近代読者の成立』有精堂、一九七三年。

（5）山田俊治「音読と黙読の階層性――前田愛「音読から黙読へ　近代読者の成立」をめぐって」『立教大学日本文学』第七七巻、

一九九六年、五五―五七頁。

（6）山田、前掲論文、五七頁。

（7）清川郁子は、「「壮丁教育調査」にみられる義務制就学の普及」の中で近代日本のマス・リテラシーの水準と義務制就学普及の数量的推移を検討し、明治前期においては一部の地域、あるいは階級・階層を除いてマス・リテラシーの水準は一般に言われているようにけっして高いとは言えず、その水準の高さは基本的には近代以降の公教育の急速な成立によるものであって、マス・リテラシーの水準の高さが公教育の成立に先行していたとは言えないという見解を示している。清川郁子「「壮丁教育調査」に見る義務制就学の普及――近代日本におけるリテラシーと公教育制度の成立」『教育社会学研究』第五一集、一九九二年、一一一―一三五頁。

（8）山本武利『近代日本の新聞読者層』法政大学出版局、一九八一年。

（9）筒井清忠『日本型「教養」の運命――歴史社会学的考察』岩波書店、一九九〇年。

（10）渡辺かよ子『近代日本の教養論――一九三〇年代の教養論を中心に』行路社、一九九七年。

（11）ヨーロッパにおいてピューリタンたちが聖書をひとりで読むことから黙読が普及したといわれるが、家庭やサロンなどで音読をする習慣も長く併存していた。

（12）素読をはじめとして、江戸期の学習方式に関するまとまった考察が石川謙『学校の発達』に見られる。

（13）古田東朔は「江戸期の学習方式」において素読の具体的な学習方式とそれに続く学習方式の関連について論じている。古田によれば、素読によって教材の内容を記憶した後、学習者を中心として相互的に書物を読み合い、誤りを訂正し合う「輪読」、最終的に教材についての解釈や討論を目的とした「輪講」へと移行するという。古田東朔「江戸期の学習方式」『日本育英会研究紀要』第二集、一九六四年、一―二六頁。

（14）山本、前掲書。

（15）前田、前掲書。

（16）古田、前掲書。ここでは明治四年の岸和田藩校において英語の学習が素読、会読（解読）、輪講の順で行なわれていた例が示されている。

（17）中村春作「〈素読〉という習慣」『古田敬一教授頌寿記念中國学論集』、汲古書院、一九九七年、六七七―六九六頁。また橋本昭彦は、「江戸幕府素読吟味の実態とその性格」において、江戸幕府で行なわれていた素読吟味を起点として官製の学習階梯が形成され、幕臣が学ぶべき内容、程度の標準が画定されたことを示している（橋本昭彦「江戸幕府素読吟味の実態とその性格」『国

立教育研究所研究集録』第二二号、一九九九年、二一―二三頁）。

(18) 松本三之介は『明治思想における伝統と近代』（岩波書店、一九九六年）において、ルソーの『社会契約論』を翻訳した中江兆民における漢学を基調とする知識形成のあり方と、西欧の思想、学問の受容の連続性を指摘している。

(19) 松沢弘陽「『西国立志編』と『自由の理』の世界――幕末儒学・ビクトリア朝急進主義・「文明開化」」『日本政治学会年報』、一九七五年、九―五二頁。

(20) 松沢、前掲論文。

(21) もっとも、「子」の世代とその子の世代、つまり「孫」の世代は、黙読という読みの形態を共にするものの、価値観までも共通ものであったとは考え難い。一八九五（明治二八）年の「漢文の素養」（『帝国文学』）においては「漢文の妙味を閑却せんとするが如きは、真に国文の発達を図らむとする文士の所為にあらず」という批判があり、さらに一九〇六（明治三九）年の「中学生の漢字の智識」（『教育学術界』）では中学生の漢字に関する知識の低下を嘆いている。これらは「漢学」の素養が知識形成の過程から失われつつあることに関する「子」の世代の「孫」に対する不安があらわれている。これらのことからも「子」の世代と「孫」の世代との間にもなんらかの価値観の差異が生まれていたことが推測されるが、それは今後の課題としたい。

(22) 石川謙『日本庶民教育史』玉川大学出版部、一九七二年、三一五頁。

(23) 高井浩『天保期、少年少女の教養形成過程の研究』河出書房新社、一九九一年、一一四頁。同「天保期のある少年と少女の教養形成過程の研究」『群馬大学紀要人文科学篇』第一三―一三号、一九六四―一九七三年初出。

(24) 前田、前掲書。

(25) 山川均「ある凡人の記録」『山川均全集』第一五巻所収、勁草書房、一九六六年、二八五頁。

(26) 新渡戸稲造「余が実験せる読書法」『修養』一九一一年、実業之日本社（『近代日本青年期教育叢書・第一期』第二巻、一九九〇年、日本図書センター、三二五―三二六頁所収）。

(27) 新聞の興隆とその読者層の問題に関しては山本、前掲書に詳しい。

(28) 新聞解話会の果たした役割に関しては奥泉和久「明治一〇年代前半における新聞縦覧所の設立について」（『図書館史研究』第六号、一九八九年、一―三〇頁）に詳しい。

(29) 奥泉、前掲論文、三頁。奥泉は長野県や秋田県が教員に対して新聞の「解話」を行なうことを要求する布達が出されたことを指摘している。

(30) 奥泉、前掲論文、二頁。

(31) 山本、前掲書。
(32) 『学生読書法』の「読方」の説には「吾伊」という音読の一形態を戒め、「吾伊とは口ドモリて読声を長く引き読むことを云ふなり、即ち吾伊の二字唐音にてはウウィィと読むなり、今日俗に新聞読と称するも是れなり」という記述が見られる(駿台隠士『学生読書法』一九〇二年、大学館、一〇二頁)。
(33) 奥泉、前掲論文、一一頁。
(34) 金子明雄「明治三〇年代の読者と小説――「社会小説」論争とその後」『東京大学新聞研究所紀要』第四一号、「近代日本におけるユートピア運動とジャーナリズム」一九九〇年、一二三―一四〇頁。
(35) 言文一致運動は「読む」対象のことばを形成する問題として重要な位置を占めるものであるが、本書ではその関連性を示唆するにとどめておく。
(36) 一九〇三(明治三六)年に堺利彦が刊行した『家庭雑誌』は「健全の思想　改革の気象　清新の趣味　親切の教訓　平易の文章　通俗の説明」を特色とする家庭のための啓蒙雑誌である。
(37) 永嶺重敏「黙読の〈制度化〉――明治の公共空間と音読慣習」『図書館界』第四五巻第四号、一九九三年、三五二―三六八頁。
(38) 永嶺、前掲論文、三五八頁。
(39) 「新聞雑誌展覧場」『教育学術界』第五巻第一号、一九〇二年、七二頁。
(40) 永嶺、前掲論文、三五九頁。
(41) 宮島達夫「黙読の一般化――言語生活史の対照」『京都橘女子大学研究紀要』第二三号、一九九六年、一―一六頁。
(42) 永嶺、前掲論文、三六二―三六三頁。一九〇二(明治三五)年に「風俗改良会」が発表した「風俗改良私案」においては、公共の場での音読が改良されるべき悪習の一つとして挙げられている。
(43) 雨田英一「近代日本の青年と「成功」・学歴――雑誌『成功』の「記者と読者」欄の世界」『学習院大学文学部研究年報』第三五巻、一九八八年、二五九―三三一頁。
(44) 「苦学生の衰運」『教育学術界』第十二巻第四号、一九〇六年、九六頁。
(45) 雨田、前掲論文。雨田は『成功』の読者層を分析し、正系の立身出世コースから外れた、あるいはなんらかの事情で途中で断念せざるをえなかった人々、たとえば高等小学校卒の人間が多かったことを指摘している。
(46) 藤原進『日本における庶民的自立論の形成と展開』一九八六年、ぺりかん社、三七八頁。
(47) 新渡戸稲造『新渡戸稲造全集』第七巻、教文館、一九七二年、六八二頁。

(48) 井上哲次郎「読書法」『教育学術界』第八巻第五号、一九〇四年。
(49) たとえば前掲注32、一〇二頁。
(50) 久津見蕨村『立身達志　独学自修策』一九〇二年、三育舎、一五八頁。
(51) 井上、前掲論文。
(52) 大瀬甚太郎「教育書を読む方法」『教育学術界』第八巻第五号、一九〇四年、一一頁。
(53) 新渡戸稲造『修養』実業之日本社、一九一一年、三一四頁。
(54) 井上、前掲論文。
(55) 大瀬、前掲論文。
(56) 久津見、前掲書。
(57) 金子、前掲論文、一三六頁。
(58) 大阪府管内の壮丁普通教育程度調査によれば、一九〇〇（明治三三）年に「読書算術ヲ知ラ不ル者」は大阪府平均で二九・六四パーセントであったが、一九一二（明治四五）年には一九・二九パーセントとなっている。その一方、「尋常小学校卒業ノ者」は一九〇〇年には二一・四四パーセントであったものが四五・四四パーセントに、「高等小学校卒業ノ者」も四・八四パーセントから一九・三九パーセントへと増加している。
(59) 平田由美『女性表現の明治史——樋口一葉以前』岩波書店、一九九九年、四三頁。
(60) 「読者の種類」『帝国文学』第七号、一八九九年。
(61) 同前。
(62) 「小説と罪悪」『帝国文学』第二号、一八九七年。
(63) 同前。
(64) 巌谷小波「教育と文芸の関係」『教育時論』八二三号、一九〇八年、六頁。
(65) 成田龍一「『少年世界』と読書する少年たち——一九〇〇年前後、都市空間のなかの共同性と差異」『思想』第八四五号、一九九四年、一九三—二二一頁。
(66) 「家庭小説」『帝国文学』、一八九七年、五八二頁。
(67) 「少年文学」『帝国文学』、一八九八年、五一九頁。
(68) 「少年文学の新要素」『帝国文学』、一八九九年、一一三九頁。

(69) 成田、前掲論文。
(70) 篠崎恭久「明治末期社会改良論の特質――堺利彦と小河滋次郎の「家庭改良」論」『史境』第二五号、一九九二年、一―一八頁。
(71) 成田、前掲論文、二一九頁。
(72) 木村小舟は「少年界の出現」(『明治少年文学史』第二巻、一九四八年)において、「『少年界』の目ざす所は、明らかに『少年世界』を凌駕せんとする」ことにあり、その内容は「大体より見て、学問的記事を軽視し、主力を文芸娯楽の方向に」傾けるものであったとする。このことからも、『少年界』は、上級学校への進学を前提とする誌面作りをしていた『少年世界』とはその読者層を異にしていたといえる。
(73) 「家庭と文学」『帝国文学』、一八九六年、一〇八頁。

第二章　教育的営為としての読書——社会教育成立との関連で

本章の目的は、読書という行為がいかなる教育的役割を期待され、その教育のあり方が構想されていたのかを、社会教育の成立・展開過程に注目しながら明らかにすることである。前章で検討したように、読書行為は学校教育の普及と就学機会の拡大に根ざした識字率の向上、印刷・出版技術の向上と流通の発達に基づくメディアの普及により、階層差、地域差、性差の問題をはらみつつ、明治維新前には読者として想定されていなかった人々の間にも広まっていった。

しかしながら、多様な読者層に対応する多様な「読む」対象の成立は、読者層ごとに人々の意識を組織化するとともに、他の読者層の人々との意識の分化をもたらすものでもあった。この問題は一定の近代化を成し遂げた上での「国民統合」に大きな影を投げかけるものである。また、読書行為は新たな思想や価値観と出会う重要な役割を果たすという意味において、そして先に述べた人々の意識を組織化する作用を有するという意味において、ある時は規制の対象となり、またある時は教育的観点から推進されるべき対象となるものであった。このことは、小説を「教育的に」利用しようとする機運が明治三〇年代に高まったことにも反映されている。

このような動向の中で、社会教育と図書館の飛躍的発展が果たした役割を見逃すことはできない(1)。なぜなら、明治末期の地方改良運動に端を発する内務省の通俗教育行政への着手から、大正期の文部省の通俗教育行政への本格的参入と社会教育行政の成立という一連の過程において、社会教育は「国民統合」を達成するために学校教育制度の枠外にある人々に対して教育的働きかけを行ない、その中で読書行為は社会教育の一翼を担うものとして注目され、教育的営為として位置づけられることになるからである。

このことを踏まえ、本章では明治末期から大正中期にかけての社会教育の成立過程において、読書行為が教育的営為としてどのように位置づけられ、いかなる方法によってその教育が推進されようとされていたのかを明らかにする。具体的には、第一節において読書行為の教育的役割にいち早く注目した内務官僚・井上友一の図書館構想を検討し、第二節では文部官僚の図書館を利用した教育構想を検討する。その上で、第三節では実際に図書館の業務に携わっていた図書館員による図書館論を検討し、読書行為に期待されていた教育的役割を重層的に明らかにしていきたい。

一　地方改良運動の展開と読書への注目——内務官僚・井上友一の図書館構想

本節では、地方改良運動期[2]において、読書行為がどのように教育の一環として位置づけられるようになったのかを、井上友一の「自治民育」構想を視点として明らかにしていく。

すでに指摘したように、地方改良運動期以降、にわかに注目される社会教育の進展と、読書行為を教育の一環と位置づける過程は軌を一にしている。さらに、読書行為の教育的効果にいち早く注目し、これを社会教育[3]の枠組みの中で普及させていこうとしたのは文部省ではなく、内務省であった。本節で分析する内務官僚・井上友一は「自治民育」というスローガンの下、国家の発展を自発的に担う国民を形成する手段として読書に注目し、これを普及させる手段として図書館の教育的役割を重視した人物である。したがって、井上の「自治民育」構想を検討することは、読書行為が「教育」の一環と位置づけられる歴史的経緯を明らかにする上で不可欠なのである[4]。

本論に入る前に、地方改良運動の研究史を概観し、論点を明確にしておこう。地方改良運動についての研究の嚆矢といえるのが、石田雄の『近代日本政治構造の研究』と、宮地正人の『日露戦後政治史の研究』であろう。石田は、「地方自治」を「官僚的支配における権力の浸透を非政治化する装置」と位置づけ、地方改良運動における「地方自治」によって「自治体における共同体的秩序が頂点における天皇の存在とみあって日本型「合意による支配」の基底であると同時に官僚的支配の末端を形成」することとなったという見解を示している。(5)大島美津子は石田の研究を踏まえ、地方改良運動は、以下の二つの方向性に基づく町村再構築という形で実施されていったとする。第一の方向は、行政監督を通じた官僚的支配の強化であり、第二の方向は国家的統合を支えるものとして、住民の内面に自発的服従と協力をよびおこす物的・精神的装置の設定である。大島はこれらを整理して、地方改良運動は官僚的統括の強化拡大を摩擦なく行なうために町村自治の「自発的」協力を汲みとる運動であったと位置づけている。(6)これらの研究から、地方改良運動の第一の特徴として人々の「自発性」を引き出し、これを「国民統合」に利用しようとしていたことが挙げられる。

地方改良運動の第二の特徴としてしばしば挙げられるのが、国民に対する教化活動、そして学校教育および通俗教育(社会教育)をはじめとする「教育」への着目である。これは幅広く言えば、国民教育の拡充によるイデオロギー的統合の強化を目的としたものであり、義務教育の延長、国定教科書の改訂および通俗教育(社会教育)への着手という形で具体化されていくこととなった。(7)特に、地方改良運動で指摘されるのは内務省主導の通俗教育(社会教育)の展開である。本来、「教育」は政策にせよ、実践にせよ、文部省の管轄であった。しかしながら、日露戦後経営期に至るまで、文部省は通俗教育を半ば等閑視しており、実質的な政策はまったく展開されていなかったのである。このような状態にあった通俗教育に、地方改良運動を展開していく上での隘路を見いだしたのが内務省であった。

地方改良運動における教育の果たした役割について早くから指摘していたのが、先に挙げた宮地正人の『日露戦後政治史の研究』である。宮地は地方改良運動期における小学校教育の教化が天皇制体制の下で人々を掌握していく重要な課題となっていたという問題意識に基づき、群馬県を事例に地方改良運動と教育の関連を検討した。宮地は国家が小学校卒業後も天皇制イデオロギーの注入を継続し、人々を「国民」として掌握すべく、通俗教育や青年団の働きに注目した経過を明らかにしている。もっとも宮地は「国家」という言葉を文部省と内務省双方を意味する形で使用しているため、地方改良運動期における教育政策に関する両省の理念の異同は必ずしも明確ではない。このことから、地方改良運動が内務省主導で展開されていたことを踏まえ、内務省における社会教育構想がいかなるものであったのかを把握することが必要となる。[8]

このような視点をもとに、小林嘉宏は地方改良運動期、特に第二次桂内閣期における学校教育政策を分析し、内務省と文部省の政策の違いを指摘している。[9] それによれば、内務省は学校教育を明確に「自治民育成」手段とみなしていたのに対し、文部省は天皇制イデオロギーを直接的に注入するための「手近な」存在としか捉えていなかったという。その上で、小林は地方改良運動が人々の合意に基づく国民統合策であり、さらに内務省が文部省よりも、「自治民」という明確な人間像を設定していたと指摘している。

不和和彦は、内務省、特に内務官僚・井上友一の通俗教育への着目に触れ、その背景には「日露戦後に顕在化した体制的諸矛盾を自覚的に認識した（中略）国民が権力に敢然とたちむかう一つの時代的な潮流を未然にくいとめながら、他方において（中略）「自治の精神」を体得させ、国家課題の遂行にまさしく「自主的」「自発的」な協力をおしまない「国民」を創出し、自らの体制の枠内に組織化していくことが、国民統治をめぐる緊要な課題であった」[10]という。ここで問題となるのは、地方改良運動期において、「国民」を創出し、彼らを組織化する役割を期待されていた「通俗教育」政策を浸透させるために、内務省はいかに人々の「納得」を取り付けたのか、ということである。[11]

このような問題について岡田典夫は「道徳」という観点から地方改良運動期の教育政策を検討している。岡田は、地方改良運動においては教育を通じて経済問題を道徳に帰し、さらに社会問題の解決を国民の自己負担に委ねるという「心」の世界に還元する論理が提示されていったと指摘する。そしてこのことは、官僚の強制的な押し付けがなくとも、地方の再編をみずからの課題として自覚した中間層指導者が先頭に立って、自発的に行なわれていくという

「完結」した世界の構築を企図するものであったという。岡田の指摘が、帝国主義段階における教育においてどの程度通用するかという点については疑問の余地があるものの、内務官僚が地方中農層を指導者層として育成し、人々の自発性を引き出すことによって「完結」した世界の構築をめざしたという見解は、地方改良運動期における教育を検討する本論に示唆を与えるところが大きい。

これらの先行研究から明らかにされるのは、地方改良運動は、人々の自発性を引き出すことを目的として教育を拡充していくものであったこと、さらにこの自発性を引き出す役割を担うものとして、学校教育のみならず、[12]「通俗教育」という学校教育以外の教育の領域に注目したこと、という二つの特徴を有していることである。また、この動きの主導権を握っていたのは、文部省ではなく内務省であった。[13]この意味において、通俗教育（社会教育）政策は内務省の政策との関連において捉えられなければならないのである。[14]それでは、内務省を中心とする社会教育政策、当時の言葉で言えば「自治民育」政策はどのように実践されようとしていたのだろうか。

倉内史郎は『明治末期社会教育観の研究』において小松原文相を中心に一九一一（明治四四）年より開催された通俗教育調査委員会および文芸委員会、さらに両委員会後の各地方の通俗教育の事例を総合的に分析し、当時の社会教育政策がどのように具体化されようとしていたのかを検討している。この中で倉内はいずれの地方においても図書館事業が行なわれていることに注目し、「図書館の事業は、書物を媒介にして個々の人間の内面的変化を予期するもので、全体としての社会生活への働きかけという点からすれば、（中略）その働きは間接的であるといえる。しかしそれだけに、かえっていっそう「教育的」といえるかも知れず」、そして図書館事業が「教育的・人間啓発的な性格を持つことは明らか」であり、内務省から文部省に至るまで一貫して図書館事業が重要視されていたことは「あらためて注意されるべき」事項であると指摘している。[15]倉内の指摘は、明治末期から大正期の社会教育実践において、図書館が一貫して重視されていたこと、さらに当該時期の社会教育を理解する上で図書館事業を検討することが重要な糸口となりうることを示唆するものである。

一方、裏田武夫・小川剛は「明治・大正期公共図書館研究序説[16]」において、明治から大正期における公共図書館と社会教育の関係を検討している。この中で裏田・小川は社会教育、特に地方改良運動によって図書館が重視されるにともなって、戦前期日本の公共図書館は発達したのであり、これを積極的に推進したのが井上友一を中心とする内務官僚であったという。この研究では、地方改良運動において図書館がどのような機能を果たすものとして期待されていたのかは明らかではないものの、地方改良運動期の社会教育政策を理解する上で、内務官僚の図書館政策が重要な役割を果たしたことを示唆している。

最近では永嶺重敏が『〈読書国民〉の誕生』において読書行為の普及が国民形成に深く関わることを「読書国民の形成」というキーワードで表現している[17]。永嶺のいう「読書国民」はあくまで理念上のものではあるが、明治三〇年代以降、国民形成との関わりにおいて読書行為が重視されてきたという事実を鋭く指摘する概念である。もっとも、永嶺の研究は、読書行為がどのように国民形成に関わるのかという問題については十分検討されているとはいえない。読書行為を通じた国民形成を問題にするのであれば、読書行為がどのように教育に位置づけられていたのかを詳細に検討する必要がある。

これまでの先行研究で明らかにされたことは以下の三点に集約される。

①地方改良運動においては、内務省主導の社会教育政策が重要な役割を担っていたこと
②明治末期から大正期にかけての社会教育政策において、その主導権が内務省から文部省に移行する過程で、一貫して重視されていたのは図書館事業であったこと
③地方改良運動を契機として、図書館および読書行為の普及は、教育活動の一環としての役割を期待されるようになったこと

本節では以上の先行研究を踏まえ、読書行為が教育的営為の一環として認識される発端として地方改良運動を捉え、図書館事業を推進した井上友一の図書館構想を「自治民育」との関連で検討する。具体的には、井上友一の著作[18]を中心に、「自治民育」論および社会教育における読書の位置づけを明らかにしていく。その際、井上の構想がどのように発信され、それがいかなる意図に基づくものであったのかを把握するために、中央報徳会の機関誌『斯民』の論稿も併せて検討する。分析の期間は、井上が「自治民育」論を展開した日露戦後経営期から、文部省が社会教育に積極的に乗り出すようになる臨時教育会議までとする。

(一) 内務行政の動向と「自治」構想

日露戦争の勃発とその勝利は、日露戦争中から実践されていた地方改良運動の評価を高めただけでなく、戦後経営の方針としてこれらを継続発展させる原動力となった。一方、一八八八（明治二一）年に市制・町村制が施行され、地方自治の制度的枠組みが整備されつつあったことは、地方改良運動を自治制の普及と併せて推進する動きに拍車をかけることとなる。この結果、国家体制の基盤をより強固なものとするべく、「自治」の振興および地方改良の継続的発展が図られることとなった。

それではここでいう「自治」構想とはいかなるものであり、それは当時の通俗教育（社会教育）とどのように関わるものだったのだろうか。市制・町村制施行直後は、内務省の地方自治行政の萌芽期にあたり、井上を初めとする官僚個人の考え方が地方自治行政に比較的反映されやすい状態にあった。もちろん、官僚個人の考えがすべて政策に結実していったわけではない。しかしながら、当時の内務省には一木喜徳郎や水野錬太郎など地方自治行政および地方改良運動に熱心な人物が多く、相互の連携も密であったことを考え併せると、井上の自治構想を検討することは意義あることであろう。井上の構想を検討する前に、まずは当時の内務行政の動向を概観しておきたい。

「地方行政」という語が内務省の所管事項として官制中に明確に規定されたのは、一八八五（明治一八）年であり、当時は県治局がこれを管掌し、一八九八（明治三一）年、県治局は地方局となる。「地方行政」が規定された背景には、一八八五年の太政官制から内閣制への移行、一八八九（明治二二）年に施行された市制・町村制による「事務量の増加」、そして国会開設の勅諭を契機として、かつての自由民権運動が政党によって担われる時代が到来することに対する危機感、があるとされる。

地方自治制度の整備にあたった山県有朋は、以下のように述べている。

立憲政治ヲ行フニハ其基礎トシテ先ツ自治制度ヲ施クヲ要ス。（中略）自治制ノ効果ハ啻ニ民衆ヲシテ其公共心ヲ啓暢セシメ、併セテ行政参助ノ智識経験ヲ得シムルカ為メ立憲政治ノ運用ニ資スル所大ナリトイフニ止ラス、中央政局異動ノ余響ヲシテ地方行政ニ波及セシムルノ利益亦決シテ鮮少ナラスト為ス(19)

山県は、自治制の施行によって政局が地方行政に悪影響を及ぼすことを阻止するとともに、「地方公共ノ利益ヲ図ルノ精神ヲ油起セシメ」、自治制を「国家百代ノ基礎立ツルノ根抵タルヘキモノ」とすべく、「極力憲法発布以前ニ於テ先ツ自治制制定実施スヘキコトヲ主張」したのであった。このことから、立憲国家を維持するために地方を掌握することは不可欠であり、これを保障するための制度として自治制が構想されていたことがわかる。

内務省は自由民権運動の昂揚、国会開設の勅諭、衆議院議員選挙の実施を契機として、政党の動きが活発化し、この影響が地方にまで伝播することをもっとも恐れていた。つまり、地方が政党勢力の下部組織化し、国家による地方の掌握が困難をきたすことは、国家の秩序を乱すものとして絶対に阻止されなければならなかったのである。この動きを食い止めるには、政党の影響力が地方へと波及し、地方、特に地主層が政党勢力の支持基盤と化す前に、「政争」に対して「超然」としていられるようなシステム、すなわち自治制を地方に浸透させ、国家の直接的な地方の掌握を実現することが緊要の課題であった。このことは、大日本帝国憲法発布と前後して、一八八八（明治二一）年に市制・町村制が、一八九一（明治二四）年に府県制・郡制が公布されたことにも反映されている。

このような政党に対する国家の「超然主義」は、一八八九（明治二二）年二月一二日の大日本帝国憲法発布の翌一二日に黒田首相が地方長官に対して行なった訓示にも見ることができる。

施政上ノ意見ハ人々其所説ヲ異ニシ、其ノ合同スル者相応シテ団結ヲナシ所謂政党ナル者ノ社会ニ存立スルハ亦情勢ノ免レサル所ナリ、然レトモ政府ハ常ニ一定ノ方向ヲ取リ、超然トシテ政党ノ外ニ立チテ（中略）（内務官僚は＝引用者注）不偏不党ノ心ヲ以テ人民ニ臨ミ撫馭宜シキヲ得、以テ国家隆盛ノ活ヲ助ケンコトヲ勉ムヘキ[20]

このような政党に対する「超然主義」は、この後も内務省および内務官僚の基本的姿勢と位置づけられ、国家による地方の直接的な掌握は「官治主義」によって徹底されることになる[21]。この過程で内務省は初期の勧業優先政策を放棄して、官治主義に基づく地方政治の行政の拡充へと、その活動方針を転換していった。明治二〇年代後半は、内務省の地方行政が積極的に自治体の開発経営を訓練する方向へと移行し始めた時期であり、一八九三（明治二六）年に入省した井上友一は、このような内務省の転換期に内務行政に携わることとなる。

内務省が市制・町村制、府県制・郡制からなる自治制によって地方を直接的に掌握する際に、念頭においていたのは地主に代表される「地方名望家」層であった。このことは、一八八九年、元老院において山県が町村議会議員選出に等級選挙制をとった理由を説明する際に、「蓋シ財産ヲ有シ智識ヲ備フル所ノ有力ナル人物コソ議員タルノ地位ヲ占メン、此等ノ人民ハ国家ト休戚ヲ共ニスルモノニ随テ社会ノ秩序ヲ重スルハ当然ナルカ故ニ、其地方共同事務ヲ処理スルニ力ヲ致シ、今日ノ如ク浸ニヲ架空論唱ヘテ天下ノ大政ヲ議スルノ弊ヲ一掃セン[22]」と述べていることにも反映されている。

ところが、一八九九（明治三二）年には、かつて山県が自治制の要になると考えた大地主議員制の廃止を目的として、府県制・郡制が改正されることになった。この背景には、山県が「党争ノ弊ハ立法者ノ予想ノ外ニ出テ予期ノ効果ヲ収ムルコトガデキヌノデアリマス、（中略）之ヲ廃止スル方ガ宜シイト云フ考デアリマス」[23]と述べているように、山県の予想は裏目に出て、地主層は政党政治に参加し、地方は政党の下部組織を形成する結果となってしまったことがある。この状況を打開すべく、山県は府県制・郡制の改正によって、府県会に対する知事の監督権限の明確化、府県会の権限の縮小を断行し、地方行政に対する統制の強化を推進したのであった。

以上述べてきたように、内務省は自治制の意義を実際の支配に携わる人間に理解・浸透させ、地方を政党勢力から隔離することによって、国家の統合を達成しようとしていた。これを実現する方策を模索していた内務省にとって、一九〇四（明治三七）年から勃発した日露戦争は、地方自治行政のあり方の一大転機となるものであったといえよう。なぜなら、治安維持を目的とした各地方団体の活動は、戦争中の軍人家族・遺族に対する支援や、軍事物資の輸送、日露戦争そのものへの理解を得るための通俗講演会などの形で展開され、内務省に予想以上の結果をもたらしたからである。内務省は戦争という非常事態下において、地方団体や自治体の活動を直接的に統括する機会を得たことになる。

内務省は上記に示したさまざまな事業を通して、国家の下に協同一致する人々を育成する可能性を見いだし、この経験をもとに地方改良運動を日露戦後経営策として積極的に展開していくこととなった。その際に注目されるのは、地方改良運動は経済面での再建のみならず、地方中農層を始めとする国民全体の精神面の掌握をも視野に入れて、「通俗教育」（後の社会教育）の重要性を認識し、これを積極的に展開していく方針を打ち出したことである。[24]この背景には、一九一〇（明治四三）年の大逆事件によって、社会主義思想の拡大に対する危機感が強く認識されたことがある。[25]内務省は地方改良運動の枠組みの中で、通俗教育を展開することにより、本来の目的である国民全体、社会全体の秩序維持と統合を現実のものとしうると考えた。そしてこのことに当初から理解を示し、「自治民育」という理念を掲げて実現を図ったのが、内務官僚・井上友一であった。井上は自治制の浸透を図るための方策として、通俗教育や各種救済事業のあり方を模索することになる。
このことを踏まえ、以下では井上の人物像および「自治民育」論に迫っていくことにしよう。

(二) 井上友一の「自治民育」構想

井上友一の経歴

井上友一の経歴については【資料編、表1】を参照されたい。井上友一は一八七一年、石川県に生まれ、一八九三(明治二六)年に帝国大学法科大学を卒業後、内務省に入省した。井上が入省した翌一八九四(明治二七)年には江木千之が県治局長、一木喜徳郎が書記官を務めていた。一木は一九〇六(明治三九)年の報徳会設立[26]や一九一七(大正六)年から一九一九(大正八)年にかけて開催された臨時教育会議など、一貫して井上とともに内務省の仕事に携わった人物であり、入省後間もない井上に与えた影響は少なくなかったと考えられる。

井上は県治局市町村課長(一八九五=明治二八年)、内務省書記官(一八九六=明治二九年)、県治局府県課長、内務大臣秘書官(一八九七=明治三〇年)、参事官(一九〇六=明治三九年)、神社局長(一九〇八=明治四一年)を経験している。さらに、一九〇〇(明治三三)年四月にパリで開催された万国公私救済慈善事業会議に委員として出席したのを皮切りに、翌一九〇一(明治三四)年まで欧米各国を視察し、この視察を通じて欧米の自治制度に強く影響を受け、帰国後欧米の自治制度を『西遊所感』(一九〇一年、のち『列国の形勢と民政』一九〇一年)において紹介している。内務官僚としてさまざまな職務を経験しつつも、井上の最大の関心事は地方自治にあったようであり、特に「自治の本質、内容の充実を期し、産業その他の市町村公共福祉の増進に主眼をおいて[27]」いたという。このことは、一九〇八(明治四一)年に神社局長に就任したものの、地方自治の職から離れることを嫌い、水野錬太郎に願い出て地方局府県課長を兼任したことからも裏づけられる。一九一五（大正四）年から一九一九（大正八）年まで東京府知事を務め、その在任中に急死した。井上は、「自治の本質、内容の充実を記し、産業その他の市町村の公共の福祉の増進に主眼をおいて」[28]おり、川西実三によって「地方改良の権化ともいうべき情熱と見識の持ち主」[29]と評されている。

井上友一の自治制度への注目

●井上の自治制度に対する認識

井上は一八九三（明治二六）年に内務省に入省したが、上述したように市制・町村制、府県制などの自治制度が施行されて間もない時期であった。井上が自治制度をどのようなものとして捉えていたのかを『自治要義』（一九〇九年）を中心に見ていくことにしよう。

井上は近代日本の自治制度を以下のように整理している。まず、一八八〇（明治一三）年には区町村会法が制定され、地方議会の組織が成立したものの、「未だ国家行政と自治行政との区別を明らかにするには至ら」ない。一八八八（明治二一）年の「現行の市町村制の発布」によって、「自治行政の範囲を明定し市町村を以て純然たる領域的団体たることを承認し又併せて公民の利益を定むる」こととなり、「地方団体の完成の時期」に至った、という。[30]

もっとも、市制・町村制が施行されたとはいえ、「自治」という考え方は当時の人々にとって身近なものではなく、必ずしも順調に浸透していったわけではなかった。この頃から、内務省では従来の法規の解釈に重点を置く消極的な地方指導から脱し、積極的に地方自治体経営を指導訓練するべきであるという声が高まっている。[31]このような内務省の積極的な行政方針に拍車をかけることとなったのが日露戦争であり、日露戦争中から着手された地方自治体経営は、戦後経営策である地方改良運動に結実していくことになる。

井上は、「我帝国も亦国家危急の難局に処ししかも人道の光輝を捧げて世界の最強国に対し断固として戦を宣せり。内人心の一致は期せずして国家の根抵を沃し無量の感化を自治の発展に与へたる……」と述べ、戦争中の「人心の一致」が図らずも「自治の発展」に寄与することになったと指摘している。[32] さらに井上は日露戦後経営の基盤として地方自治に多大な期待を寄せ、以下のように述べている。

> 兵力の戦は既に一たび終始を告げたり。然れども将来民力の戦、富力の戦はさらに世界海陸の市場に起こらん。之に対するの準備や亦一日の偸安を許さゞるものあり。知るべし戦後の経営は国力の充実に俟ち国力の充実は地方自治の力に俟つべきもの多きことを。[33]

このことから、井上は「国力の充実」を最大目標とした戦後経営が、地方自治の発展如何にかかっているという認識を明確に有していたといえよう。

●欧米の自治制度と日本の自治制度との比較

このように、井上は日露戦争を経て国力の基盤は自治制度の充実にあるという認識を強固なものとしていた。この認識に基づき、井上は自治制度が整備されている戦勝国（プロイセン、イギリス、フランスなど）の制度を比較検討し、日本の自治制度のあり方を論じている。この問題に関する論を検討し、井上がいかなる自治制度をめざしていたのかを明らかにしていこう。

井上によれば、自治制度には国家欽定主義、国家保護主義、国家対抗主義の三種があるという。第一の国家欽定主義の自治制度のモデルとして挙げられているのは、シュタインの論にもとづくプロイセンである。井上によればシュタインの論は、「地方の愛国心に由て国家の元気を快復せんことを期」し、「地方民の公共心を基礎として之に自治の政治を担任せしむる」[34] もので、ここに日本の自治制度との共通点が見られるとしている。もとより日本の自治制度はプロイセンに範をとったものであるが、井上が「正治（ママ）組織の改革は先づ地方の制度より着手し、然る後中央の政治体に及ぼさんとせり[35]」と評価するプロイセンの制度は、その理念の面において共通するところが大きかったと考えられる。

第二の国家保護主義の自治制度の代表として挙げられているのがイギリスである。井上は「自治団体に於ける人民軋轢の弊害甚しきを見るに及んで団体を救済せんが為めに自治制度を制定[36]」し、「地方自治の習慣法を保護する[37]」という理念に一定の評価を下している。しかしながら、イギリスと日本の自治制度における相違点は、日本は「人民軋轢の弊害が将来団体の裡に及ばんことを恐れ、其の防備として予じめ自治の制度を発布」したのに対し、イギリスは「事後」にこれを施行した点にあるという[38]。この評価には、井上が自治制度に「人民軋轢の弊害が将来団体の裡に及ぶことを予防する手段としての役割を見いだしていたことが反映されている。

第三の国家対抗主義の自治制度の代表として挙げられているのがフランスである。井上によれば、「仏国の歴史は政府と人民との争闘の歴史なり。又君主と人民との葛藤の歴史[39]」である。したがって自治制度の沿革は「多く人民が国家に対抗し以て自治の特権を得たるの事実あり[40]」である。このような自治制度の成り立ちは、日露戦後経営策において、地方自治を利用して国民を統合し、一丸となって国力を増強する構想を描いていた井上にとって好ましいものではなかった。井上は、フランスの自治制度は、「団体が其の自解の必要上国家に要求して、自治の権利の得たるの跡があるものの、「我国に於ては国家と地方とは常に親和的関係を有し寧ろ国家より進んで己の赤子として総ての国民を撫育するの精神殊に厚」いという[41]。この評価から浮かび上がってくるのは、井上にとってフランスのような国家と地方の対立を前提とする自治のあり方はとうてい受け容れがたい、もしくは警戒すべきものであったということである。井上にとって国家と地方とは常に「親和的」関係にあることが望ましく、国家が国民を「撫育」していくことが理想的な姿であった。

これらの井上の評価から明らかにされるのは、国家が地方を掌握するための手段としての「自治」観である。後述するように、井上は「自治」を「自ら治むること」という自律的なものとは捉えていない。井上が構想した「自治」

制度とは、国家と地方の「親和的」な関係の中で、人々の公共心を育成し、国家の発展、国力の増強を図るシステムなのであった。

●井上による自治の定義

それでは、井上は自治制度によって実践されるべき「自治」をどのように定義していたのだろうか。

井上によれば、自治の定義は二種に大別される。一つは「国家の権力に重きを置」く「国体主義の学派」であり、もう一つは「団体固有の活動に重きを措」く「団体重視主義の学派」である。[42] 井上は「国体主義の学派」は「自治行政を以て国家の行政の一部に過ぎずと為せり。故に此を中央集権主義の自治論と称することを得るなり」と位置づけている。[43] さらに「自治」を実施する機関として問題となる国家と団体との関係について、「各国の制度を通じて自治の本質を約言すれば地方団体は法律に由て人格を公認せられ、法律の範囲内に於いて住民に対して権力を有す」[44] るものと捉えていた。

ここで注目されるのは「地方団体」の位置づけである。井上によれば地方団体とは「国家より委任せられたる権力の主体」であり、権力の主体はあくまで国家にあった。それは「団体の権限は其の源を国家に発し国家は法律の委任に由りて自から其の任務を処し之を完成するを以て国家に対する責任となせり。是れ即ち近世の所謂分任主義の自治なり」[45] にも端的に示されている。これによれば、地方団体（地方自治体）は国家に源を発する権力を委任され、それを分任しているがゆえに「其の任務を処し之を完成する」ことが国家に対する義務、責任として課せられるのである。したがって、地方自治体は行政組織の末端を担う存在であるにすぎず、国家に対する自律性を備えた存在とはみなされていない。このことは、井上のフランスの自治制度に対する否定的な評価にも反映されている。

いずれにせよ、井上の論に基づくと「自治本来の作用」は「国家の推運を扶けんが為に地方の公判、公益を全うすることであり、これを達成するためには「地方人民が其協力に由て共同の利益、団体の福利を図るは自治の団体が自己の責任のみならず又国家に対する大なる責任」を認識し、その責任を果たすことが不可欠であった。このように、井上が定義した「自治」およびこれを運用する自治制度は、必然的に地方自治体が国家に対する責任を担い、それを全うすることを求める構造を持つものであった。この構造においては、地方の「公利」や「公益」を指摘し、これらの達成に人々が尽くすように啓発しながら、その延長線上に「国家」や「国家の推運」を設定することによって、最終的には人々が国家に収束していく仕組みとなっている。しかも、地方人民の「公利」や「公益」が何たるかを設定する権力の主体は国家であり、人々がその地方の「公利」や「公益」のために働くことは国家に対する責任の遂行として義務づけられていたため、人々がこの構造から抜け出すことは事実上不可能となる。

そして、このような自治制度を根本から支えるのが「公共心」と「協同心」という二つの精神であった。井上によれば、「公共心」とは「個人の利益を犠牲にして郷土の利益の為に捧げる」、「私を滅して公に従う精神」であり、「協同心」とは「自治制発布以来今日に起った賜物」で、「協同して物を為す」精神である。[46] 井上は「自治の根本義として第一に公共心、第二に協同心を養成することを忘れてはならぬ」[47]として精神面の育成を強調し、「公利公益の為には私の利害を捨て協同一致して地方の福利を全うせんとする」、「自治の精神」を育成することによって自治制度を維持・発展させていくべきであるという。[48] そしてこのような「自治の精神」に基づいて地方の人々が「公利」、「公益」のために尽力することは、最終的には国民統合へと結実していくことになる。

このように、自治制度の目的が国民統合に設定されている以上、自治制度において働きかける対象は国民全体であることは言うまでもない。しかしながら、この時点では井上の理想とする「国民」はいまだ存在せず、自治制度を浸透させる過程で将来的な国民を形成することが急務であった。井上は、列強諸国の国政を比較し、その原因を分析する中で、「露国国勢の不進歩を以て所謂「中流民」の発育遅く且其公徳の程度最浅薄なるに原因すとなせり。因て知る自治の基礎は最も健全なる「中流民」の力に頼り自治の興廃は此の「中流民」に於ける公徳の深浅如何に繫ること極めて大なることを」[49]と述べている。ここから読み取れるのは、井上が自治の基礎を「最も健全なる中流民」とその

「公徳如何」とみなしていたことである。つまり、井上が「自治」を浸透させるべき第一の対象は「中流」の人々であった。このことは、井上を初めとする内務官僚が地方改良事業講習会や感化救済事業講演会などにおいて、地方中農層の人々を自治の指導者として養成することに熱心であったこと、井上を初めとする内務官僚が中心となって設立した報徳会の機関誌『斯民』が、地方中農層を主たる読者層として想定していたと考えられること、さらに地方改良運動そのものが地方中農層の取り込みを主眼とするものであったことと一致している。

井上は「中流民」の育成を基盤として、「子供を教育するばかりではない、大人をも何とか訓練をして、良国民」として育成することを構想していた。そしてこのようにして自治を達成する方法が教育なのであり、井上はこれを「自治民育」と名づけたのである。[50] そしてこの「自治民育」を実践する上では、「国民の良心に訴えるより外か」なく、人々によりわかりやすく、親近感を得られるように働きかけることが不可欠であった。

もっとも、このような一連の事業によって実践される「自治民育」はあくまでの社会の利益の還元を目的としたものでなければならなかった。それは、「救済事業たるや、公益主義に依らなければなりません。一体其人の為めではなくして、社会全般の為めであります[51]」や、「所謂民育問題は単に其人の為め人を訓育するに止まらずして社会の為めに人を訓育するに在り。教化行政が自治の作用中最重大の関係を有するは之が為めなり[52]」にも反映されているといえよう。このように、井上においては自治制度を支える国民の育成を目的とした「自治民育」という教育も、個人のためではなく、あくまで国家の利益や発展に資するものとして捉えられていたのである。

井上は国力の充実を図り、これを発展させていくための制度として自治制度を位置づけた。そしてこの自治制度とは、国家を支える国民としての精神的基盤を形成する論理を内包するものであり、井上は地方の「中流民」における「自治」や「公徳」の育成を目的とした「自治民育」という教育理念を打ち出したのである。井上は「自治民育」という教育を、個々の利益を社会全般、長じては国家へと収束させていく自治制度の中に組み込むことによって、自治制度の浸透と強化を図り、これを地方改良運動の中で実践しようとしたのであった。その具体的な方法として井上が重視したのが、図書館における通俗教育だったのである。

次項では、井上の「自治民育」構想がどのように実践されようとしていたのかを、井上の図書館政策に注目して明らかにしていく。

(三) 「自治民育」構想と図書館政策――『斯民』を視点として

本項では井上を初め、この時期の内務官僚が図書館を利用した通俗教育(社会教育)に言及していること、さらに「わが国の図書館活動が、当時のわが国の社会行政・文部省の法規上の整備と相俟って、内務省に注目されるほど発展し、民衆生活の中に浸透[53]」していくという指摘を踏まえ、図書館を中心とした通俗教育(社会教育)がどのように展開されようとしていたのかを明らかにしていく。

井上友一の自治民育構想と図書館政策

本来、通俗教育(社会教育)は一八八六(明治一九)年に文部省学務局第三課が「通俗教育ニ関スル事」を分掌するようになってから、文部省の管掌事項として規程されていた。しかしながら文部省が通俗教育の係を設置して以後二〇年近くの間は、制度としての通俗教育はほとんど空白状態におかれ、明治末期に至るまで「通俗教育」の具体的な施策はほとんど行なわれなかった、とされている。[54]むしろ通俗教育に熱心であったのは内務省であり、文部省が積極的に通俗教育行政に取り組み始めるのは、日露戦争後[55]、特に一九一〇(明治四三)年の大逆事件を契機に設置された通俗教育調査委員会、文芸委員会の設置以降のことである。

内務省の通俗教育(社会教育)に対する関心は当初から図書館に対して向けられ、このことは一九〇二(明治三五)年一〇月二三日の『官報』において秋田県立図書館の巡回文庫を紹介していることにも反映されている。また、内務省地方局が一九〇六（明治三九）年に編纂した『戦時記念事業と自治経営』には、「地方公共事業ノ経営ヲ完《まっと》フシ民力ノ振興ヲ計ル」ための戦時記念事業の梗概として、各地に設立された公・私立図書館が写真入りで紹介されている。このことからも、内務省は早くから通俗教育の場として図書館に注目していたことがわかる。

それでは、内務官僚は具体的にどのように図書館を通俗教育（社会教育）政策に位置づけていたのだろうか。まずは、井上友一の図書館政策を自治構想との関連でみていくことにしよう。

井上が自身の著作において図書館の事業に言及しているのは『救済制度要義』（一九〇九年）、『自治要義』（一九〇九年）、および『自治之開発訓練』（一九一二年）の三冊である。最初に刊行された『救済制度要義』においては、「第四編風化行政及法制」の第三章、「庶民教化制度」において、公共図書館制度への言及がある。井上によれば庶民教化制度とは「尋常の学校教育以外に於て庶民社会の経済的及精神的の機能を進めんが為め設けられたる訓育善導の業」であり、公共図書館制度は「簡易教育普遍制度」、「高等教育普遍制度」と並んで、庶民教化制度を支える柱の一つであった。(56) 井上は「庶民教化事業中世人が最重要なるを認識せるもの蓋し公共図書館制度に若くはなし」(57) と図書館政策を重視する姿勢を打ち出している。さらに、『自治要義』の「庶民教育」の項においても、「吾人が更に研究せんと欲するもの他なし、如何に図書館を活用して之を民育の中心と為すべきかの問題是なり」、「図書館に附帯して更に精神上及経済上の二方面に亘り、広く民育の事業を経営するは近代の趨勢なり」として、欧米諸国の図書館制度を詳細に比較検討している。(58)『自治之開発訓練』では「自治と通俗教育」の中で、「［名称を＝引用者注］社会教育といはず、殊更通俗教育といふことにいたしたのでありますが、我国に於て初めて出来た通俗教育は図書館である」(59) と明言している。

これらの言及から読み取れるのは、井上が国民の「風紀振興」を目的とした社会教育政策を実践する上で、図書館に関する政策を第一のものとして捉えていたことである。また、「自治民育」と図書館政策とが関連づけて論じられているのは、「念ふに世に唱づる社会問題の要は一に此の公共的精神を喚起するに在るのみ」(60) という井上の要請に、図書館政策が応えるものと認識されていたことの証左であろう。

井上が図書館政策の模範としていたのは、アメリカの公共図書館制度であった。井上はアメリカの公共図書館制度に基づき、図書館の発達段階を「私的図書館の事業に対し法人権を与へたるの時期」から「一定の市邑に対し公共図書館設立の義務主義制度を採るべき」第五期まで分類している。この発達段階に即して考えると、日本の制度は第三期の「公共図書館公設主義の時代」にあった。井上は将来的には現行の制度を一歩進めて「米国の第四期に当たれる地方図書館保護主義の制度を実施し、一般社会教化の理想を発揮」させ、公共図書館を社会教化の実践の場として発展させていくべきだと言う(61)。

井上は公共図書館の効用を「最良の労働者を養ひ、尚進んで(中略)貧富貴賤を問はず社会各級の人をして其歳月を異にし風土を異にして尚容易に先代及異域の大賢奇材に邂逅せしめむるもの」とみなし、公共図書館を利用することによって「各階級をして相互教育の方法を立たしめんが為、貧富いずれの中に於ても共に其公共的精神、社会的道義を振作するの必要を唱導」することを構想していた(62)。井上は『自治要義』において、山口県立山口図書館や東京市立日比谷図書館など具体名を挙げて夜間開館、入場無料制度の導入、児童図書館の付設、巡回文庫などの活動を紹介し、これらが「図書館を以て地方教化の中心となすの気運」を促進すると高く評価している(63)。

また、第二次桂内閣の文相・小松原英太郎の下で一九一一(明治四四)年に設置された通俗教育調査委員会の活動も、図書館政策に期待をかけていた井上にとって意味あるものであった。井上は「近年各地に図書と図書館の出来たのは誠に喜ぶべきことで、到るところ簡易文庫のない所は殆ど無い位である(64)」と図書館の普及に一定の評価を与え、図書館では「出来るならば、近頃文部省の通俗教育調査委員会にて認定を与へた数百種の書物は是非之を人に示したいと思ふ(65)」として、目録を標準として各地方図書館が書物を備えていく方法を提案している。このように、「精神的要素の救済を以て寧ろ時弊根治の上策となすべきを覚れり」と精神面の育成こそが日露戦後経営の方策に貢献すると考えていた井上にとって、公共図書館は「国民教育」と並んで「国民の文化に導くの大道」であり、公共図書館の発展は不可欠のものであった(66)。

さらに、図書館を通俗教育（社会教育）の中に位置づけ、発展させようとする構想は井上だけではなく、同時代の内務官僚たちにも共有されている。この構想は内務官僚を中心として設立された報徳会発行の機関誌『斯民』を通じて、地方改良運動の主な担い手と目されていた地方中農層に向けて発信されていくこととなる。報徳会の設立および『斯民』発刊の経緯を踏まえた上で、内務官僚において図書館がどのように通俗教育の中に位置づけられていたのか、そしてそれにはいかなる意図があったのかを見ていくことにしよう。

報徳会設立ならびに『斯民』発刊の経緯

二宮尊徳の思想をもとに道徳と経済の調和的発展をめざす報徳会が設立されたのは一九〇六（明治三九）年四月であるが、この直接の契機となったのは一九〇五（明治三八）年一一月、日露戦争終結後に東京音楽学校で開催された「二宮尊徳翁五十年記念会」である。この会において留岡幸助（内務省嘱託）は「鈴木（藤三郎。日本精糖会社設立者、当時衆議院議員）氏の考では、東京では報徳会は是迄の報徳社の遺口とは多少異なったる方針を執り、上の方からやらなくてはならぬといふので、互に是が為に尽す所があろうと約束したことであります」[67]と述べており、従来の報徳社とは異なる意図の下に、報徳会を組織していこうとする方針が打ち出されたと考えられる。このことを踏まえ、報徳会を組織する経緯を見ていくことにしよう。

当時の内務省は、「報徳内務省」の俗称があったほど、報徳精神の信奉者によって占められていた[68]。特に、岡田良平（当時貴族院議員）、一木喜徳郎（当時内務書記官）兄弟は、父の岡田良一郎が二宮尊徳の門人であり、報徳社社長であったことから、早くから報徳思想に注目していたと推測される。しかしながら、井上に関しては岡田や一木のように強い関心を抱いていたわけではないようだ。井上と報徳会との関係について、当時井上の部下であった相田良雄は次のように述べている[69]。

井上と同郷の先輩であった早川千吉郎は大蔵省在官中に静岡県の報徳社を視察し、「之を地方行政に運用したならば立派な自治行政の果実となるであらう」と井上に調査を勧めた。井上は書記官を派遣したが「通り一遍の視察に過ぎなかった」ので、「社会政策の見地」から改めて留岡幸助と相田に調査を委嘱する。相田が報徳社について「留岡先生は報徳は道徳と経済の調和を図る一種の講社で、その趣旨は哲学であり宗教である」と考えていると報告すると、井上は「宗教は困るなあといはれた」という[70]。留岡の回想によれば、これは一九〇三（明治三六）年頃のことであった。しかしながら、この時点では「宗教では困るなあ」の発言にもあるように、井上の報徳会に対する関心はそれほど高いものであったとは考えられない。

井上を初め、内務官僚が本格的に報徳社に注目し、国民統合の手段として報徳研究に携わるようになったのは、日露戦後経営のあり方が緊急の課題となった一九〇五年以降のことである[71]。一九〇五年七月には、早川千吉郎、岡田良平、一木喜徳郎、桑田熊蔵、清野長太郎、鈴木藤三郎らと学士会事務所で報徳研究会を組織している。相田の回想によれば、この研究会において「その頃既に戦局の終了近まれるを知り、戦後経営の声は識者の間に高まり、連戦連勝の余炎に依り民心驕慢に流れ、泡沫会社の勃興は却て経済界の行詰まりとなり、戦後経済界の大恐慌襲来すべきは之、日清戦争後其外の欧米の実例にも鑑みるにも明らかなることなれば、政府に於いても人心の振粛、生活の改善、延《ひ》いては経済界の緊縮に関し大いに警戒する事になった。それには報徳主義は現代の思想を啓発するに最も適切なる[72]」ものだという意見の一致を見、先に示した二宮尊徳没後五十年を記念する会を開催することになったという。

こうして一九〇五年一一月二六日、東京音楽学校で二宮尊徳五十年記念会が開催された。この会において、二宮尊徳に関する遺物や自治民政に関する事物を展示したところ、これが盛況であったことから、井上は報徳に関する月刊雑誌の刊行を主張するようになる。「三号雑誌に終わりては我等の名前にも係るゆえ」という反対意見もあったが、井上は熱心に雑誌の発行を主張し、ついに留岡と鈴木藤三郎の賛同を得て、翌一九〇六年四月より『斯民』が発行されることとなった。雑誌名は、「自治民政に資する意味に於て『斯民』[73]が適当であらう[74]」と井上が決めたものである。この経緯からも、井上が報徳会および機関誌『斯民』を通して「自治民政」の浸透を図ろうとする意気込みが伝わってくる。井上および留岡は「恰も愛児の如く之が発育に熱中し、人をみては雑誌発行を吹聴して入会又は購読を勧誘せられた(75)」という。

もっとも、井上は必ずしも「報徳」そのものに執心していたわけではなかった。相田も「井上先生の意思は純然たる報徳主義の宣伝ではなくて、此の趣旨を自治民政に施し、以て自治民政の振興を図(76)」ることにあったとしている。報徳思想そのものの喧伝に努めるのではないという立場は、岡田良平にも共有されていたようであり、岡田は「必ずしも二宮翁の遺教遺法を墨守して時代の推運を無視するが如き」を避け、あくまで「道徳と経済との調和を計り、精神と物質との融合を期して、一つには教育と産業の連絡を取らしめ、一つには自治と風化との一致を図」るべきであると考えていた。さらに、二宮の教えは「決して農村にのみ限らるべき」ものではなく、「都市農村を通じ、貴賤貧富を論せず、総て遵奉すべき、卑近の教え極めて多き」ことからこれを採用したという(77)。この岡田の論にも、報徳会の設立は純粋に二宮の教えを浸透させることを目的としたものではなく、「道徳と経済との調和」をはかり、「教育と産業との連絡」を取り、「自治と風化との一致を図り、要するに国利と民福とを合体」させるための一つの方策として、二宮の教えを再解釈して利用する意図が反映されている。

以上のような経緯を経て『斯民』は発刊されるが、その「開刊の辞」は以下のとおりである(78)。まず、「凡そ国家交流の図を為すべきもの、これを大別して二と為す。一は国民的の道義的活力にして他は国民の経済的活力是なり」とあり、岡田や一木がこの後も『斯民』誌上で主張し続ける「道徳と経済との調和」が第一の課題として挙げられている。ここでいう国民の道義的活力とは、「富貴貴賤各其職を励み、其分を尽し、又能く己に克ち、衆を愛する」ことであり、これによって「独り、己の利益を進むる所以たるのみならず、併せて世の慶福を扶くる」という。もう一方の「国民の経済的活力」は、「己を利し、又世を益するの念を生じ、事あるに当たりては公共の福利を全《まっと》ふせんが為に、敢て自己の利害を捨つるに吝《やぶさか》ならざる精神」に基づくものであった。このような「国家に貢献すべき精神」は「社会の各階級を挙げて、其風を一にすべき要道」であることを踏まえ、『斯民』は「尚一般　風気の作興　自治の経営、教育の発展、民力の充実に関する事業制度に到るまで、広く内外に渉りて、近代最新の識見を求め、之が講明の資料を世に紹介せんとす」ることを目的として発刊されることとなる。

『斯民』における図書館政策とその意義

●『斯民』にみる図書館政策

それでは、井上を初め多くの内務官僚が寄稿していた『斯民』において、図書館はどのように位置づけられていたのだろうか。

まず、『斯民』の発行元である中央報徳会の趣旨には「地方の開発、自治の興新、道徳経済の調和、教育産業の連携」を図るとあり、これを実践するために「内外の研究、地方の調査、講演の公開、篤行の奨励」と並んで「良書の刊行」が挙げられている。このことから、内務官僚は報徳会の活動当初から読書行為を教育的に位置づけようとする関心が存在していたことがわかる。また、「地方斯民会設置基準」においても、その事業の第五項に「図書館ヲ設置シ講話会ヲ設クル等社会教育ノ作興ヲ図ルコト」とあり、このことも図書館が「社会教育ノ作興ヲ図ル」機関と位置づけられていたことを示している。(79)

『斯民』誌上の図書館に関連する初期の記事は、巡回文庫や篤志家による私立図書館や文庫の設立、新潟県の積善組合による巡回文庫の運営を紹介するものが中心であった。しかしながら、一九〇八（明治四一）年の戊申詔書の渙発や大逆事件を契機として、図書館は次第に「思想善導」や「社会教化」との関連で言及されるようになり、精神面での教育効果を読書に求めるものが多くなる。たとえば井上の部下であった中川望は「私は家庭に善い読物の無いのが、大きく申すと、国家の原動力を不健全になしつゝある、一つの証拠ではあるまいかと考えているのであります」と述べ、家庭において良書を読ませることが国家の健全な発展を促すという考え方を示している。中川は「新式ないかがはしい文学の読物が寧ろ向《むこう》の方から購読を強いてくる」のは由々しき事態であり、この問題を解決すべく「善良なる読物を家庭に供」することを主張した[80]。したがって、人々に本を貸し出し、読書を奨励する図書館という施設は、健全な精神の育成の場として位置づけられることになる。さらに、「日露戦後の紀念として、簡易図書館の諸所に興りた」ことは「人心作興に関する熱心の余りに出来たものであるから、其規模は如何に小なるにもせよ、又其設備は如何に拙なるにもせよ、(中略)平和と文明とに貢献せんとする精神は誠に崇高と言はねばならぬ」という[81]。ここには、図書館の内容の充実はさておき、記念事業として図書館を設立することそのものに意義があるという主張が見られる。この論では、日本における図書館設立の歴史を王朝時代にまで遡って紹介しているが、評価の際に共通しているのは、図書館設立の際の「公共的精神」の篤さを強調する点である。この論においては、図書館に公共的精神の育成の役割を期待することよりも、公共的精神の表現として図書館を位置づけることに重点がおかれているといえよう。

しかしながら、地方改良運動の過程で「自治の精神」の育成が重要視されるに従い、図書館はたんなる公共的精神や自治精神の表現型ではなく、図書館本来の機能を果たすことで、公共的精神や自治精神の育成に貢献することを求められるようになる。たとえば、中川は青少年の訓育の手段として図書館や読書会を利用することを推奨している。中川はかねてから将来の地方自治に貢献する人間を育成する機関として青年団の重要性を主張していたが、その活動の一環として「図書館を設け、且時々講演会等を催うす」ことや、青年団の会員同士が「書籍雑誌を廻読して、心身の鍛錬を」怠らないようにする各地の取り組みを紹介している。さらに、農村においては図書館を設けるのではなく、中央図書館を核とした巡回文庫や縦覧所を設けることで、「一国の中堅たる農村の青少年をして、及ぶべきだけ健全なる発達」を達成することが可能となると述べ、図書館や巡回文庫を「極めて適切なる社会教育の機関」と位置づけ、その普及を訴えた[82]。

一九〇八年に戊申詔書が発せられると、内務大臣・平田東助は「少年子弟を教化して風紀改善の根本を立つるは、則ち教育の力に俟たざるべからず」と訓示し、教育による「人心陶治」の重要性を強調した。このような中で、図書館は国家興隆の根本となる精神の育成を担うものとして注目され、社会教育上有益であるという論が多く見られるようになった。[83] さらに一九一一（明治四四）年の市制・町村制改正によって、この制度を支える自治精神の育成とその具体策の提示が急務となる。一木喜徳郎は、「各地に青年団を組織して風紀を改め、勤勉の習慣を養はせ、或は図書館、巡回文庫を設置して、県民の趣味を向上せしめる」[84] 方法を提案している。それによれば巡回文庫は「図書館の長距離旅行」であり、「学生には友人となり、青年には伴侶となり、産業者には指針となり、婦人少女には姉妹となり（中略）精神上の修養向上」に資するものとして高く評価された。この事業の開始に際しては、「井上内務参事官を始め、内務当局の指導」があったということから、井上を含め、内務省当局者は、社会教育の一環として巡回文庫を活性化する意向を持っていたと考えられる。[85]

このように、『斯民』においては自治制度を支える精神の育成を担う教育機関として図書館や巡回文庫が位置づけられるようになり、特に巡回文庫は農村での活動が期待された。これは、読書の習慣が一般的に乏しいとされ、また財政的にも図書館の設立が困難であるなど、図書館事業を成立させる上でさまざまな問題を抱える地方農村にあっては、図書館よりも巡回文庫の方がより手軽に、そしてより地域に密着した活動を展開しうると考えられたからであろう。

●図書館政策の意義

これまで述べてきたように、井上を初めとする内務官僚は地方改良運動の中で、自治的精神を有する国民の育成を目標とし、通俗教育（後の社会教育）に大きな期待を寄せていた。そしてその具体的な方策として注目されたのが図書館政策であり、読書の普及を通して「思想善導」や「社会教化」を行なおうとしていた。もちろん、井上ら内務官僚の図書館政策はあくまで構想の段階にすぎないものであったが、それでも図書館を通じた読書行為の普及を教育的な営みとして位置づけたことの意味は大きい。『斯民』では、地方図書館の経営や巡回文庫の運営などが盛んに紹介されている。

また、このような図書館事業の紹介の仕方にはある特徴があることも見逃せない。その特徴とは、これらの事業の設立・運営にはほぼ例外なく、「篤志家」がなんらかの形で関わっていること、さらにこの「篤志家」が地方政治から一定の距離を保ち、「公益」に奉仕する存在として描かれていることである。たとえば井上友一は西洋においては「その土地の大地主や金持ち」が「自宅の一室を「図書室」として開放」していると紹介しているし[86]、中川も各地の地主や名士などが「篤志家」として行なっている活動の具体例を示している。中川は「県下有数の資産家」が農業図書館および図書館の設置に貢献したことに触れ、「本郡は従来政治思想の盛なる所であったにも拘らず、地方の篤志家が相従提携して、地方発展の為めに力を尽すの気運に向かひ来り居ることは、誠に喜ばしいことであります」と結んでいる[87]。ここには、地方のために図書館や巡回文庫を設置する「篤志家」の姿、またこのような事業に専心することによって、政治思想に関する論議の盛んな土地が、地方発展のために力を尽くすように変化するという肯定的な評価が見られる。

さらに、松江図書館に関する記事では、「社会公益の為に瘁したる事跡は頗る多」い人物による図書館の設立・運営に関する苦心談が詳細に紹介されている。ここで描かれる木幡という人物は、衆議院選挙への出馬を断わり、選挙費用を地方の公益事業である図書館に投じた、とされている。木幡は図書館設立の資金集めに奔走し、みずからも「概ね私財を投じて之を維持し、創立以来今日に到るまで、支出せるもの実に巨額に達せり」というほど図書館事業に尽力した。その上彼は図書館のさらなる充実を図るため、各地の図書館の視察や他の図書館との連携に努め、最終的には社会教育上の功績を認められて、島根県知事から表彰された、と結ばれている[88]。

このように、図書館関連の記事においては、国の内外を問わず必ずといってよいほど篤志家が図書館資金として多額の寄付を行ない、施設の設立運営において重要な役割を果たしたことが強調されている。ここから浮き彫りにされるのは、地方の「篤志家」が地方政治との関わりを絶って巡回文庫を含む図書館事業に携わり、それが社会教育上貢献するところが大きく、その功績が認められて最終的にはなんらかの表彰を受ける、という構図である。この構図は、これらの記事が『斯民』の主要な読者層として想定されていた地方中農層に対して、自治指導者としての模範を示すと共に、地方自治を担っていく上で、彼らが実現可能な具体例を提示する役割を果たしていたと考えられる。

もっとも、各地の図書館事業の実態は必ずしも芳しいものではなかったようだ。たとえば巡回文庫事業を盛んに展開していた新潟市積善組合では、「一般の読書趣味を鼓吹し、社会風教の一助たらしめん目的」で、巡回文庫や閲覧所をよく利用した児童や青年を推進し、表彰状およびメダルを贈呈するという奨励策を講じていたし、巡回文庫事業の指導者が予想したほどにはその成績が上がらないために、今後一層の努力を必要とするという報告がされている。それにもかかわらず、図書館事業が紹介されるのは、たんに内務官僚が通俗教育（社会教育）の一環として図書館事業を重視していたという理由にのみよるのではない。これらの記事は、地方中農層が各地域の図書館事業に貢献する意識を啓発し、これらの事業に携わることが、社会教育にいかに貢献するのか、さらに読み手である地方中農層の人々がいかに社会教育に貢献しうる存在であるのかを自覚させる役割を果たしていたと考えられる。(89) 特に図書館設立や、巡回文庫の運営にまつわる苦心談などを詳細に紹介することは、記事にリアリティを持たせ、社会教育に携わることに対する読者の共感を生み出しやすくする作用があったのではないか。『斯民』における図書館事業の紹介は、読者である地方中農層を地方改良運動の指導者あるいは「篤志家」とするべく、その具体例を示すことそのものに意味があったと考えられる。

このように、『斯民』において展開された図書館政策は、次第に自治制度を支える自治精神の育成を担う通俗教育（社会教育）としての位置づけを明確にしていった。その一方、図書館に関する事業を紹介することそのものが、地方中農層に対して地方改良運動の指導者としての自覚を啓発し、具体例を示すことによって彼らを地方改良運動に取り込む役割を果たしていたと考えられる。井上を初めとする内務官僚は、図書館に健全なる精神や自治精神の育成といった教育的役割を見いだすと同時に、図書館事業の紹介を通じて、読者層である地方中農層を地方改良運動の指導者として育成しようとしていたのである。このことから、『斯民』における図書館政策の紹介は、自治精神に富んだ国民を育成する具体的な方法を示すと同時に、さまざまな事例を紹介することそのものを通して、読者である地方中農層を地方改良運動の指導者層として育成するという二重の役割を有していたといえよう。

井上を初めとする内務官僚の図書館政策はあくまで構想の段階にとどまるものであるが、従来個人的な趣味の問題としてしか捉えられていなかった読書という行為に注目し、これを通俗教育という枠組みの中に位置づけたことの意義は大きい。なぜなら、このような井上の構想は、「自治民」という明確な国民像を設定し、そのような国民形成を最終目的として、読書を通俗教育という教育的営為の中に位置づけることを打ち出したものであり、その後の文部省の通俗教育行政へと継承されていくからである。次節では内務省の通俗行政から文部省の通俗行政、そして社会教育行政への転換について検討していくことにしよう。

二　第一次大戦後の教育「改造」と読書――文部官僚・乗杉嘉寿と川本宇之介の図書館構想

前節で述べたように、「自治」構想は井上を初めとする内務官僚によって「国民統合」を最終的な目標として打ち出され、それは報徳会発行の『斯民』を通じて、主に地方の中農層向けに発信されていった。内務官僚は、日露戦後経営策である地方改良運動の指導者層を育成しつつ、彼らの国家への統合を図ったのである。

しかしながら、「自治」の最終的な目標が国民統合である以上、それは全国民に対して浸透することが図られ、また達成されなければならないはずである。このような全国民を対象として「自治」の精神を養い、ひいては「国民」として統合するための有効な手段として注目されるようになったのが社会教育であり、なかでも図書館に関する政策であった。

ここで、図書館に関する政策を概観しておこう。欧米とは異なり、図書館を民衆のための教育機関としてとらえる発想は乏しく、財政上の問題もあって文部省の図書館に対する政策は長い間等閑視されていた。(90)日清戦争後のナショナリズムの昂揚に後押しされる形で、図書館に関する単独法令である図書館令が規定されたのは一八九九（明治三二）年のことである。

文部省において社会教育に対する関心が高まりを見せ始めたのは日露戦争後であり、(91)いわゆる「思想問題」と関連して読書にも注目するようになる。牧野伸顕は一九〇六（明治三九）年に訓令一号を発し、その中で学生生徒の読む書物を「精査」し、不適切なものは禁止すべきであるという見解を示している。(92)また、牧野に次いで文部大臣となった小松原英太郎も「通俗図書館又ハ小学校ニ附設スル図書館ノ類ハ（中略）健全有益ナル図書ヲ選択スルコトヲ最肝要ナリトス」(93)と述べ、さらに「如何なる書を読ましむべきか、如何に之を監督すべきか」を「教育上最も講究すべき問題」と位置づけている。(94)

一九一七（大正六）年から一九一九（大正八）年にかけて設置された臨時教育会議では、内務省と文部省の社会教育に対する関心の一致が見られる。戦前の日本の教育方針を定める重要な転換点となるこの会議において、日露戦前はそれほど注目されることのなかった通俗教育が審議され、「通俗教育ニ関スル件」として答申が出されたからである。

これらの過程を経て、文部省は思想善導を目的とした社会教育政策を活発化させ、図書館に関する法令も整備していった。たとえば一九一〇（明治四三）年には図書館令が改正されて図書館の設置基準が明確化し、一九二一（大正一〇）年には公立図書館職員令によって図書館員の身分保障がされることとなった。これを反映して、図書館の数は増加の一途を辿る。図書館数は一八九九年の時点では三八館であったが、一九〇九（明治四二）年には二八一館と一〇年間で約七倍に増加した。また日露戦争が始まった一九〇四（明治三七）年から一九〇八年をみると、わずか四年間で図書館の数は一〇〇館から二〇〇館へと倍増し、一九一九（大正八）年には一五〇〇館、一九二五（大正一四）年には約三九〇〇館に達している。(95)図書館数の増加は、図書館が社会教育の成立過程で教育機関として重視されたことを端的に示しているといえよう。

それと同時に図書館に対する国家の統制も強化されていくことになった。実際に、日本図書館協会の機関誌である『図書館雑誌』誌上では、社会教育政策の進展にともなって図書館を思想善導機関と位置づける論が多くなる。(96)たとえば、一九二二（大正一一）年には全国図書館大会に対する文部大臣諮問「図書館をして社会教化の中心たらしむるに適切なる方法如何」が提出された。『図書館雑誌』には婦人会や青年団と図書館との連携を強化することや、読書指導を徹底すること、社会主義関係の図書を排除し社会教化関係の図書を置くなどの答申意見がみられる。(97)このように社会教育の成立過程で図書館は増加し法令も整備されていくが、それと同時に図書館に対する国家の統制も強化されていったといえよう。

臨時教育会議終了後、一九二一年には文部省に社会教育を専管する普通学務局第四課が、翌一九二二年には内務省に社会局が設置されたことの意義は大きい。たとえば、社会教育を管掌する普通学務局第四課長であった乗杉嘉寿は、「社会が漸次進歩して人間の生活が複雑となり、従って其の社会的意義の今日の様に明瞭に且深厚になつて来た時代では、最早家庭教育や学校教育では満足しきれなくなる。（中略）現在の法令に社会教育といふ名称がなくて、単に通俗教育といふ名称を用いて居るのは最早時代に適合しないことが分かる」(98)と述べ、従来の通俗教育という概念では、種々の問題に十分対応することは不可能であるという見解を示している。文部省普通学務局編纂の『戦時地方ニ於ケル教育上ノ経営』においては「社会教育」の語が使用され、(99)公文書以外の場、例えば『斯民』などにおいては、「通俗教育」と並んでしばしば「社会教育」が用いられるという実態があった。社会主義を連想させる、という危険性を認識しつつも、自覚的に「社会教育」という語を使用し、最終的には官制中でも使用されるに至る経緯そのものに、社会教育を重視するようになった文部省および内務省の姿勢が反映されているといえよう。

それでは、第一次大戦を機に本格的に社会教育に参入するようになった文部省による社会教育政策は、どのように構想されていたのであろうか。以下、文部官僚として社会教育行政の確立に中心的な役割を果たした乗杉嘉寿および川本宇之介の図書館論を検討していくことにしよう。(100)

乗杉と川本は、それぞれ通俗教育を専管する普通学務局第四課の初代課長とその部下として社会教育の浸透に努め、『社会と教化』の編集にも携っていた。乗杉と川本は社会教育を実践する機関として図書館に注目し、しばしば社会教育と図書館の関係に言及している。まず、乗杉の図書館の位置づけを見てみよう。

乗杉が社会教育の必要性を痛感したのは、第一次世界大戦後の「戦後経営」策を模索する中でのことであった。一九一七（大正六）年一一月に開催された第一四回全国図書館大会における乗杉嘉寿の講演、「社会改造の機能としての図書館に就て[101]」を見てみよう。乗杉は、「此度の戦争が国家社会の精神上、物質上に及ぼした甚大なる影響結果が現存する以上、此影響結果に対して吾々が適当な手段を講ずると云ふことは当然なことである」とし、今後の教育の方向性、特に社会教育の方向性を論じている。乗杉によれば、日本の教育が「模倣主義」に堕し、創意に欠けているという問題を克服するためには、図書館を通じて「自発的な研究心」を起させ、「創意的な精神を充実」させなければならないという。なぜなら、「刻々に増加して行く発明発見に伴う新智識の多い所所謂文化生活の真唯中に立って人知れず時流に伴ふて行かうとするには、生涯を修養に費やさねばなら[102]」ず、それには図書館という教育機関が不可欠なのであり、「もっと本を読む様にならなくては到底世界と共に進歩することは出来ぬ[103]」からであった。乗杉によれば、「社会教育の方法中、外から之を強ひるのでなくして、各人自らの要求によつて、その欲するだけ修養することが出来、而もその効果の著しいのは図書館設備であ」り、図書館は「各個人を文化的に洗練するには最もよき機関」であった[104]。

乗杉は社会教育に二つの役割を見いだしていた。第一は自発的な学習態度の養成を目標とする学校教育再編の補充であり、第二は国民全体の思想善導である。なかでも、図書館は国家を繁栄に導く「自主人《セルフ・メード・マン》」を育成する社会教育の重要な機関であり[105]、自発的に自分の要求に応じた学習を行なうことを可能にし、「各個人を文化的に洗練する」機関とみなされていた。乗杉によれば、「これ〔図書館＝引用者注〕の発達しないやうな所は、詰り個人々々が自分々々を開拓しやうと云ふ考の薄い所[106]」であって、そのような社会や国家は「極まり切つた強制的、若しくは模倣の心裡に依つて体面上学校に入ろうと云ふ様な人間の打寄つて居る所では社会は進歩しない、国家は発達しない[107]」という問題を抱えている。この問題を解決するには、「自分で自分を開拓して行かう、斯様な勇猛心のある所で初めて社会が進み国家が健全になる[108]」ようにしなければならなかった。したがって、乗杉は「教授法に於いても、自動主義の教育、自学自習の学風でなければならぬ。物事を自発的に研究すると云ふ態度を小さい時から教へ込むのでなければならぬと思つて居る[109]」と学校教育の改善を促すとともに、「将来児童等が公立図書館を利用するに至る予備手段[110]」となることを期待して、アメリカの学校図書館制度を例に挙げながら図書館の利用を核とした社会教育の振興を訴えるのである。

しかしながら、乗杉の目的はあくまで「押し寄せる大勢に向かって本気になって奮闘」し、「五大強国」としての地位を維持すべく、「精神上の問題と物質上の方面に於ても、共に大なる改造」を行なうことにあった[111]。そしてこの改造にとって教育、特に図書館は大きな推進力となることが期待されていた。したがって、乗杉は図書館において、人々の自発的な学習活動を促進することを主眼に置いていたわけではない。「最も注意すべきものは（中略）図書の選択が一番の要件である。読むことそれ自身は良くもなければ悪しくもない。良い本を読むことに依つて初めて宣いのである[112]」にもあらわれているように、乗杉にとって図書館はあくまで国家の発展を目標として機能すべきものであり、個人の知識や文化的生活の向上がみられたとしても、それは副次的なものにすぎないのである。

したがって、乗杉が図書館の充実によって人々の創意や自発的研究の発展を主張したとしても、それは国家の発展に収斂していくものであって、その利益が個人に還元されることは第一義的な目的ではない。それは、「社会の目的は個人の目的を左右し、或は指導し、或は之を統制する所の力を現すものである」や、「我々個人は社会に依つて自己の行動、自己の活動を指導され、又た統制せられる性質のものである」などの乗杉の社会観[113]にも反映されている。乗杉にとって、図書館事業は、個人の知識や精神的生活の向上のためにあるのではなく、国家的な課題を人々が遂行していく上での原動力であった。

一方、川本宇之介は社会教育を「教育の社会化」と「社会の教育化」を促進するものととらえ、乗杉と同様に図書館を社会教育の実践の場として重視していた。順を追って川本の社会教育論をみていくことにしよう。まず、「教育の社会化」とは、「現在並に将来の社会に順応し、更に倫理的理想的社会の実現に向って努力し得る識見、道徳、能力を教養陶冶せんとする」ことであり、これは「教育上の機会均等主義」によって達成されるとしていた[114]。その一方、「社会の教育化」とは「教育の社会化の効果を大ならしむる為に、社会其のものを教育的に組織構成し、活動せしめんとするもの[115]」であった。そしてこの「教育の社会化」と「社会の教育化」、さらに「社会教化の中心」としての「学校の拡張事業」の三者から社会教育の内容が構成されるという[116]。

そもそも社会教育が必要とされるのは、「学校にて教授することは（中略）全人生の教育としては欠けて居るところが多く、又社会には各種の誘惑、各種の社会的欠陥等が身心（ママ）に悪影響を及ぼすものが少なくない[117]」からである。この状況を打開するためには、従来の学校教育に加え、「社会の教育化」が不可欠であった。川本はその根拠として「如何に学校教育が努力奮励するも其の教育の時間より考へると、極めて僅の時間しか直接教育される時間はない[118]」ことを挙げている。そして「真に教育の徹底を計らむとすればどうしても社会そのものを教育的に組織し構成し、消極的に環境を整理して教育上の妨害とならざるは勿論積極的に之を援助する様社会的に教育の領域を拡張することが甚だ大切となる[119]」のであった。

川本は「各種の社会教育機関の中心は（中略）いふ迄もなく之を学校に求めねばならない」として、あくまでも学校教育を中心とした社会教育のあり方を構想しながらも、学校教育以外では「図書館が、矢張其の他の社会教育の中心として大いに活躍する所がなければならないと信ずる[120]」として、図書館の社会教育機関としての役割を強調する。その上で、「現在の図書館はあまりに閉鎖的で且つ非社会的である」という問題点を指摘し、「たゞ来る者を拒まずといふ以外に、大いに努力して、社会的にその存在を知らしめ、活動する所なければならない」と図書館におけるより活発な教育活動の展開を求めるのである[121]。

その後川本は図書館論を発展させ、図書館における教育を「一生涯に亙る過程とか、自由意志に基づく自己教育とか、デモクラシーの思想とか、余暇の賢明なる活用と殊に最も関係深く、良くその原理を実現せるもの」と位置づけるようになる。なぜなら、「図書館は、児童青年より老人に至るまで（中略）其の最も都合の良いときに各自の来るのを俟ち、其学力其職業、その希望に応ずるところの図書を与へ以て新知識新技術新思想を供給する」からである。[122] このように、川本は、乗杉と比較すると図書館を「一生涯に亙る」教育、自由意志に基づく「自己教育」の場とする位置づけをより明確に打ち出しているといえよう。もちろん、川本が図書館における教育を「思想善導」、さらには「国民形成」に収束していくものとしてとらえていたことも事実である。なぜなら川本は「いふまでもなく、この新聞雑誌は社会教育上有力なる一機関である[123]」が「この間に又種々の悪影響を与ふるものあることを忘れてはならない[124]」としているからである。

しかしながら、乗杉や川本の社会教育構想における図書館の位置づけは「思想善導」という枠組みに根ざしながらも、個人の要求に応じた学習機会の提供や生涯的な教育機関の役割を模索する「デモクラシー的」志向を併せ持つものであったことも指摘できる。[125] このことから、乗杉と川本は当時の人々の文化的なものへの志向や学習意欲の向上を社会教育構想の中に組み込みながら社会教育を進展させていこうとしていたといえる。このような乗杉と川本の図書館の重視は構想にとどまらず、「図書館の発達は優良なる館員を要すること極めて大である[126]」という理念のもと、文部省図書館員教習所の開所にこぎつけるという形で図書館の発展に貢献した。この教習所は当時としては珍しい男女共学制の、日本初の図書館員養成機関であった。[127] 教習所にはほとんど何の後ろ盾もなく、乗杉と川本は手弁当で講師を務めていたことを考えると、両者には図書館を社会教育機関として発展させる意図が明確にあったといえる。[128] そしてこのような社会教育官僚の図書館の位置づけは、当時の文化的なものを志向する時代風潮と共振するものといえよう。

もっとも、乗杉や川本の図書館の位置づけには「デモクラシー的」な要素が存在する一方で、デモクラシー的な方法を内包しつつ社会全体の教化をめざすものでもあったし、これこそが乗杉や川本の有していた社会教育構想の根幹をなす性質であったと考えられる。

このように、文部官僚によって図書館を社会教育機関として発展させていこうとする構想が提示される一方、実際の図書館に勤務する図書館員たちは図書館をどのように捉えていたのだろうか。もちろん、図書館員による図書館論はあくまで理念、構想の段階にとどまるものが多く、すべてが実践に結びついていったとは考えがたい。しかしながら、図書館員の論を検討することは、図書館に期待される教育的機能がどのようなものであったかを知る上で重要な手がかりとなると考えられる。次節では、一九〇七（明治四〇）年に創刊された『図書館雑誌』に掲載された図書館員による論稿を分析し、当時の図書館員による図書館像とその役割がどのように論じられていたのかを検討することにしよう。

三　社会教育の成立と読書——『図書館雑誌』にみる図書館員の構想

本節では、明治後期から大正中期にかけて各地に図書館が設立されていくなかで、実際に図書館の運営に携わった図書館員は図書館をどのようなものとしてとらえ、その方向性を模索していたのかを明らかにしていく。分析の対象とする『図書館雑誌』[129]は、一九〇七（明治四〇）年に創刊された日本図書館協会の機関誌であり、当時の図書館像とその役割が図書館員によってどのように論じられていたのか把握する上で有効である。また、この雑誌には折からの社会教育に対する関心の高まりを背景に、図書館員のみならず、乗杉嘉寿などの文部官僚に代表される文部省関係者による寄稿も存在する。図書館員の論に加え、文部官僚の図書館論も検討することで、当該時期の「読書政策」が図書館においてどのように構想され、実践されようとしていたのかを重層的に描出したい。

『図書館雑誌』の内容は、図書館の理念から、具体的な図書館の管理方法（カード作成の方法など）、海外における図書館事情の紹介に至るまで多岐にわたるが、いずれも継続的に論じられている。本節に関連するテーマは、以下の二点に大別される。第一は図書館の教育機関としてあり方に関する論説である。これは、社会教化を目的とした社会教育機関として論じるもの、継続・補習教育を含む自己教育機関として論じるもの、さらにこの両者が混在した形で論じるものがある。第二は、図書館員の養成と地位の向上に関する論である。図書館に関する法令整備が進むにともなって、一九二一年六月には文部省図書館員教習所が開所し、翌七月には公立図書館職員令が公布されるなど、図書館員の養成に文部省は本格的に乗り出すようになった。しかしながら、図書館そのものがようやく人々の間に認識されるようになってきた当時の状況下では、図書館員の地位は低いものとみなされ、また体系的な図書館員の養成が行なわれていなかったこともあって、図書館員の質そのものも一般的に貧弱であったのである。このような背景のもと、『図書館雑誌』上では、質の高い図書館員の養成と、図書館員の地位向上を訴え、その延長線上に図書館そのものの発展を据える論が展開されることになる。

『図書館雑誌』における論の特徴としては、創刊当時、すなわち一九〇七年から明治の終わりまでは、図書館がようやく普及し始めた時期ということもあったためか、自己教育機関、特に学校教育を補完するもの、あるいは継続教育の役割を担う機関としてその独自性を強調する論が多い。したがって、「社会教育」ということばで図書館を論じる場合でも、後のような「社会教化」の意味よりは、風俗醇化、趣味の向上という表現に代表されるように、一個の社会人に必要な教育機関として論じるものが大多数を占める。

ところが明治末期、特に一九一一年の通俗教育調査委員会、文芸委員会の設置から大正期にかけて、次第に社会教化を目的とした社会教育機関として図書館を論じるものが増えてくる。このころから、図書館大会における文部官僚の講演や寄稿が始まり、図書館員による論においても、図書館の独自の教育機関としてのあり方を模索する主張と、社会教化を目的とした社会教育機関として図書館を位置づける主張とが拮抗するようになるのである。したがって、『図書館雑誌』において展開された図書館の位置づけに関する論の変遷そのものが、図書館が社会教化を目的とした社会教育機関として重視され、その一翼を担うものとなった経緯を端的に示していると考えられる。

このような『図書館雑誌』の内容を踏まえ、本節では図書館像の変遷を明らかにした上で、図書館員の養成、地位向上がどのように論じられていたのかを検討し、図書館における「読書政策」を明らかにしていくことにしよう。

(一)『図書館雑誌』における図書館像

創刊当時の『図書館雑誌』

図書館を一般の人々ための教育機関とみなす考え方は、『図書館雑誌』の初期から見られるものである。たとえば当時帝国図書館長であった田中稲城は、「普通図書館と普通教育の効果」[130]において、「学校教育の及達する所は其範囲自から限あり。図書館は則足ざる所を補ひ、其及ばざる所に達し、(中略)学校教育の補足は勿論、学校を出たる者にして苟《いやしく》も忌《はばかり》あらば、必しも上級学校の門戸を順歴せざるも、自ら研究を積み、其智徳の修養は勿論、各々其職業にも精通することを得べし。乃国民教育の効果を発揮し現実にするに於て、図書館は必須の機関たるを見るべし」[131]として、一般民衆のための「普通図書館」は、学校教育に勝るとも劣らぬ教育機関であると主張する。さらに田中は、学歴がなくては立身出世が難しい世の中であるから、「図書館に於て学校と同じく試験制度を設け、希望者には試験を実施して一定の資格を与える」ことで、学歴がなくとも「立身出世の関門に多少融通すべき通行券」を得ることができる制度を構想してさえいた[132]。ここには、学校教育には「狭くして深く」する役割を、社会教育には「浅くして広くすべしもの」としての役割を与え、図書館を社会教育の一翼を担うものとして認識しつつあったことが反映されている。また太田為三郎(当時帝国図書館司書官)は、「一般公衆を相手にする」普通図書館のあり方を検討している。この普通図書館とは、「通俗図書館」とも呼ばれるものであって、学校で言えば小学校に相当するものと考えられていた。したがって、普通図書館は「学校に行って教育を受ける事の出来ぬ者の教育機関となり、一方では読書の習慣を養成して、風俗醇化の一助」となると位置づけられている[133]。

一方で、この時期に図書館を「社会教育機関」として位置づける論もある。ここでいう社会教育の内容は、「知識の貯蔵庫」、「新たに知識を養成する機関」「趣味の養成」などであり、[134]必ずしも大正期に展開される社会教化を目的とした社会教育を意味するものではなかった。むしろ「知識の貯蔵庫」たる図書館において、人々が「何の制限も不自由もなく、自分の思ふ書物を読む」ことによって、趣味を向上させ、人々の精神的、文化的生活の向上を図ることが目的とされており、[135]その意味においては学校以外の場における教育によって人々の学習を促進し、援助するという社会教育の理念に近いものがあるといえよう。しかしながら、この論の著者は、「趣味はどんな方向に向いていくか分からぬ。随分趣味は危険な方面に向ふことがある」として、「図書館は風教維持の為に必要である風教維持の機関として」重んじなければならないという主張もしている。[136]著者は風教維持を道徳頽廃の防止策と位置づけていることから、この主張は必ずしも後に見られるような社会主義思想の排除を意図するものとはいえない。だが、風教維持のために書物を選択する必要性を訴えることなどは、後に社会主義関連の書籍を図書館から排除していく動きの源流となりうるものと考えられる。

一九一〇（明治四三）年発行の『図書館雑誌』第一〇号には「某館々員日記の一節」[137]と題する文章が寄稿され、「昔某館に出仕して恪勤敏腕の聞えありし何がしが日々の行事を筆まめに書きつけたる日録の一部」が大掃除の際に発見されたという設定で、当時の図書館員の日常が記されている。そこには、「某の小説〇〇〇〇は自然〇〇の傾向あり、其内持帰りて一読すべし」や同僚との雑談で「〇〇主義書籍発売禁止談最も花を咲か」せたり、部長が館長に呼ばれて「其筋の内論ありて閲覧室備の書籍中〇〇主義の臭気ある分を取調べて引込ますべし云々」などの記述があること[138]から、これは明治三〇年代後半から四〇年代にかけてのものだと考えられる。したがって、この日記は「昔」に書かれたとは限らず、むしろ当時の図書館員の日常をルポルタージュ風に記したものだと考えられるのである。日記中の自然主義や社会主義に相当する語は伏せ字となっており、図書館において社会主義思想に対する警戒が始まり、図書館員もそのような認識を持ち始めたことがわかる。

全国図書館大会の第三回大会では、岡田良平（当時文部次官）が、「図書館事務に対する所感[139]」と題する演説を行なっている。この中で、岡田は図書の取り扱いの簡便化、利用者が書庫に入って読みたい本を検索できるようにすることで、図書館が人々にとってより親しみやすく、利用しやすいものとして浸透するであろうと、図書館の発展策を述べている。その上で、岡田は「善良なる書物」の目録作成の必要性を強調した。このような流れの中で、官僚のみならず、実際の業務にあたっている図書館員にも図書館を思想対策の機関として捉える考え方が徐々に浸透しはじめていたと考えられる。それゆえ、図書館を「知識貯蔵の機関であり、知識養成の機関であり、文学補修の機関であり、趣味発達の機関であり、風教維持の機関である[140]」と、るつぼのようなものとして図書館をとらえる考え方が存在したのである。しかしながら、このようなるつぼ的な図書館の定義は、当時の図書館員における図書館像を反映したものといえる。

図書館を学校教育との関係で捉える論においては、図書館を自己教育機関とみなし、学校教育と連動させていくことで教育を完成する、という主張が展開された[141]。この論においては、図書館が教育の完成に不可欠な機関であると位置づけることによって、図書館の独自性が強調され、この種の論は図書館を補修教育機関と位置づける主張[142]にも見られる。論の著者は、「国民は或る程度まで小中若くは高等専門の学校に入学して教育を受け」るものの、「業終れば事足れりとし、猶ほその学業を持続し又は之れを補修するの要なしとして直ちに世間に打つて出て、その学び得たる素養の薄きものを以てせち辛き浮世と戦はんとあせる愚の至り」ともいうべき行動に走るという。そしてこのような行動を防止して「何んでも中止せずに得たる所を補修」し、「各自其素養の深からんことを勉め」るためには、図書館が最も適切なのである。その一例として著者は米国生まれの「フリー、パブリック、ライブラリー即ち無料公共図書館」を紹介し、図書館に人を引きつけるためには、新聞雑誌を置くことが有効なのではないかと提言する。この論が示すのは、当時の図書館員においても、アメリカのような近代公共図書館を実現しようとする構想が存在していたということである。

大正初期の『図書館雑誌』

一九一四（大正三）年の第八回全国図書館大会は、社会教化を目的とした社会教育機関として図書館を位置づける論が多数発表されたという点で、明治後期から大正期にかけての図書館像の変遷上、一つの転換点となるものであった。たとえば沢柳政太郎（当時京都帝国大学総長）は、「図書館の教育的任務に就て[143]」と題する講演で、図書館を社会教育の一機関として位置づける論を展開している。沢柳にとっての社会教育とは「社会全体を相手として」「感化教化」を与えるものであり、「公の図書館は寧ろ学校以外の者を相手」として教育するべきであるという[144]。そして、「学校にあるものは、先づ学校の教育者に大体御譲りになって、学校に関係の無いどうしても行くことの出来ない、又は年齢の関係等で既に学校の時期を経過したものが沢山にあるのでありますから、之を一ツ図書館へ引付けて善い感化を与へると云ふことに専ら力を注ぐべきものではないであらうか[145]」としている。

ここにあらわれているのは、図書館を社会教化の機関とみなし、学校教育の枠組みから外れたものを重点的に「教化」の対象の中に取り込み、「社会全体を相手」とした教育を実現しようとする文部官僚の意図である。学校教育の枠組みの中にある者は、学校教育を通じて掌握することができるが、そうでない者は、国家の視点からすれば「野放し」の状態になってしまう。それを防止するべく、図書館は報徳会や青年団などと同様に、学校教育の枠組みから外れた人に対して教育を行なう機関と位置づけられるようになったのである。沢柳は読書習慣の無い人々に対して、図書館員が適切な助言を与え、彼らの趣味や読書の必要性を喚起することの重要性を訴えている。しかしながらその目的は、個々の人間の知識や教養、文化的生活の向上をはかることではなく、あくまで「社会民衆を教育することであり、図書館員は「教化の上に於て重大なる仕事を為」すべき存在であった[146]。特に、「図書館が教育上重要なる機関であると云ふことは、如何なる意味に於て、如何なる手段方法に依って、其の意味が実現されるかと云ふことは、考へて見るべき必要があるであらうと信ずる次第であるので、私が諸君の御一考を煩したいと思ふのは是れだけのことであります[147]」という含みのある言葉は、図書館員に社会教化を担うものとしての自覚を促すものであったといえよう。

一九一四年四月に開催された第九回全国図書館大会には、文部大臣の大岡育造が「一般智徳の向上を図らしむるが為め益々図書館の改善普及を期するは、学校の施設と相俟って現下我邦教育上の急務たらずんばあらず」とする祝辞を寄せているし、(148) 翌一九一五年(大正四)の第十回全国図書館大会においても、文部大臣一木喜徳郎が「我が国民の読書趣味を饒ならしめ以て時弊を匡救《きょうきゅう》するは社会教育上頗る吃緊の事に属す」として、「我国図書館事業の改善に資し教育の進歩を助けられん事を待望して止まず」という祝辞を寄せている。(149)

このように、図書館を社会教化推進の機関とみなす文部省関係者の論が増える一方で、自己教育機関としての図書館の発展を主張し続ける図書館員も存在したことは注目すべきであろう。たとえば、熊本県立熊本図書館長であった中津親義は、図書館を「社会教育の活機関」と位置づけた上で、その内実を「自発的教育機関」であるとしている。(150) 図書館の目的は、「智能を啓発し、徳性を涵養し、文化を進め、社会の進歩を促すと云ふことで、(中略)大体の目的は学校と同じであるが、其目的を達する方法に於ては大に異なるところがある」(151) という。それは、「学校は一定の年齢の者を定まつたる時間に教育する」、「或意味に於て強制的教授」を行なう機関(152)であるのに対し、「図書館は何等年齢や職業や階級に差別されぬ極めて一般的の教育機関」であり、「全然自発的」な教授を行なう場(153)であることに由来するのである。ここには、沢柳ら文部官僚に見られるような、図書館を社会教化の機関とみなし、学校教育の枠組みから外れた者を教化の対象に取り込むべく機能させる考え方は見られない。むしろ、図書館を民衆のための自発的教育機関と捉え、学校教育の性質とは異なる、独自の教育機関とする考え方が見いだされる。この図書館論は、図書館を学校教育の従属物や補完ではなく、自発的教育を支援する独立した教育機関として位置づけるものであったといえよう。

図書館を民衆のための自己教育機関と位置づけ、その実践においても鋭い時代感覚をもって、図書館を純粋な社会教化機関と化すことに一線を画した人物として、しばしば佐野友三郎(山口県立山口図書館長)が挙げられる。(154) ここで注目すべきは、「佐野によって正しく受け止められた近代図書館技術も、彼の後、それを正しく維持発展して行くものがなく、時流に乗った便宜主義者たちによって堕落の一途をたどった」(155)という評価が一般的であるものの、佐野の後、細々とではあるものの図書館を民衆のための自己教育機関と位置づける論が存在していたことである。それは、先に挙げた中津親義が図書館を「社会教育の活機関」としながらも、その内実を「自発的」な教育機関として位置づけ、個々人の智識や趣味の向上、娯楽の場となることを目的としていることに端的に示されている。ここで主張される個々人の利益は、「国民一般の趣味になるといふ事は、国民の改善進歩に重大なる関係を有する事と信じます」(156)という目標を据えることで、利益追求に終始するものとして非難されることを免れうる構造の中で論じられている。このような主張は、「社会教育」や「国民の改善進歩」という語を用いているがゆえに、一見すると当時の文部官僚が推進していた社会教化としての図書館像と似通っているが、「社会教育」の名の下で自己教育機関としての図書館の重要性を主張するものであったとも考えられる。

第一次大戦期の『図書館雑誌』

第一次大戦が始まると、図書館を社会教育機関と位置づける論はますます増加する。たとえば、一九一七(大正六)年四月に開催された第一二回全国図書館大会には文部大臣・岡田良平が祝辞を寄せ、「国民修養ノ指導ニ適切ナル方法ヲ講究シ(中略)益々奮励シテ社会教育ノ振興ニ努メ以テ我カ国運ノ発展ニ貢献セン……」(157)と、図書館員が社会教育振興に努めることを要請している。また、当時東京府知事であった井上友一も、図書館の発展に一定の評価を下した上で、「時世ノ進運ハ今日ノ状態ニ満足スル能ハサルノミナラス殊ニ戦後ノ準備トシテ国民能力ノ向上培養愈々緊要ナルニ想到スル」(158)と、早くも第一次大戦後の経営策の一貫としての図書館政策を示している。その内容は、市町村立小学校に簡易図書館を附設すること、巡回文庫の普及、図書館における各種講演会、展覧会の開催、図書館と青年団などとの関係強化、図書館員の質的向上によって、図書館愛好の念を喚起することなどであった。特に井上が言葉を重ねて主張するのは、図書館において戦時資料を展示することなどによって「国民ノ志気ヲ鼓舞シ教育ニ裨補スルコト」[159]であった。岡田、井上の主張からは、図書館事業が第一次大戦後の経営策の一翼を担うものとして、戦争終結前から注目されていたことがわかる。[160]

第一次大戦と図書館事業とを関連づける論は、前節でも言及した一九一七年一一月に開催された第一四回全国図書館大会における乗杉嘉寿の講演、「社会改造の機能としての図書館に就て」[161]にも見られる。乗杉は、「此度の戦争が国家社会の精神上、物質上に及ぼした甚大なる影響結果が現存する以上、此影響結果に対して吾々が適当な手段を講ずると云ふことは当然なことである」[162]とし、今後の教育の方向性、特に社会教育の方向性を論じている。乗杉によれば、日本の教育が「模倣主義」に堕し、創意に欠けるという問題を克服するためには、図書館を通じて「自発的な研究心」を起こさせ、「創意的な精神を充実」させなければならないという。[163]しかしながら、乗杉の目的はあくまで「押し寄せる大勢に向かって本気になって奮闘」し、「五大強国」としての地位を維持すべく、「精神上の問題と物質上の方面に於ても、共に大なる改造」を行なうことにあった。そしてこの改造にとって教育、特に図書館が大きな推進力となるというのが乗杉の主張である。

このように、第一次大戦は、図書館事業に社会教育行政に関係する官僚の注意を向けさせ、次第に社会教化のための機関としての図書館像の形成に大きな影響を与えるようになった。しかし、そのような状況にあっても、図書館を民衆のための自発的教育機関と位置づける主張が途絶えることはなかった。和田万吉（当時東京帝国大学司書官、附属図書館長兼東京帝国大学教授）は、「読書は今日では決して学者や知識階級の専有ではなく、普通の人が日常の仕事と関連し又不断の修養上にも致さなくてはならぬ事」[164]と定義し、読書は「人間の生活を拡大し豊富にし愉快にして人の将来を多望多趣ならしめる」とその意義を強調する。そして読書の究極の目的は「正しい生活をして一国公民の資格を獲得するに有るのです」[165]という。この主張には、当時の図書館を社会教化機関と位置づける影響が見られぬでもない。[166]しかしながら、「公教育の継続である所の読書による修養費も公費の中から出るのに何ら不思議もありますまい」として図書館の公費による補助を求めるところに、和田の図書館員としてのしたたかさ、そして危うさが反映されているといえよう。なぜなら、図書館の社会教育機関としての重要性を主張すればするほど、図書館は国家の論理に基づく「社会教育」の中に位置づけられ、社会教化機関へと改変されていくのが当時の図書館を取り巻く社会教育政策だったからである。

一九二〇年代の『図書館雑誌』

一九二一年に入ると、自己教育機関としての図書館を主張する論と、社会教化機関としての図書館を主張する論との対照はより明確になる。和田は、「自修機関としての図書館」[167]において、「学校教育は結構なものでありますけれども要するに未製品、自己教育は学校教育に加工して作り上げた既成品」[168]とした上で、図書館は自己教育に最適な場であるという。また、坪谷善四郎（当時東京市会議員、大橋図書館長）は、「自ら修め自ら学ぶことなくは学校卒業後の国民の将来を如何にすべきか、必ずや学校以外に人間終世の機関存せざるべからず」と図書館の重要性を強調する。[169]太田為三郎（当時台湾総督府図書館長）も、「世間へ出てから、自分の勤むる所や志す道に向かって研究もし、調査もし、一意向上を心掛ける研究所調査所修業所」と図書館を捉えている。[170]

その一方で、文部官僚・乗杉の関心は、まったくと言ってよいほど個人には向けられていない。乗杉は第一次大戦中におけるアメリカ軍の威力の背景には、「勝つ為に読め」のスローガンのもと、戦場においても図書館を設置して読書の習慣を忘れず、「活きた修養」を身に付けていることにある、と主張する。[171]その上で乗杉は「青年が真面目なる図書を読」むことが「青年の自治的修養の第一歩」になると強調する。[172]つまり、乗杉の目的は読書を通じて青年が知識を獲得し、修養を身に付けることを通して、来るべき戦いにまさに「勝つ」ことにあったのである。

このような論に影響されたためか、かつては階級を問わず、人々の教育を補完するものとして図書館を位置づけていた太田為三郎の主張には微妙な変化がみられる。太田が図書館を自己教育に資するものとして定義することに変わりはないのだが、その効果は「国民は向上し、富力は増進するに至り、始めて名実全き世界強国の一」となることにあるとしているからである[173]。

このような図書館像の「ゆらぎ」は、一九二二年七月に開催された第一七回全国図書館大会において、文部官僚が求めていた図書館を社会教育機関とする方向へと一気に傾いていく。なぜなら、この大会では文部大臣諮問「図書館をして社会教化の中心たらしむるに適切なる方法如何[174]」に対する答申意見が、各府県立、市町村立、私立図書館長によって審議され、各図書館長からほぼ一定の内容の答申が出されたからである。その内容を見てみると、社会教化に適した図書を備え、読書指導を徹底すること、時事問題などに関する講演会を頻繁に開催し、社会教化の一助となすこと、巡回文庫の奨励、青年団や処女会との連携を密にすることなどであった。この答申の内容は、かつて佐野友三郎が民衆のための公共図書館として機能させるべく積極的な活動を展開した、秋田県立秋田図書館、山口県立図書館なども同様であった。

前年の一九二一年六月には文部省図書館員教習所が開設され、七月には公立図書館職員令が公布されるなど、これまで十分ではなかった図書館員の養成、および法的規定が整備されたが、これは図書館に対する国家の統制が一層強化されたことを意味するものでもある。臨時教育会議の答申「通俗教育ニ関スル件」において、図書館が社会教化のための機関として位置づけられたことはすでに指摘したが、一九二二年の答申案の審議は、図書館の社会教化機関としての位置づけをより明確化するだけでなく、このような図書館像を図書館員に浸透させることが目的であったと考えられるからである。この場において、文部省の「社会教化」と相反する図書館像を提示することは許されず、また暗黙のうちにこれを図書館員に理解させることによって、文部省の政策と矛盾する図書館のあり方は事実上封じ込められていくことになったのである。

(二) 図書館員の養成

明治後期から大正期にかけての図書館像は以上のような変遷をとげた。それは、和田万吉に代表される図書館を民衆のための自己教育、補修、継続教育機関と捉える考え方が示される一方、社会教化を目的とした社会教育機関としての図書館像が文部省関係者によって提示され、両者の考え方が拮抗し、徐々に社会教化機関としての図書館像が優勢になっていくというものであった。

それでは、なぜこのような図書館像の変遷が起こりえたのであろうか。すでに述べたように、図書館員の中には、文部官僚によって社会教化を目的とした社会教育機関としての図書館像が提示されるなか、社会教育という語を用いつつ、民衆のための自己教育、継続教育機関としての重要性を主張する者も存在していたのである。それにもかかわらず、文部官僚らの構想が浸透していった背景には、図書館員の間で社会教化を目的とした図書館像を受容する土壌が存在していたからだと考えられる。

たとえば和田万吉は「図書館を建設し又は之を監督する側に立つ人々の多数は、図書館に就いて極めて浅薄なる知識を有するか若しくは殆ど無謀であるかと疑はれる」と図書館員養成の現状を批判し、「図書館業の通識」を備えた図書館員の養成を主張する。(175) このような主張の背景には、「教育を受ける場所とては学校以外に多くを知らぬ国民として、図書館に対して相当の敬意を払ふべき事を思はず、其職員を観るにも往々失態に傾くやうな場合がある」という実態があったと考えられる。和田以外にも、図書館の一層の振興を図るために、専門的知識を備えた図書館員の養成を訴える論は『図書館雑誌』誌上で一貫してみられるものであるが、(176) その論旨の多くは、図書館員の専門職としての確立であり、これを達成することによってはじめて、図書館が十全な役割を果たしうる、というものであった。そしてこのような主張の根底には、図書館員の給料の安さと、そこからくる図書館員に対する人々の蔑視があったと考えられる。和田は、欧米の図書館興隆の背景には、図書館費全体に占める図書館員の給料が購書費より高いことにあるとした上で、「図書館は（中略）書物全能ではない、寧ろ職員全能である。（中略）図書館全体を大観すると、到底先づ職員に注意せねばならぬ事に帰着する」という。そして、良質の職員を得るためには、「大工や左官と同じやうな給料を以て之を待つことが出来ぬ」と、図書館員と他の職業との差別化を図るのである。[177] 当時、図書館員という職業は認知度が低く、その結果蔑視の対象となることも多々あった。「世人は図書館を昔の文庫同様に心得て庫番位は誰でも出来ると云って居る」[178]や、「今日までの図書館は頗る軽蔑されて居ります、世人は書物を扱うものだと云うて軽蔑する」[179]などはその例である。

このような状況にあって、図書館員がみずからの職業の専門職化を求め、他の職業との差別化を図り、図書館発展の名の下に待遇の改善を主張したのは当然である。そして、待遇の改善を主張する上で、最も説得力のある根拠は、図書館員は国民の教育に資する図書館を管理運営する地位にある、というものであった。それは、「（図書館の）指導係の任務は、最も重大で最も困難であると同時に、又最も光栄あるものである事を自覚せねばならぬ」[180]や、「図書館員は国民一般を指導する所の最も光栄ある任務を有つて居るものであると云ふことを信ずるのであります」[181]に反映されている。それゆえ、「国民指導と云ふ頗る光栄ある大任務を有つて居ると云ふことであるならば、今日よりも大いに待遇を厚うしなければならぬと私は思ふ」[182]という結論が導き出されるのである。これは、図書館員という職業の重要性を強調して、待遇の改善、地位の向上を求めるものであると同時に、「図書館員はたとへ給料は少なくても、国民の指導者であると云ふことを得る」[183]ことで、現状を肯定的に受け容れる慰藉としての作用をも果たしていたと考えられる。

その一方で、図書館事業を統轄する立場にある者は、社会教化の指導者として、図書館員を重視する主張を展開している。たとえば、一九一四年に開催された第八回全国図書館大会では、総裁である徳川頼倫が「図書館に関係を持たれて居る方々は、（中略）徳風の源泉教化の中心と云ふ本来の性質を自覚せられて、最も其の地位の重きを知って、徳化の輔導者たる事を十分に尽されんことを希望して居る次第でございます」[184]と述べ、沢柳も「図書館員たる者は啻[あ]

に唯書物を整理し、番人をするばかりでなく、教化の上に於て重大なる仕事を為しつゝあるのであると云ふことが言へるのであらうかと思ふのであります」[185]と、図書館員の社会教化指導者としての役割を強調している。[186]また、「図書館事業ノ何事ニ従フモノ其ノ任務実ニ重且大ナリト謂フヘシ（中略）益々奮励シテ社会教育ノ振興ニ努メ以テ我カ国運ノ発展ニ貢献センコトヲ一言述ヘテ祝辞トス」[187]という岡田良平の祝辞もまた、同一線上にあるものといえよう。

いずれにせよ、国民教育の指導者として、図書館員という職業の専門職化、差別化、地位の向上、待遇の改善などを求めることは、当時の状況下にあっては国家の構想した社会教化としての社会教育の枠組みに、図書館および図書館員が容易に取り込まれていく危険性を孕むものであった。なぜなら、当時の国家が構想していた「社会教育」は、これを通じて人々を教化することを目的としており、図書館および図書館員はその中核的な役割を担うものとされていたからである。

その意味において、一九二一年六月に設立された文部省図書館員教習所、七月に公布された公立図書館職員令は、図書館員という職業の専門職化を求め、地位の向上、待遇の改善を求める図書館員と、社会教化の機関として図書館を機能させ、図書館員を社会教化の指導者とすることを構想していた文部省との間で利害が一致するものであったといえる。

一九二二年四月に開催された第十七回全国図書館大会では、先に述べた文部大臣諮問「図書館をして社会教化の中心たらしむるに適切なる方法如何」に対する答申意見と共に、大会協議題として「図書館員の団結を一層緊密ならしむるに適切なる方法如何」に関する意見陳述も行なわれた。[188]その中で、高知県立図書館長であった中城直正は、「図書館員の待遇は曖昧にして実は社会教育機関と称するも其の従事するものをば普通教育者として之を遇するよりも寧ろ一個の事務員と目するの傾向あり、館員令の発布ありたる後と雖も、当局並に社会の人士が其の習慣に捉はれつゝあるは遺憾なり其の図書選択に当るもの、又直接入館者に接し閲覧図書の適否を鑑別し之を指導奨励するものは純然たらずんば能はず、しかも其の給与待遇に於て小学校或は中学校教員以下にありては到底自重して長く其の職に止まること能はざるべく……」[189]と、社会教育の指導者たる図書館員の待遇改善の遅さを批判するとともに、公立図書館職員令公布後のさらなる地位の向上を要求している。しかしながら、この要求はあくまで社会教育機関における指導者としてのものであって、その意味では国家の想定した枠組みの中においてこそ成り立つ要求であった。

このように、図書館員が、図書館員という職業の専門性を求め、待遇の改善、地位の向上を要求すればするほど、図書館員は国家に包摂されていく構造が大正中期には確立していた。それは、内務、文部両省において、社会行政および社会教育行政に関する機構が整備されていくにしたがって、社会教育機関としての図書館像が確立し、国民の思想善導、社会教化のための図書館という性質が前面に押し出されるようになったこととも関係している。なぜなら、文部省は図書館を社会教育機関と位置づけ、図書館員に社会教育、そして社会教化実践者としての地位を付与することをもって、図書館員の地位向上に対する要求に応え、その身分保障を行なったからである。

小括

これまで論じてきたように、明治末期に始まる一連の図書館政策の成立過程においては、実際の教育に携わる人々の参加意識をある程度の範囲で満足させつつ、国民統合を目的とした社会教育政策への自発的な協力、参加を取り付ける方策が模索されていた。そしてこの方法の原型は、日露戦後経営期に端を発する内務省主導の地方改良運動にみることができるといえよう。そしてこの方策は大正期以降の、「社会教化」を前面に押し出した文部省の社会教育政策において大規模に展開されたのである。

内務官僚・井上友一は、地方中農層を通俗教育の担い手、すなわち「自治民」と位置づけ、彼らを媒介にして国民全体を構想しようとしていた。井上の「自治民育」論において、図書館を利用した通俗教育政策は二重の目的を持っていたといえよう。第一の目的は、図書館を庶民教化機関として利用し、人々の思想善導を図ること、第二の目的は、『斯民』という地方中農層を読者層として想定した雑誌メディアを通じて図書館を中心とした通俗教育政策や事業を紹介し、読者である中農層に通俗教育の担い手となることを促すこと、である。第二の目的に関していえば、井上は『斯民』という雑誌メディアを通して「自治民」の育成を図るという、一種の通俗教育を実践していたともいえる。もちろん、井上の「自治民育」論における図書館政策は、あくまで理念上のレベルにとどまるものであったし、地方中農層など一部の人々を媒介として働きかけるという意味において、国家が直接的に国民全体に働きかけ、彼らを掌握しようとする文部省の通俗教育とは質的に異なるものであった。が、井上がその教育作用に注目したことの意味は大きい。なぜなら、地方改良運動の中で展開された井上友一を初めとする内務官僚の「自治」構想は、「自治民」という明確な国民像を設定し、そのような国民形成を最終目的として読書を通俗教育という教育的営為の中に位置づけることを打ち出したものであり、大正期の文部省の通俗教育さらには社会教育政策の布石となるものであったからである。

大正期の社会教育行政の成立に尽力した文部官僚・乗杉嘉寿と川本宇之介は、井上の「自治民育」をめざした通俗教育の対象をさらに拡大し、社会全体、そして国民全体を教育すべく、「社会教育」を提示している。しかしながらその過程にあっても、図書館が社会教育の中心的な役割を担うことに変わりはなかった。なぜなら、第一次大戦後の「社会改造」においては、目まぐるしく進歩する社会に追随するべく進取の精神、そして自主自立の精神に富んだ人間を育成することが必要であり、そのためには学校教育（義務教育）終了後も自主的な学習を促す教育機関が不可欠だったからである。乗杉・川本は大戦後の欧米列強諸国との競争に生き残るためには、井上のように一部の国民ではなく、国民全体を教育すること、そして教育の場を社会全体に拡大する必要性を認識していた。このような構想に基づく教育を展開しようとするとき、その対象はもはや「自治民」や「通俗」ではありえず、半ば必然的に「社会」という枠組みが選びとられていくことになる。

乗杉や川本による図書館を中心とした社会教育構想は、学習の成果を社会、あるいは国家の発展に吸収されるべきものとして捉えられていたものの、図書館を教育機関として機能させ、その充実を図ったことの意味は大きい。なぜなら、乗杉・川本の構想は、教育機関としての図書館にふさわしい専門職員の育成、すなわち図書館員教習所の開所という形で結実していくからである。もちろん、このような図書館に対する制度的な保障の整備は、図書館を社会教化機関として機能させようとする社会教育論に根ざしていたことはいうまでもない。

一方、図書館での業務に従事する図書館員たちも、図書館の教育機関としての役割を模索していた。しかしながら、図書館員が教育機関としての図書館の役割を根拠に図書館員の専門職性の保障を要求することは、当時の社会教育政策に包摂されていく危険性と表裏一体であった。なぜなら、当時の社会教育政策は、図書館が社会教化を目的とした教育機関としての役割を果たす限りにおいて、図書館員の「専門職性」を認め、その身分保障を行なったからである。しかしながら、このような動向の中で、図書館に対して学校教育とは異なる教育を実践する可能性を秘めた独自の教育機関、あるいは「自己教育」機関としての役割を模索する動きが存在したこともまた事実である。

次章ではこの動向に注目し、実際に図書館の実践に携わっていた図書館員が、図書館においていかなる教育を構想し、それを実践しようとしていたのかを検討していくことにしよう。

(1) 裏田武夫・小川剛「明治・大正期公共図書館研究序説」『東京大学教育学部紀要』第八号、一九六五年。
(2) 本節では、日露戦争が勃発した一九〇四(明治三七)年から臨時教育会議が解散した一九一九(大正八)年までとする。
(3) 一九二一(大正一〇)年に文部省が通俗教育を「社会教育」と改称するまで官制上は「通俗教育」が正式であったが、文部官僚も含め日露戦後から社会教育が多用されていたことを踏まえ、本節では「社会教育」とする。
(4) 本節は、早くから読書行為を教育的営為として捉えていた社会教育構想を検討することを主眼としている。学校教育と読書行為との関わりは本節とは別に検討されるべき大きな課題であると考えられるが、この課題については別の機会に論じることとしたい。

(5) 石田雄『近代日本政治構造の研究』未來社、一九五六年、一〇三頁。
(6) 大島美津子『明治国家と地域社会』岩波書店、一九九四年、二九三—二九六頁。
(7) 朝尾直弘ほか編『講座日本歴史一七　近代四』岩波書店、一九七六年、二二頁。
(8) 内務省、文部省のそれぞれの社会教育構想を明らかにし、文部省が社会教育にどのように参入していったのかを検討することにより、内務省と文部省の社会教育構想における連続性、あるいは不連続性を明確にし、明治末期から大正期にかけての社会教育構想の全体像を把握することが可能になると考えられるが、この問題に関しては次節で検討する。
(9) 小林嘉宏「日露戦後経営と教育政策——第二次桂内閣期における内務省の教育構想」『京都大学教育学部紀要』第二七号、一九八一年、八四—九三頁。また井上友一に焦点をあてた研究としては、木村寿「井上友一について〔含　著作目録〕」(『大阪教育大学紀要二　社会科学・生活科学』第三一巻第二・三号、一九八三年、一三九—一五〇頁)や右田紀久恵「井上友一研究——一〔含　年譜〕」(『社会問題研究』第四二巻第一号、一九九二年、三七—五二頁)、同「井上友一研究——二」(『社会問題研究』第四二巻第二号、一九九三年、一九—四五頁)、同「井上友一研究——三」(『社会問題研究』第四三巻第二号、一九九四年、一—一九頁)を参照のこと。
(10) 不和和彦「日露戦後の「町村自治」振興策と国民教化」『村落社会研究』第一八集、一九八二年、一四九頁。
(11) 岡田典夫「日露戦後の教化政策と民間」伊藤彌彦編『日本近代教育史再考』昭和堂、一九八六年、一五三—一八九頁所収。
(12) 小学校と地域社会との関係の成立を明らかにすべく、地方改良運動期の小学校の役割を検討したものとして花井信『近代日本地域教育の展開』(梓出版社、一九八六年)がある。
(13) 地方改良運動が小学校と地域社会の関係の形成にどのような役割を果たしたのかを検討した笠間賢二は、地方改良運動において、なにゆえに教育と教化が重要視されたのか、そしてこれが「どういう場面で、どういう方法で、どういう内容をもって、どう展開されたのか」を、「運動推進側の言説」、すなわち「内務省の教化要求とその施策との関連」において系統的に分析し、実証的に明らかにする必要性を指摘している。笠間の研究は地方改良運動期における小学校、および小学校教員の役割の変容を検討することを主眼としているものの、本研究は笠間の問題意識と多くを共有している(笠間賢二『地方改良運動期における小学校と地域社会——「教化ノ中心」としての小学校』日本図書センター、二〇〇三年)。
(14) 小川利夫らは、社会教育体制の確立は内務省が地方自治を確立していく政策との関連で捉えるべきであり、文部省を中心とした第一次大戦後の「社会教育」体制は、たんなる「通俗教育」の延長上にあるものではなく、内務官僚・井上友一らが中心となって推進した「自治民育」政策の踏襲であると指摘している(小川利夫、橋口菊、大蔵隆雄、磯野昌蔵「わが国社会教育の成立とその本質に関する一考察(一)(二)」『教育学研究』第二四巻第四号、第六号、一九五七年所収)。

(15) 倉内史郎『明治末期社会教育観の研究』『野間教育研究所紀要』第二〇輯所収、一九六一年、一三五―一三六頁。なお、本書では『日本教育史基本文献・史料叢書一八』(大空社、一九九二年)を使用した。

(16) 裏田・小川、前掲論文。

(17) 永嶺重敏「読書装置の政治学――新聞縦覧所と図書館」『〈読書国民〉の誕生　明治30年代の活字メディアと読書文化』日本エディタースクール出版部、二〇〇四年、一六九―二一四頁。

(18) 井上の著作として代表的なものを挙げると、『救済制度要義』(一九〇九年、博文館)、『自治要義』(一九〇九年、博文館)、『自治之開発訓練』(一九一二年、中央報徳会)などが挙げられる。なお、井上の死後その論稿をまとめたものとして、清水澄・近江匡男編『井上明府遺稿』(一九二〇年)がある。

(19) 国家学会編『明治憲政経済史論』有斐閣、一九一九年所収。

(20) 大霞会編『内務省史』第一巻、一九八〇年、一七五頁。

(21) たとえば一八九三(明治二六)年には文官任用制が定められ、初級の奏任官は高等文官試験に合格した者から任用する原則となり、資格任用制が整備された。これを機に「大卒官僚」が誕生し、官僚は「国家の官吏」として明確に位置づけられることとなった。

(22) 『元老院全会議筆記』第五九〇号議案郡制、第五九一号府県制。

(23) 大霞会編、前掲注20、二四四頁。

(24) 一九〇六(明治三九)年、内務省によって発行された『戦時記念事業と自治経営』において、内務省は通俗講演会など戦時中の教育活動を高く評価し、戦時中に展開されたさまざまな事業を、国家興隆のために戦後も継続・発展していくことの重要性を指摘している。

(25) 文部省は日露戦後、特に大逆事件以降にわかに通俗教育に対して関心を持ち始め、通俗教育の重要性を指摘した『戦時地方ニ於ケル教育上ノ経営』を一九〇五(明治三八)年に発行している。この中では「社会教育上多大ノ裨益ヲ与フル須要ナル機関」として図書館が挙げられている。文部省のこのような動向は一九一一(明治四四)年の通俗教育調査委員会、文芸委員会の設置へとつながっていくものと考えられる。

(26) 一九一二(大正元)年より中央報徳会となるが、改称後も「報徳会」が使用されていることから、本稿では「報徳会」とする。

(27) 大霞会編『内務省史』第二巻、一九八〇年、一〇二頁。

(28) 同前。

(29) 大霞会編『内務省史』第三巻、一九八〇年、三六四頁。
(30) 井上友一『自治要義』博文館、一九〇二年、三三頁。
(31) 大霞会編、前掲注27、九七頁。
(32) 井上友一、前掲注30、四頁。
(33) 同前。
(34) 井上友一、前掲注30、二一頁。
(35) 井上友一、同前書、三四頁。
(36) 同前。
(37) 井上友一、同前書、二六頁。
(38) 井上友一、同前書、三五頁。
(39) 井上友一、同前書、二六頁。
(40) 井上友一、同前書、二九頁。
(41) 井上友一、同前書、三五頁。
(42) 井上友一、同前書、三七頁。
(43) 同前。
(44) 井上友一、同前書、三九頁。
(45) 同前。
(46) 井上友一「自治興新論」一九〇九年、一五頁(清水澄・近江匡男編『井上明府遺稿』一九二〇年所収)。
(47) 井上友一、同前論文、一六頁。
(48) 井上友一、前掲注30、二八八頁。
(49) 井上友一、同前書、七二頁。
(50) 井上友一「自治訓練の方法」内務省地方局編『地方改良事業講演集』上巻、一九一〇年所収。
(51) 井上友一、同前論文、一三三頁。
(52) 井上友一、前掲注30、九一頁。
(53) 裏田武夫・小川剛、前掲論文、一六七頁。

(54) 国立教育研究所編『日本近代教育百年史　社会教育(一)』第七巻、一九七四年、三八二頁。
(55) たとえば文部省普通学務局は一九〇五(明治三八)年に『戦時地方ニ於ケル教育上ノ経営』を編纂し、この中で図書館は「戦時ニ於ケル教育的記念事業トシテ実ニ適切ナル経営」であり、「直接間接ニ教育上ノ発展ヲ促シ特ニ社会教育上多大ノ裨益ヲ与フル須要ナル機関」であると位置づけられている。本書の刊行当時、官制上は「通俗教育」が用いられていたが、すでに「社会教育」が使用されていたことに注意したい。
(56) 井上友一『救済制度要義』一九〇九年、博文館、四四二頁。
(57) 井上友一、同前書、四五一頁。
(58) 井上友一、前掲注30、一九〇九年、八六―八七頁。
(59) 井上友一『自治之開発訓練』中央報徳会、一九一二年、二四三頁。
(60) 井上友一、前掲注56、五四一―五四二頁。
(61) 井上友一、同前書、四六〇―四六一頁。
(62) 井上友一、同前書、五三六頁。
(63) 井上友一、前掲注30、八六―八七頁。
(64) 井上友一、前掲注59、二四四頁。
(65) 同前。
(66) 井上友一、前掲注56、四五一頁。
(67) 岡田良平「回顧三年の感」『斯民』第四編第二号、一九〇九年。
(68) 大島美津子「第一次大戦機の地方統合政策――雑誌『斯民』の主張を中心に」『専修史学』第二九号、一九九八年、三頁。
(69) 相田良雄「明府井上友一博士評傳」『教育』第五巻第十二号、一九三七年、四五―六一頁。
(70) 同前。
(71) 留岡幸助は、「内務省で報徳社のことを調べ始めましたのは、明治三十六年頃でありましたが」と述べている(留岡幸助「時代の推運と報徳社の態度」『斯民』第六編第十二号、一九一一年)。
(72) 相田、前掲論文、五三頁。
(73) 「斯民」の語源は『論語』衛霊公篇にあり、「この民。親しみの意を含んで言う語」である(『廣漢和辞典』中巻、大修館、一九八二年)。

(74) 留岡幸助「創刊当時を思ふ」『斯民』第十七編第五号、一九二二年、三八頁。
(75) 相田、前掲論文、五三頁。
(76) 同前。
(77) 岡田、前掲注67、四–五頁。
(78) 「開刊の辞」『斯民』第一編第一号、一九〇六年、一–二頁。
(79) 『斯民』第三編第五号、一九〇八年。
(80) 『斯民』第四編第四号、一九〇九年。
(81) 「図書館の今昔」『斯民』第一編第十一号、一九〇六年。
(82) 『斯民』第四編第八号、一九〇九年。
(83) 大霞会編『内務省史』第四巻、一九八〇年、三五七頁。
(84) 「市町村制の改正と社会教育」『斯民』第六編第三号、一九一一年。
(85) 「巡回文庫第一期間経営の成績」『斯民』第六編二号、一九一一年。
(86) 井上友一「地主と小作人とは親子也」『斯民』第二編第十二号、一九〇七年。
(87) 中川望「地方民心の一新」『斯民』第三編第八号、一九〇八年。
(88) 「松江図書館の設立者　故木幡黄雨」『斯民』第五編第一号、一九一〇年。
(89) このことは、井上が「自治訓練の方法」の一環として「児童の為めに文庫を設けてやること」を挙げ、「地方に図書館を設けると言へば、何か広大なものをやらなければならぬやうに考へますが、そういふ大袈裟な事はいらぬ。児童文庫でよろしい。先づ、村長の家か有志家の家でもよいが、一室を貸し与へて、其処に集めればよろしい」(「自治訓練の方法」前掲注50) と述べ、図書館の質はともかくとして設置することの重要性を指摘していることにも反映されている。
(90) 国立教育研究所編、前掲書、一六五一–一七一頁および四三〇–四四六頁参照。
(91) 一九〇五年(明治三八)、文部省普通学務局は『戦時地方ニ於ケル教育上ノ経営』を編纂したほか、明治三八年度を内容とする『文部省年報　第三十三年報』では、『文部省年報』中初めて「通俗教育」の用語が使われ、文部省における通俗教育行政への着手が示されていると評価されている(国立教育研究所編、前掲書、四五九頁)。
(92) 文部省訓令第一号、明治三九年六月九日(『法令全書』第三九巻ノ五、一四八–一四九頁)。
(93) 教育史編纂会編『明治以降教育制度発達史』第六巻、龍吟社、一九六四年、二〇七頁(初版は一九三八–三九年)。

(94) 小松原英太郎「少年及青年の読物に就て」『教育学術界』第二十巻第二号、一九〇九年、五四頁。また、斉藤利彦は明治後期から文部省は、校外管理は内務省の管轄であるという従来の方針を転換し、当時の政策的課題と密接に対応して強化するようになったという。具体的には、一九〇六年の牧野文相による訓令第一号と呼応する形で、「学校生徒校外取締ニ関スル調査」がなされ（一九〇七年）、この中で読み物などに関する規制が定められるようになったことが報告されるなど、この時期の校外における生徒への管理は家庭や私的領域にまで及ぶ広汎な統制・干渉として具現化されていったと指摘している（斉藤利彦『競争と管理の学校史――明治後期中学校教育の展開』東京大学出版会、一九九五年、二〇〇－二〇二頁参照）。

(95) 図書館数は各年の『文部省年報』による。

(96) 石井敦『日本近代公共図書館史の研究』日本図書館協会、一九七二年、二五五頁。

(97) 『図書館雑誌』第五〇号、一九二二年。

(98) 乗杉嘉寿『社会教育の研究』同文館、一九二三年、一〇－一一頁。

(99) 注25および注55参照。

(100) 乗杉および川本の社会教育論の全体像については松田武雄『近代日本社会教育の成立』（九州大学出版会、二〇〇四年）の第七章および第八章を参照。

(101) 以下、乗杉の論は「社会改造の機能としての図書館に就いて」（『図書館雑誌』第三九号、一九一七年所収）による。

(102) 乗杉嘉寿「文化生活と図書館」『社会と教化』第二巻第九号、一九二二年、六頁。

(103) 乗杉嘉寿「社会教化と図書館の利用」『社会と教化』第一巻第四号、一九二一年、九頁。

(104) 乗杉、前掲注101、四頁。

(105) 乗杉、前掲注101、四五－四八頁。

(106) 乗杉嘉寿『社会教育に就いて』日本青年館、一九二三年、二四頁。

(107) 同前。

(108) 同前。

(109) 乗杉、前掲注102、七頁。

(110) 乗杉、前掲注98、五六頁。

(111) 乗杉、前掲注101、二二頁。

(112) 乗杉、前掲注98、五三頁。

(113) 乗杉、前掲注106、七頁。
(114) 川本宇之介「教育の社会化と社会の教育化(其の一)」『社会と教化』第一巻第七号、一九二一年、一一頁。
(115) 同前。
(116) 同前。
(117) 川本宇之介「教育の社会化と社会の教育化(其の二)」『社会と教化』第一巻第八号、一九二一年、一〇頁。
(118) 川本、同前論文、九頁。
(119) 川本、同前論文、一〇頁。
(120) 川本宇之介「教育の社会化と社会の教育化(其の三)」『社会と教化』第一巻第九号、一九二一年、一六頁。
(121) 川本、同前論文、一七頁。なお、川本は活発な活動を展開している図書館の例として、アメリカの図書館についての報告を寄せている(川本宇之介「米国の図書館を観て」『社会と教化』第三巻第四号、一九二三年参照)。
(122) 川本宇之介『社会教育の体系と施設経営・経営篇』最新教育研究会、一九三一年、二一三頁。
(123) 川本、前掲注117、一一頁。
(124) 同前。
(125) 川本の図書館論は『社会教育の体系と施設経営・経営編』(一九三一年)において一応の体系化をみるが、少なくとも大正期に関しては乗杉の図書館の位置づけとの違いは明確ではない。したがって本節では、両者を並置して今澤の論と比較を行なった。乗杉と川本の図書館の位置づけの違いは両者の社会教育構想の違いに関わると考えられるが、これは本節とは別に論じられるべき大きな問題であるので機会を改めて論じたい。また、乗杉と川本の社会教育論の「デモクラシー」性についての検討は、松田武雄「創設期社会教育行政の思想」『近代日本社会教育の成立』(九州大学出版会、二〇〇四年、第六章所収)を参照のこと。
(126) 「図書館員教習所の創立」『社会と教化』第一巻第五号、一九二一年、八四-八五頁。
(127) 一九二一年の図書館員教習所の創立について、『社会と教化』にその概要が記されている。授業の開始は大正一〇年六月一日、教習期間は大正一一年三月までの約四〇週間、毎週授業時数は約三〇時間、教習実費は「一ヶ年三十円以内の教科書参考書其他の実費を要することあるべし」となっている。教習員の定員は二〇名、資格は「中学校又は高等女学校卒業の者、但し現に図書館に従業せるものは此の限にあらず」とされている。教習所は「東京美術学校及び帝国図書館内」とされている。また、男女共学制を採用した理由として、「将来我国の図書館も亦女子の活動に俟つべきものが多大である。又女子の方が仕事の性質上適当した方面も少なくない」ことが挙げられている(以上、前掲注126参照)。

(128) その他の講師として、今澤慈海（日比谷図書館館頭）、太田為三郎、和田万吉らが挙げられる（「図書館員教習所授業開始」『社会と教化』第一巻第六号、一九二一年、八四頁）。

(129) 明治二〇年代に興隆した全国の図書館設立運動は、図書館員の全国的結集をもたらすこととなった（石井敦『図書館史』近代日本篇、教育史料出版会、一九八九年、五五頁）。特に、東京図書館長であった田中稲城は英・米の図書館技術導入のパイオニアであって、彼によって図書館管理技術、および運営の体系化が進められた。田中は専門職員としての図書館員の職能団体の設立を訴え、一八九二（明治二五）年に、日本文庫協会を結成している。結成当初は会員相互の親睦、ささやかな研修を行なうにとどまっていたが、一九〇四（明治三七）年、和田万吉が第二代会長に就任して以降、その活動は次第に活発化し、一九〇六年（明治三九）には第一回全国図書館員大会を開催し、翌一九〇七年（明治四〇）には『図書館雑誌』を創刊する。一九〇八年（明治四一）には日本図書館協会と改称し、全国大会を東京で開催してから、翌年には地方大会を開催、以降ほぼ隔年で地方大会を開催するまでになっている。日本図書館協会は各地で地方大会を開催することによって、全国の図書館員を糾合する職能団体としての性質を備え、府県立・地方図書館の要としての地歩を高めたとされている（永末十四雄『日本公共図書館の形成』日本図書館協会、一九八四年、二六八頁）。

(130) 『図書館雑誌』第二号、一九〇八年、七―一〇頁。

(131) 同前論文、七頁。

(132) 同前論文、九―一〇頁。

(133) 太田為三郎「図書館の種類と其特色本領」『図書館雑誌』第一〇号、一九一〇年、一頁。

(134) 高楠順次郎「図書館に就いての感想」『図書館雑誌』第八号、一九一〇年、四―一〇頁。

(135) 同前論文、六頁。

(136) 同前。

(137) 「某館々員日記の一説」『図書館雑誌』第一〇号、一九一〇年、二五―二七頁。

(138) 以上、同前論文。

(139) 岡田良平「図書館事業に対する所感」『図書館雑誌』第五号、一九〇九年、三―六頁。

(140) 太田、前掲注132、高楠、前掲注134、一〇頁。

(141) 和田万吉「図書館と学校との関係」『図書館雑誌』第一三号、一九一一年、一七―二二頁。

(142) 斎藤勇次郎「図書館とその新聞雑誌」『図書館雑誌』第一六号、一九一二年。

(143) 沢柳政太郎「図書館の教育的任務に就て」『図書館雑誌』第一九号、一九一四年、一七―二四頁。
(144) 同前論文、一八頁。
(145) 同前論文、一九頁。
(146) 同前論文、二二頁。
(147) 同前論文、二二―二四頁。
(148) 『図書館雑誌』第二一号、一九一四年、一五頁。
(149) 『図書館雑誌』第二四号、一九一五年、五四―五五頁。
(150) 以下、中津親義「通俗図書館に就いて」『図書館雑誌』第二四号、一九一五年、一七―二一頁による。
(151) 同前論文、一八頁。
(152) 同前。
(153) 同前論文、一九頁。
(154) 佐野友三郎の活動およびその評価に関しては多くの研究があるが、ここではその代表的な研究を挙げるにとどめる。石井敦「日本図書館史上に於ける山口図書館の意義」『図書館界』第一六・一七号、一九五三年、および裏田・小川、前掲論文)。
(155) 裏田・小川、前掲論文、一七七頁。
(156) 中津、前掲注150、二〇頁。
(157) 『図書館雑誌』第三一号、一九一七年、五五頁。
(158) 同前論文、五六頁。
(159) 同前。
(160) 以上、岡田、井上の主張は『図書館雑誌』第三一号による。
(161) 以下、乗杉の論は前掲注101、一七―三九頁による。
(162) 同前、一九頁。
(163) 同前、三〇頁。
(164) 和田万吉「読書と図書館」『図書館雑誌』第三五号、一九一八年、一頁。
(165) 同前。
(166) 同前。

(167) 和田万吉「自修機関としての図書館」『図書館雑誌』第四五号、一九二一年、一－六頁。
(168) 同前論文、四頁。
(169) 坪谷善四郎「社会教育と其の機関」『図書館雑誌』第四五号、一九二一年、一一－一三頁。
(170) 太田為三郎「図書館の運用」『図書館雑誌』第四五号、一九二一年、一四－二〇頁。
(171) 乗杉嘉寿「勝つ為に読め」『図書館雑誌』第四五号、一九二一年、七－一〇頁。
(172) 同前。
(173) 太田、前掲注170、一四頁。
(174) 『図書館雑誌』第五〇号、一九二二年、三二－四〇頁。
(175) 和田万吉の論は「図書館員養成の必要」『図書館雑誌』第一号、一九〇八年、二頁による。
(176) たとえば、「図書館員養成の必要」『図書館雑誌』第一号、「我国に於ける図書館経営の困難なる一大因由――購書費と給料との不均衡」同前誌第二号、「図書館員養成は今日の急務なり」同前誌第六号、「図書館発達の内的動力を論じて本会員諸君に望む」同前誌第一一号、「読書趣味と図書館」同前誌第三九号などがあげられる。
(177) 和田、前掲注175、前掲注176「我が国に於ける図書館経営の困難なる一大因由」六頁。
(178) 片山信太郎「図書館員の養成は今日の急務なり」『図書館雑誌』第六号、一九〇九年、二四頁。
(179) 『図書館雑誌』第三九号、一九一九年。
(180) 坂本四方太「図書館の任務」『図書館雑誌』第八号、一九一〇年、二頁。
(181) 平沼淑郎「読書趣味と図書館」『図書館雑誌』第三九号、一九一七年、三一頁。
(182) 同前。
(183) 同前論文、四〇頁。
(184) 「第八回大会席上に於ける総裁の演説」『図書館雑誌』第一九号、一九一四年、八頁。
(185) 沢柳、前掲注143、二二頁。
(186) 以上、徳川および沢柳の講演は『図書館雑誌』第一九号による。
(187) 『図書館雑誌』第三一号、一九一七年、五五頁。
(188) 以下、この問題に関しては『図書館雑誌』第五〇号、一九二二年、四〇－四四頁参照。
(189) 同前。

第三章　都市公共図書館における教育活動の模索

——今澤慈海の図書館論を視点として

本章の目的は、社会教育機関としての図書館に対する期待が高まるなか、実際の図書館ではどのような教育活動が模索されていたのか、またそのような活動を支える教育論はどのようなものであったかを明らかにすることである。

社会教育成立期(1)における図書館と社会教育との関係に注目した社会教育史研究は必ずしも多くはないが、倉内史郎は「図書館の事業が第一義的に教育的・人間啓発的性格を持つことは明らかである。社会教育の主要施設として、地域団体の活動とはその作用の仕方をまったく対蹠的に異にする図書館がかならずあげられていたのは、あらためて注意されてよいことであろう(2)」と指摘している。しかし、図書館の事業が社会教育史にどのように位置づくのかは、図書館の実態も含めて十分に検討されているとはいえない(3)。また『日本近代教育百年史(4)』を初め従来の社会教育史では、戦前期の図書館は思想善導機関としての役割が強調されてきた(5)。しかしながら、これらの指摘は法制度や政策の検討に基づくものが中心であり、地域における社会教育の実践、つまり社会教育の実態に焦点をあてた研究はあまり見られない(6)。

一方、図書館史研究の分野においては社会教育成立期の図書館論や図書館に関する一定の研究蓄積がある。石井敦の『日本近代公共図書館史の研究』(日本図書館協会、一九七二年)はその嚆矢であり、そのほか川本宇之介の図書館論を検討した山口源治郎の研究(7)、東京市立図書館の活動を検討した奥泉和久や是枝英子の研究(8)などがある(9)。これらの研究は図書館政策と図書館における活動、活動を推進した人物の図書館論とを併せて検討しており、当時の図書館とそれを取り巻く状況を歴史的に考察する上で資するところが大きい。しかしながら、これらの研究はともすると行政側と図書館員とを単純な対立図式でとらえる傾向がある。たとえば石井は臨時教育会議の答申以降、行政側が図書館を教化機関とする一方で、図書館員は民衆のための図書館づくりを提唱したとしているし[10]、是枝も「大正デモクラシー運動と深く関わりながら、住民に開かれた図書館をめざして努力し、実践した公共図書館」である東京市立図書館など「ごく少数の例外」を除いて、戦前期の図書館の大部分は国民教化機関として機能したという論[11]を展開する。しかしながら、この対立図式ゆえに、なぜ東京市立図書館のような「ごく少数の例外」が存在しえたのか、そして当時の社会教育構想と図書館の理念とがどのような関係にあったのかは不明確である。

このように、社会教育史においては社会教育成立期の図書館を思想善導機関と位置づける一方で、図書館史においては東京市立図書館などを例に挙げながら、思想善導への対抗的存在、「デモクラシー」の旗印としての図書館の存在を強調するという二項対立的な評価がされてきた。しかしながら、東京市立図書館の実践に対して思想善導か、デモクラシーかという二分法的な評価を下すことは、結果的には同時代に社会教育としてなされた一つ一つの活動や実践を、社会教育史における「例外」として歴史から切り捨ててしまう危険性を孕んでいる。むしろ、これらの活動や実践が「例外」としてではなく、その時代にどのように存在しえたのかを明らかにすることによって、実体のある社会教育史、さらには読書と教育の歴史的関わりを描き出すことが可能になるだろう。そのためには、図書館における実践に即して当時の社会教育構想との関係を再検討することが必要であると考える。

本章では従来の研究を踏まえながら、一九〇八(明治四一)年の開館以降、蔵書数、閲覧者数共に全国で最も高い水準にある図書館として発展していた東京市立図書館における社会教育実践を検討する[12]。東京市立図書館をとりあげる理由は以下の三点である。第一に、「公共図書館における代表的な指導者」とされる今澤慈海(一八八二—一九六八年)が現在の図書館長に相当する館頭として積極的な活動を展開し、「東京の図書館史上まさに一時代を画す[13]」功績を残したとされていること、第二に館報である『市立図書館と其事業[14]』(以下『其事業』)によって当時の活動の様子を把握できること、第三に当時の東京では「都市」が形成されつつあり、都市に密着した活動が展開されたことである。以下、第一節では東京市立図書館における実践を検討し、思想善導機関としての役割が強調されてきた図書館の実態、そして都市における社会教育実践のあり方を明らかにする。第二節では、図書館運営に貢献した今澤の図書館論の根幹をなす「生涯的教育」論を検討し、第三節では今澤とほぼ同時期に図書館における独自の教育を模索していた中田邦造の図書館論を検討し、のちの社会教育における「読書指導」の理論的枠組みがどのようなものであったかを明らかにする。今澤、中田の図書館論およびその実践に即して当時の社会教育構想との関係を再検討することで、社会教育成立期における「読書政策」の歴史を描く一助としたい。

一　東京市立図書館の成立――「教育改造」と図書館

(一)　東京市立図書館の沿革

東京市立図書館は一九〇八年の日比谷図書館開館以降順調に発展し、一九二一年には全二〇館からなる図書館網を形成するに至った。この背景には、人々の文化的なものに対する要求の高まりと「都市」の形成がある。日露戦争は戦後景気のみならず、人々のコミュニケーションに対する欲求や教育意識の向上をもたらし、「文化産業」を成立させると共にその享受層を拡大させた。特に東京では三越を代表とするデパートが文化・流行の発信地となり、人々の文化的なものに対する要求をますます増大させた。また、市電などの交通網の発達にともない、東京は巨大な都市を形成しつつあった。(15) 東京市立図書館の沿革は以下のとおりである【資料編、表2】。

第一にこの表から読み取れるのは、東京市教育会の図書館への注目の早さである。星亨や寺田勇吉（元文部官僚）、坪谷善四郎（博文館の編集主幹、大橋図書館経営、一九〇〇年より東京市会議員）らは市議会内における発言力も大きく、図書館設立に向けて市議会の協力を得ることに成功した。また、この時期、大阪と京都では図書館建設の目途が立っていたこともあり、市民の世論形成も容易であったという[16]。当時日比谷図書館主事であった渡辺又次郎が「閲覧が目的で保存するのではない[17]」と語っているように、東京市立図書館は設立当初から非専門的な「通俗」図書館としての性格を明確に打ち出していた。大阪や京都への対抗意識に根ざしながらも、東京市立図書館が一般市民の利用を目的に設立されたことは注目される。

第二の特徴は、尾崎行雄、後藤新平ら開明的な人物が東京市長として図書館の発展に貢献したことである。尾崎は「日比谷図書館」の命名、落成に尽力したし、後藤は財政難の中で焼失した牛込図書館の復興や麹町図書館の開館、さらに関東大震災後の東京市立図書館の復興に巨額の予算を投入した。尾崎や後藤の存在によって、東京市立図書館は発展のための行政的基盤が築かれたといえよう。

第三の特徴は、日比谷図書館に館長職に相当する「館頭」を置き、全東京市の図書館を統制する「中央図書館制」が一九一五年に導入されたことである。この制度の下では、館頭の裁量で予算配分や人員配置など図書館の運営を行なうことが可能であった。今澤は日比谷図書館を中心とする図書館網の整備、閲覧料の値下げや無料化、児童奉仕の充実など大胆な機構改革を推進している。今澤のリーダーシップはこの制度と相俟って発揮されることとなる。一九一五年から一九三〇（昭和五）年の東京市立図書館が「発展期[18]」、「黄金期[19]」と評される所以である。

さらに東京市立図書館の立地も注目される。日比谷と深川を除く図書館は、当初小学校に付設されていたこともあって山の手と下町にバランスよく分布している。また、いずれの図書館も市電の駅近くに建設された。館報『其事業』の第六号には「東京市立図書館全図」という地図が掲載され、各図書館の位置と最寄駅が示されている【資料編、図1】。このことは、東京市立図書館が都市の生活に密着した存在であったことを端的に示すものである。このように、東京市立図書館は東京市教育会の図書館に対する意識の高さと市民の利用を第一目的とした設立の理念、東京市長の支援、強力なリーダーシップを発揮する館頭とそれを可能にするシステム、都市生活に密着した存在であったことなどに支えられて発展したといえよう。

(二) 東京市立図書館における社会教育実践

東京市立図書館では、先行研究でも指摘されているように近代公共図書館の原型となる先駆的な活動が展開されている。これらの活動は今澤慈海の「生涯的教育」論に基づく図書館理念に根ざしているが、その詳細な検討は次項に譲るとして、どのような活動が展開されていたのかを概観しておきたい。今澤が東京市立図書館を運営する上で掲げていた第一の理念は、図書館を「生涯的普通的教育」(一九二一年以降の論稿では「生涯的教育」の方が多用されるので、以下、「生涯的教育」とする=引用者注)機関とし、図書館を学校以外の教育機関として機能させるというものであった。今澤は図書館の最大の使命は「読書趣味の涵養」にあり、「読書力の養成と共に一朝一夕にして出来るものではない。其の十分を期するにはどうしても少年時代から養はなければならない」[20]と考えていた。そして自身の図書館理念について「公共図書館の社会民衆に対する文化的貢献効果は、「生涯的普通的教育」なる語を以つて統括し得べし」、「此の効果は各人の自学自修によるが故に一層顕著なること、(中略)真の文化的発達は各人の能動的意志の自由なる開展によるものなることを記せざるべからず」と述べている。[21]ここには、図書館は「社会民衆」のために存在し、「生涯的普通的教育」の効果をもたらすものであること、そして「真の文化的発達」は各人の「能動的意志」の展開によってのみ達成されるという今澤の信念が反映されている。

今澤の図書館理念として第二に挙げられるのは、図書館を「利用者本位」のものとすることである。それは、図書館を開架式にすることを提言した以下の文章に見いだされる。

近代図書館の特徴中最も顕著なるものは、書架を公開し、読衆をして直接書架に接せしめ、所要の図書を選択せしむる公開書架式閲覧法である。(中略)随てこの施設を欠く公共図書館は、既に業にその点丈で近代的図書館と云へないのである。

公開書架式の利害得失

甲、利点　目録では著者をよく知ったものでなければ選択困難であるが、開架式は、閲覧者が図書そのものに就いて見ることが出来るので、各自は自分の希望の図書を選び出すことが出来る。

乙、欠点　図書の紛失の多いこと

これは開架式に対する危惧の最も大なるものであるが、(中略)尚ほよし多少の物的損害があったとしても、これに幾倍の精神的所得があることを思へば忍ぶべきである。[22]

ここには今澤の近代性への志向とともに、図書館を人々にとって利用しやすく、かつ親しみやすいものとすることをめざした「利用者本位」の図書館理念があらわれている。次項では、今澤の図書館を「生涯的普通的教育」機関、「利用者本位」のものとする理念が、東京市立図書館においてどのように実践されたのかを検討していこう。

(三)　東京市立図書館における社会教育実践

「生涯的普通的教育」をめざした実践

前述したように、今澤が図書館を「生涯的普通的教育」機関とするために重視したのは児童に対する働きかけである。子どもに対する関心は明治後期から高まり、大正中期になると児童中心主義の広まりにともなって児童向けの読物が次々に出版された。もっともこれらの読物はけっして安価なものではなく、誰もが手にできるものではなかった。

また児童向けの読物の増加にともない、読物を管理・統制する必要性が主張されるようになる。[23] このような背景のもと、今澤は児童図書の購入および目録の作成を積極的に行ない、貸し出しの手順を図解にしてわかりやすく説明した。また学校教育との連携にも積極的であった。たとえば一九二三（大正一二）年には成城小学校の要請に応じて、学級文庫編成のために児童書二〇〇冊をセットにして貸し出している。[24] また、児童を図書館に呼び込むための「オ話ノ会」は日比谷図書館では毎週土・日曜日に、深川図書館では毎日三〇分行なうなど、重視された事業の一つである。話者に少年文学作家として名高い巌谷小波を招いたこともある。その他にもお伽話会や、科学講演会など児童を対象とした多彩な催しがあった。一九二三年からは児童の書評を館報に掲載するなど、図書館に来る児童の参加意識の昂揚を意図したと考えられる試みも始まっている。

東京市立図書館では、児童に限らずより多くの人が図書館に足を運ぶように積極的な広報活動が展開された。無料の館報を月一回発行するほか、図書館のポスターを作製して市電の中に掲示したり、一九二三年には丸善や三越、松屋などとタイアップして読書週間の宣伝を行なったりしており、東京という都市の性質を踏まえた大胆な広報活動が行なわれている。

さらに、市内二〇カ所の図書館ではほぼ月一回の割合でさまざまな講演会が開催され、幅広い層の人々を図書館に集めることに成功した。講演会の内容は図書館の立地条件や利用者層を考慮して、工業地帯にある深川図書館では工業に関する講演会、学生や官吏の多い外神田の図書館では学術講演会を開催するなどの工夫をしている。実現はしなかったものの、今澤は図書の閲覧記録から夏目漱石の人気が高いことをみて、講演を依頼する書簡を送っている。[25]

このように、東京市立図書館では図書館を幅広い層が利用できるよう、図書の閲覧や貸し出し以外にも児童奉仕や講演会などの多様な活動が展開された。これらの活動は、当時の人々の嗜好や時代風潮を踏まえた上で、図書館を幅広い層の人々が利用できる「生涯的普通的教育」機関とすることをめざした実践であったといえよう。

「利用者本位」の図書館をめざした実践

東京市立図書館では、閲覧料の値下げや無料化、開館時間の延長、貸し出し方法の簡便化とそのＰＲ、「同盟貸付」と呼ばれる図書館間の相互貸借サービスの実施、レファレンスサービスの充実、読書調査の実施など、人々が利用しやすくそのニーズに最大限応じようとする「利用者本位」の図書館理念に基づく実践があった。その中でも閲覧料の値下げや無料化は当時の図書館としては画期的なものであった。サービスの導入と閲覧人員の増加との因果関係は必ずしも明確ではないが、サービスの導入は閲覧人員の増加になんらかの影響を与えたと考えられる【資料編、表3】。これによると、深川図書館や日比谷図書館の児童室、新聞雑誌室の閲覧料の無料化などのサービスの導入にともなって閲覧者が増加している。特に、日比谷図書館の新聞雑誌室と深川図書館の利用者数は、それぞれ東京市立図書館全体の閲覧人員の二〇パーセント、一〇パーセントを占めるようになった(26)。

また利用者の読書傾向を把握し、そのニーズを探るために読書調査が頻繁に実施された。この結果は利用者の職業や性別などの視点から分析され、『死線を超えて、太陽を射るもの——賀川氏』『愛すればこそ——谷崎氏』『出家とその弟子——倉田氏』等は多数に於いて一頭抽んでゝ居た様で御座居ます(27)」などの評価を織り交ぜながら、閲覧回数の多い順に館報に掲載された。したがってこの読書調査は利用者にとっては読書案内の役割を果たすものであったといえる。

東京市立図書館が「利用者本位」の図書館づくりをめざして運営されていたことを最もよく象徴しているのが、関東大震災後の活動である。震災によって東京市立図書館は全二〇館中一二館を焼失し、これ以外の図書館も大部分は倒壊や蔵書の焼失などの被害に見舞われた。しかし、今澤は被害を免れた日比谷図書館を中心に、人々に「慰安」を与え、地震に関する情報提供を行なうべく九月二〇日から児童室を皮切りに臨時開館を始めている(28)。また人々が多く集まる明治神宮や靖国神社など市内一二カ所に臨時図書閲覧所が設置された。ここには娯楽的な図書の他、震災で職を失った人々の生活再建のために、登記や起業関係の書籍、統計などが置かれた。臨時図書閲覧所は開館時間を市電の時間に合わせて延長したこともあり、多くの利用者を集めている。

　もちろん、このような「利用者本位」の図書館をめざした実践は今澤一人のみで進められていたわけではない。たとえば今澤の部下であった竹内善作は、娯楽的な書籍を図書館の蔵書とすることへの批判に対する反論を展開している。竹内は「元来、公衆のすべては必ずしも知識を求め図書に渇しているのではない」と図書館の利用者の実情を踏まえた上で、「公共図書館は一面市民自らの納税義務によって維持せらるゝ公有機関たるに於て、市民の日常生活に便宜を与ふるのは、当然過ぎる程当然ではあるまいか。図書館が娯楽的読物を望むもの、若くは全く読書を好まない公衆を牽引する手段として、（中略）公衆の娯楽機関となることに力《つと》めるのは、決して間違ったことではあるまい」と主張する[29]。この論には、公共図書館が市民、公衆のための機関であること、市民の日常生活に便宜を与える存在であるべきことが明確に示されている。このことは、図書館を「利用者本位」のものとする運営方針が今澤以外の図書館員にも共有されていたことを端的に示している。

　さらに、東京市立図書館が利用者のニーズに最大限応えようとしていたことは、その蔵書構成にも反映されている。東京市立図書館では、竹内の指摘した娯楽的読物だけではなく、大逆事件以後問題視されていた社会問題や社会主義関係の図書も閲覧に供されていた。前述の「図書館を社会教化の中心たらしむるに適切なる方法如何」に対する答申意見には、閲覧図書を規制するものがあることとは対照的である。

　このような積極的な活動の結果、東京市立図書館は年々蔵書冊数、閲覧人数、図書館経費を増加させていった【資料編、表4】。このことは、東京市立図書館がその内容を充実させ、人々に対する働きかけを積極的なものにしていくにつれて、より多くの人々に受け容れられ、利用されるようになったことを示している。また、関東大震災後の図書館の復興には全復興費の四・三パーセントに相当する一〇〇万円が充てられたが、ここにも東京市立図書館の発展と、当時の人々の図書館に対する期待を見ることができる。既述したように、当時は図書館を思想善導機関と位置づける論が優勢になりつつあった。その時期に東京市立図書館においては従来指摘されてきた「思想善導」という枠組みではとらえきれない、図書館を「生涯的普通的教育」機関、「利用者本位」のものとするという信念に基づく精力的な活動が展開されていたことは注目される【資料編、表5】。

もちろん、この実践が今澤による積極的な活動、今澤の活動を支援する図書館員や制度の充実という条件の下に成り立つ特殊な事例であったことも否めない。なぜなら一九三一年の機構改革によって東京市立図書館の運営は東京市社会教育課に移管され、今澤が辞職すると図書館は思想善導的な機関へとその性質を大きく変化させていくからである。また今澤の読書趣味の涵養を最大の使命とする啓蒙的な図書館理念そのものに、思想善導に通ずるものが含まれていた可能性も否定できない。今澤は「学校図書館の最も大切な機能の一は、児童に対して良書を提供することである[30]」など図書館において良書を提供することの重要性をしばしば主張しているが、その「良書」の基準を定めるのはあくまで図書館員なのであった。

このような傾向は今澤の実践にも見いだすことができる。東京市立図書館において、今澤が児童を対象とした「オ話ノ会」の開催を重視していたことはすでに述べた。日比谷図書館や深川図書館で定期的に開催されていた会以外にも、当時人気を博していた口演童話作家を招いた大掛かりな児童講演会は一九二一(大正一〇)年から一九二六(大正一五=昭和元)年までの間に一六回行なわれており、今澤の実践が児童奉仕の先駆的なものであることの証左として高く評価されてきた[31]。しかしながらこの「オ話ノ会」についても今澤は、「どう云ふ本を読まなければならぬかと云ふことを教へ、其習慣を幼少の頃から附ける」ことを目的とするものであり、「若し此点を閑却して図書館を経営して子供に本を読ませ、お伽話をする」のであれば「蹉跌が出来はせぬか」と述べている[32]。また労働者や徒弟を対象とした「藪入りデー」の実施は、これらの人々が仕事の後に活動写真や盛り場ではなく図書館に来て「修養」に努めることを奨励し、読書の習慣を身につけさせるという意図に基づくものであった。このような今澤の「良書の普及」や「読書趣味および習慣の養成」を目的とした啓蒙的活動は、図書館を人々の教化機関として活用しようとしていた当時の文部省の社会教育構想と合致するものであったともいえる。

確かに、今澤には図書館を「生涯的普通的教育」機関、「利用者本位」のものとするために人々の嗜好やニーズに最大限応じようとする姿勢があるが、最終的な「選択」権、何を「良書」とするかという基準を決定するのはあくまで図書館側にあった。何を読めばよいのかわからない人々のために、「良書」を選択して提供していくことは、利用者を無前提に「啓蒙されるべき」存在とする限り、ともすれば一定の価値観を人々に押し付ける危険性を孕むものである。このことが、人々の嗜好を踏まえながらより深い位相での「思想善導」をめざす「デモクラシー的」な大正期の社会教育構想へと接続する可能性も否定できない。

以下ではこのような今澤の図書館論の特徴を念頭に置きつつ、今澤の「生涯的教育」論を詳細に検討していくことにしよう。

二　今澤慈海の図書館論——「生涯的教育」機関としての図書館

(一)　今澤慈海の経歴とその時代

今澤慈海(一八八二—一九六八年)の名は「日本の図書館界における偉大な先覚者[33]」、「児童図書館の父[34]」として図書館史の中でよく知られている。今澤の図書館論は「大正期の自由主義的な思想を背景[35]」として「自らの実行や経験を通し、日本の実情を考えに入れつつ児童図書館や児童図書についての考えを築き上げ」たものであり、「児童図書館員の専門性や教育についての面が捕え切れていない」ながらも「全体として(中略)現代にあっても基本的には立派に通用する普遍性をもっている」として図書館史上で高く評価されてきた[36]。

今澤は幼少の頃保国寺住職の養子となり、読書と漢詩に親しむ生活を送った。高等学校を卒業する頃には自身の蔵書だけで一千冊を超えていたという。[37] 今澤は第五高等学校を経て一九〇七（明治四〇）年、東京帝国大学文科大学哲学倫理学科を首席で卒業後、一九〇八（明治四一）年に東京市に就職する。一九一三（大正二）年より主事補として東京市立日比谷図書館に勤務し、一九一五（大正四）年には全東京市立図書館を統括する館頭となり、一九三一（昭和六）年に東京市を辞職するまでの一八年間、東京市立図書館の発展に貢献した。このほか日本図書館協会会長、理事長を歴任し、文部省図書館員教習所（後に講習所）の開所当時から一九四〇（昭和一五）年まで講師の職にあった。一九三四（昭和九）年より成田山の荒木照定大僧正の招きに応じて成田に居を移し、成田中学校校長、成田山教育・文化・福祉財団理事長、成田図書館館長などを歴任する。成田ではライフワークであった『表解詳説梵文典』の執筆のほか、成田山史編纂や千葉県史編纂などにも携わっている。今澤は一生涯を図書館および学究に捧げた人物といえよう。

今澤が日比谷図書館と関わる契機は、「郷土の先輩で市長秘書をしていた松木幹一郎の世話で同郷の友人十河信二・新名直和等と共に後藤新平等の一流人物に接近し[38]」、ゴードン夫人（E. A. Gordon　イギリスの宗教学者、日英同盟を機に両国間の相互理解を促進する目的で英書一〇万冊を斡旋・寄贈する＝筆者注）寄贈の蔵書約一〇万冊を「日英文庫」とするための分類整理を高楠順次郎ともに委嘱された折、尾崎行雄や渡辺又次郎らにその才能を見いだされたことにあるという。したがって今澤には図書館学を体系的に学んだ経験はなく、独学で図書館論および管理・運営方法を習得したことになる。今澤は内外の図書館関連の文献からの情報や日比谷図書館での経験をもとに、『図書館雑誌』や一九二一年より今澤の手で一般向けに発行された東京市立図書館の館報『市立図書館と其事業』などに次々と図書館論を展開していった。そしてこれら一連の論稿が図書館論として体系化されたのが『図書館経営の理論及実際』（一九二六年、叢文閣、以下『理論及実際』）である。

今澤が東京市立図書館館頭として活躍したのは、大正デモクラシーを背景に、社会教育構想や社会教育政策に対する関心が高まり、教育への関心が学校教育のみに限定されなくなった時期である。第一次大戦後は、欧米列強諸国における戦後の“reconstruction”が注目され、日本の戦後復興の方向性が模索された。雑誌『改造』が一九一九（大正八）

年に創刊され、「改造」が流行語となったのもこの頃のことである。さらに「改造」は当時の教育にも喫緊の課題であると考えられていた。たとえば春山作樹(当時東京帝国大学文学部教授)は第一次大戦を「国民全体の戦争」と位置づけ、「国民全体が自己の責任を自覚するのでなければ勝利は得られないと云ふ事を最も痛切に感ぜしめた」事件であるとしている。さらに大正期におけるデモクラシーは「従来少数者の責任であったものが、一般民衆に分担せられると云ふ事を意味する」ものであり、春山はここに戦後の「改造問題が起こ」り、特に「教育改造」、「教育上の機会均等」が「戦争と云ふ大事件によつてもつとも明白に適切に其必要が示された」という。春山は「教育改造」において「人間の修養は一生の事業」であるととらえ、義務教育、学校教育のみでは人間の教育は不十分であることを指摘した上で、「与へられたる自由」を適当に行使し、「国民全体が自己の責任を自覚」するために「義務教育修了者になほ向上の機会を与へる」民衆教化事業が必要であると主張している。[39] 同様に初代社会教育課長となった乗杉嘉寿も五大列強の地位を維持するには社会全体の改善が必要であり、「刻々に増加して行く発明発見に伴ふ新智識の多い所謂文化生活の真唯中に立って、人に後れず時流に伴ふて行かふとするには、生涯を修養に費やさねばなら」ず、「学校教育と云ふものも夫丈では不可ぬのである」という。[40]

このように第一次大戦後の「教育改造」の枠組みにおいては国民全体の教育を再編するために一生涯を教育に費やす必要があり、それには学校教育、特に義務教育のみでは不十分であるという認識が存在していた。この一生涯にわたる教育を「機会均等」という名の下に保障するものとして学校教育以外の教育、すなわち社会教育や成人教育に対する関心が高まりを見せたといえよう。さらに、欧米列強諸国に追随して国家の繁栄を導くためには「社会を自分自ら造り上げると云ふやうな」「自主的自立的」な人間の育成が不可欠であり、[41] これを推進するものとして「自学自習(修)」が奨励される。大正期の新教育運動はこのような文脈で社会教育の中にも読み替えられていくこととなり、さらに趣味や娯楽などが教育の対象として捉えられるようになったのもこの時期のことである。第一次大戦後の「デモクラシー」に支えられた「教育改造」、「機会均等」の主張は、教育を一生涯にわたるスパンで捉える視点を提供するものであり、人間生活のあらゆる場面での教育と自発的な学習が奨励されることとなった。このような状況下で図書館は自発的な学習活動の機会を提供する教育機関[42]、さらに「民衆的改造運動の混乱時代に於て（中略）民衆指導の任[43]」にあたる社会教化機関として注目されるようになる。

それでは、このような時代にあって今澤がどのように「生涯的教育」論を形成し、その中で図書館をいかなる教育機関として位置づけていたのかを検討していくことにしよう[44]。

（二）今澤慈海の「生涯的教育」論

「生涯的教育」論の形成

今澤の最初の図書館論は『図書館小識』（一九一五年）に見いだされる。今澤は図書館を「収容年限無く、其老幼男女を別つこと無く、且個人の力を以ては到底蒐集し能はざる内外古今の図書を備付くるを以て、彼等一たび学校を去り教師に遠りたる後と雖も、（中略）不知不識の間に精神を修養し、知見を拡充し、品性を高め、好尚を上せ、よりて自らよく教育[45]」し、「其（学校教育＝引用者注）足らざる所を補ひ、其及ばざる所を達せしめて、以て一国々民の教育を完成する[46]」役割を担う教育機関と位置づけている。その上で図書館の目的は「一国民の小学校に於て始められる教育を、終身継続し得る機会を成年者に与へ、以て教育の効果を発揮せしめんとする[47]」ことにあると総括した。この論で注目されるのは、図書館が学校教育と同じく一個の教育機関であるとしていること、図書館を利用することで教育を「終身継続」する機会を「成年者」に与えようとする姿勢である。ここに、図書館が学校教育と連携することによって教育が完成するという、後の今澤の「生涯的教育」論の原型を見いだすことができる。

今澤が初めて「生涯的教育」という語を用いて図書館の役割を論じたのは「公共図書館の使命と其達成」（一九二〇年）においてである。ここで今澤は「人格活動は生涯的である」から「広義の教育修養も亦生涯的」でなければならないこと、また人格は「万人万具」であるからその教育は「部分的、差別的、階級的」ではなく「全般的、普遍的、平等的」、「経済的」な形式によって、「出来得る限り自発的能動的」になされなくてはならない[48]とする「生涯的教育」の枠組みを明確に示した。教育を「生涯的」なものと捉えると、学校教育は「一生に対する教育の発程準備」にすぎない。そこで今澤は学校教育終了後の人生の「生涯的教育」の有効な手段として「読書」を提示する。もちろん読書は「人生進展の手段の全部」ではないものの、「最重要捷径」である。こうして「生涯的教育上吾人の望む所は読書力の養成と相待ちて読書の趣味習慣」であり、「人生の教育が生涯的なる以上、此読書も亦生涯的なるべきなり」という結論が導き出されることとなった[49]。このような過程を経て、今澤は公共図書館を「最大多数の為に、其生涯を通じて、最も経済的に内外古今の良書を供給し、彼等をして各自の趣味能力に相応し、自由に閲読利用せしめ、彼等自身をして自発的に教育修養せしめ得る所なり」と定義し、公共図書館は「生涯的教育」機関として良書閲読奨励に奉仕する任務を担うこととなったのである[50]。「生涯的教育」は公共図書館の社会民衆に対する「文化的貢献効果」と位置づけられ、この効果は「各人の自学自修によるが故に一層顕著」になるとして、個人の個性や趣味能力に応じた自発的な学習が重視された[51]。

さらに今澤は「生涯的教育」を達成するという観点から、児童に対する働きかけに注目する。なぜなら、「生涯的教育」に不可欠な読書趣味や習慣は「一日にして養はれず、必ず幼少の時より準備せられざるべからざる」[52]からである。さらに、幼少期からの働きかけの重要性は、「成人教育」の視点からも論じられるようになる。今澤は図書館論を展開した当初から、成人に教育機会を与えることに言及していたが、「生涯的教育」の明確化にともない、「図書館教育の大部分は成人教育にあるのである」[53]として、成人教育はその主な対象と位置づけられる。しかしながら、今澤は「物の成るはその日に成るのでない」、成人教育の「真の効果」を得るためには、「青年時代、尚遡って幼少年時代からの準備が必要である」として、成人教育の基礎を形成する観点から幼少期の働きかけの必要性を主張するのである[54]。

このように今澤は徐々に図書館を「生涯的教育」機関とする位置づけを明確化していった。その過程で、「生涯的教育」は自発的に行なわれることが望ましく、図書館はこれに適合する教育機関であること、さらに「生涯的教育」に不可欠な読書趣味習慣を養成するためには幼少期からの働きかけが重要であることを明らかにしている。このことは、「生涯的教育」が幼少期からの連続的な働きかけに立脚するものとして模索されていたことを示すものである。今澤の図書館論は教育を「生涯的」スパンで捉えることを出発点として、図書館の果たすべき役割を模索していることにおいて特徴的である。

それでは、今澤が幼少期に端を発する働きかけをどのように生涯にわたって行なおうとしていたのかを見ていくことにしよう。

学校と図書館の連絡

すでに指摘したように、今澤は図書館を学校教育の不足を補い、さらにその「及ばざる所を達せしめ」る教育機関であると捉えていた。それでは今澤は学校教育と図書館における教育の違いをどのように考えていたのだろうか。今澤が指摘した学校教育と「図書館教育」の差異は以下の七項目である。(55)

①学校教育は学習時期に制限があるのに対して、図書館教育は制限がない
②学校教育は一定の団体を対象とするのに対して、図書館教育は一般公衆を対象とし「千客万来」である
③学校教育は差別的階級的であるが、図書館教育は平等的非階級的である
④学校教育は多くの学資を要するのに対して、図書館教育は多くの学資を必要としない
⑤学校教育は画一的、被動的注入的であるのに対して、図書館教育は非画一的、能動的で自発的である
⑥学校教育は全体として「知新に過ぎ」「温故」を欠く傾向があるが、図書館教育は両方を兼ねることができる
⑦学校教育は無趣味に陥り個性の働きを防ぎ、読書趣味の涵養を欠くが、図書館は趣味の涵養に適し、個性の働

きを助長する

しかしながら、今澤は学校と図書館とを対立するものとばかり捉えていたわけではない。今澤によれば、「学校と図書館とは緊密な関係[56]があり、学校は「将来自ら世に処するに必要なる器具[57]」、すなわち生きてゆくために最低限必要な基礎を「特殊な感受性の旺盛な短い時期に、人格的強制的訓練と説明との手段」によって「感化力を集注」して授ける[58]。その一方、図書館は学校教育で培われた基礎を生涯にわたって応用する「資料[59]」を与え、「束縛と強制」から自由な性質を生かして「学校時代の者には図書館は学校教育と提携して教育を全う」し、「学校の課業と提携して児童の読書を勧誘する」という[60]。ゆえに、図書館とはたんなる「学校教育の継続機関、補助機関[61]」ではなく、「主として学校教育の終止するところに」その特質を発揮して、学校教育の効果を維持しつつ、「学校に在ると在らざるとに論なく、一般民衆を対象とせる生涯的社会教育機関」として機能する[62]、一個の独立した教育機関なのであった。

実際に今澤は、市立図書館において、しばしば人々の関心となっているテーマに関連する資料や図書の展示を行なう展覧会を開催している。関東大震災の折には「江戸東京以来東京震災資料展覧会」を開催し、七二〇〇人あまりの来場者を集めた[63]。また、「閲覧者ノ研究上ノ便宜ヲ図リ」、「事項ノ研究調査ニ付キ必要ナル参考図書ノ問合セニ応答スル」べく「図書問合用箋」を用意し、現在のレファレンスサービスを行なっている[64]。この活動は「知識を求むる者及び研究調査を為さんとする者に助力を与へ」、「多少なりとも一般大衆を指導せん」とする今澤の理念[65]に基づいている。これらの活動は、年齢や階層を問わず多くの人々が図書館を利用し、個々人の読書や学習活動を行なうことを奨励するものであり、ここに今澤の「生涯的教育」論の実践の一端を見ることができる。

今澤の構想した図書館における「生涯的教育」は、個人の学習に収束していくものとばかり捉えられていたわけではない。今澤は図書館における教育の役割を、個人と社会の関係の中に位置づけようとしていた。今澤は「成人教育と図書館」において、アメリカでは成人教育が重視される理由を、「かれ等〔労働者＝引用者注〕を自己の社会に都合のよいやうに馴らして了《しま》」い、「労働者一同廻れ右をやらせて、逃げていく心配のない、過去の理想を与へようと」することに求める論があることを紹介しつつ、「吾人は政略的成人教育には不賛成である」としている。(66) 今澤は個人の進歩によって社会の進歩がもたらされるとした上で、図書館の担う役割を「社会の集合的記憶」に求め、これが社会の「集合的知識と道徳との発達」に資する可能性を指摘する。(67) なぜなら、図書館は「社会の集合的記憶」であるがゆえに、「社会の人々が接触の自由な場所に保存されてある名誉ある記録に振返る時、かれ等は卑劣な行動を黙認したり、或は公然の賂収を黙許」しない人間を育成する役割を担うと考えられていたからである。(68)

今澤が図書館をあらゆる年齢や階層の人々のための教育機関と捉えていたこと、「政略的成人教育」に対して批判的な見解を示していたことにも見られるように、今澤の「生涯的教育」論には、自己完結・自己充足的な学習にとどまらず、社会に働きかける主体形成を促す可能性を見いだすこともできるのである。

今澤は学校と図書館の性質の違いを活かしつつ、両者を「連絡」させることによって「生涯的教育」を達成しようとしていた。ここでいう「連絡」とは、学校教育を受けている者には「図書館は学校の課業と提携して児童の読書を勧誘(69)」し、学校教育を終えた者には「公共図書館の援助を得て終生の教育を継続する(70)」ことによって生涯にわたる教育を行なおうとするものであった。今澤にとって、学校教育と図書館における教育は「生涯的教育」における「車の両輪」であり、それぞれが固有の役割を果たしつつ「連絡」することによってはじめて生涯的教育が可能となるのである。ここで注目されるのは、児童に対する働きかけが常に「生涯的教育」を見据え、生涯にわたる教育を行なう基礎を形成することを目的として論じられていたことである。それでは、今澤はどのようにしてこれを達成しようとしていたのだろうか。この点について児童図書館に関する論稿を中心として検討していくことにしよう。

(三) 児童図書館論――「生涯的教育」との関連で

児童図書館論の特徴

今澤は図書館論を展開した当初から、児童図書館の活動は常に児童の読書趣味の涵養を目的として行なわなければならないと主張していた(71)。たとえば『図書館小識』(一九一五年)に示された「児童図書館の目的」の第三番目には「幼児より読書の習慣を与へて其趣味の涵養を計り、他日成人たるの後図書館を利用して益自己の修養に資し、以つて一般国民の知徳水準を向上せしめんとするの素を成すこと(72)」が挙げられている。しかしながら、この時点では幼少期からの読書趣味の涵養がなぜ必要なのか、またなぜ成人した後に図書館を利用しなければならないのかは明らかにされていない。

ところが今澤は図書館を「生涯的教育」機関と位置づける過程を経て、児童図書館を公共図書館に不可欠な要素として捉えるようになる。その論拠としては、公共図書館の蔵書は「教育的要具」であるので老若男女の別なく一般公衆の為に利用させるべきこと、学校教育は「生涯的教育」に最も必要な読書趣味の養成には手が回らないので、これに関しては児童の時から図書館が行なわなければならないこと、の二点が挙げられている(73)。

ここでいう「読書趣味」とは「どう云う本をよむべきか」を自分で判断する「鑑賞力」である。学校教育は「読み書きの稽古」である「読書力」の養成にその力を発揮するが、「読書趣味」の養成に貢献するのは図書館である(74)。「読書趣味」を涵養して自分に必要な本を見定める「鑑賞力」を身につけることは、「自分自身によりて生み出されたる内部的動機によりて自分自らを教育(75)」し、「生涯的教育」を実現するために不可欠であった。このことから「読書趣味」の涵養は「生涯的教育」の原動力と想定されていたといってよい。今澤は生涯的教育の原動力となる読書趣味の涵養には幼少期からの働きかけが不可欠であるという観点から、児童図書館論を展開するのである。

今澤は図書館を「生涯的教育」機関と位置づけ、読書趣味が「生涯的教育」の原動力であるとする過程を経て、児童図書館の目的は「生涯的教育」の基礎の形成にあることを明確化していく。『理論及実際』（一九二六年）に示された「児童図書館の目的」を先に挙げた『図書館小識』のそれと比較してみると、かつては第三番目に位置していた「幼児より読書の習慣を与へて其趣味の涵養を計り……」が第一番目に据えられ、さらにその文言も「他日成人の後図書館を利用して（中略）以て生涯的教育を達成し、一般国民の智徳の水準を向上せしむるの素となすこと」[76]（傍点引用者）となっている。ここにおいて、児童の読書趣味の涵養と成人後に図書館を利用することとが「生涯的教育」の達成という目的の下に結びつけられるようになったといえよう。今澤は図書館を「生涯的教育」機関と位置づける過程を経て、幼少期からの読書趣味の涵養が「生涯的教育」の基礎となること、さらに「生涯的教育」の基礎を形成するには児童図書館が不可欠であることを明確化するのである。

それでは、児童に対する働きかけは、どのように「生涯的教育」へと結びついていくのだろうか。今澤は公共図書館の任務は主として学校教育の終了後に始まると考えていたことから、今澤の関心は、学校教育を終えた人々に対していかにして生涯にわたる教育の場を提供するかに向けられるはずである。[77]これは、二〇年代の「生涯的教育」論の形成を経て、学校教育を終えた人々、特に児童と成人の中間に位置する「青年」層を対象とした論の展開という形をとって現われてくることとなる。

青年層への働きかけと図書館における実践

今澤は「十四の春秋を迎へた児童に対し、良き図書を読み且つ楽しむ機会を与へないことは、彼等の基礎的特権を奪ふものであ[78]」るとして、「児童と成年者との中間にある若い人々に与へる図書」である「中間読物」を用意する必要性を訴える。[79]「中間読物」とは「児童と成年者との中間にある若い人々に与へる図書」のことであり、「児童が或年齢、学年に達すれば、その人々の知的欲望を満足させる」ために「児童室以外に与へる材料」である。[80]今澤によれば「よく陶冶された人格からほとばしり出た各種の著述を中心」とした「百般の科学、実務の学」の読物が「青年期」の「之しき体験と直観とを補ひ、之を豊富にする」という。[81]今澤は「中間読物」の提供という形で児童と成人の中間にある「青年」層への働きかけを行なうことによって、「生涯に亙る教育」の連絡をより密なものとしようとしていたと考えられる。

さらに、「中間読物」に関する論において注目されるのは、家庭（親）の果たす役割を重視する姿勢である。今澤は『理論及実際』（一九二六年）において、従来の「学校と図書館の連絡」に「学校と図書館と家庭の連絡」という新たな項目を付け加えた。ここでは、「学校教師と父兄と図書館員」とが「将に学校を去らんとする児童に対して如何なる図書を推薦すべきか、如何にして之が閲読を奨励すべきか」という問題について「一致協力」することが主張されており、[82]青年層への働きかけに親が関わることが奨励されている。

このように、今澤の児童図書館論はたんなる児童に対する働きかけではなく、常に「生涯的教育」の一環をなすものとして捉えられ、「生涯的教育」の主な対象とされていた成人教育との関連を考慮しながら展開されている。今澤は「生涯的教育」という枠組みの中に児童図書館論と成人教育論とを包摂し、「学校と図書館」の連絡を利用して両者を相互に関連づけ、さらに青年期に対する働きかけをも加えることにより、幼少期から成人期に至るまで連続的かつ緊密な働きかけを行なおうとしていたのである。それでは、このような「生涯的教育」論は市立図書館の実践にどのように生かされようとしていたのだろうか。

第一に挙げられるのは、「読書趣味の涵養」をめざした、児童講演会（オ話ノ会）、著者講演会の開催である。今澤は児童講演会の目的は「読物との連絡を保ち読書欲を惹き起す」[83]こと、「児童等に読書の習慣を開拓する」[84]であると考えていた。東京市立図書館では今澤の館頭就任以前から時折児童講演会が開催されていたが、今澤の就任後は頻繁に行なわれるようになる。当時著名な口演童話家を招いた会は一九二一年から三〇年までの間に二四回開催され、日比谷図書館では毎週土日、深川図書館ではほぼ毎日「オ話ノ会」が開催されていた。今澤は児童講演会の趣旨について「不知不識の間に良書を好み、之に親しましめ、お噺の手段によって児童を立派な読書家に仕立て人生の生涯的教養の基礎を作らしめやう」(85)とすると述べている。この種の講演会は児童を対象としたものだけではなく、成人向けのものも開催されていた。その代表的なものが著者講演会であり、これは「平素閲覧多き図書の著者を聘」し、「著者の思想を味」わい「読書趣味を養ふ」ことを目的に毎年開催されていた[86]。この講演会には芥川竜之介や島崎藤村などが招かれ、好評を博している。

第二に挙げられるのは、利用者の好みを考慮した選書である。当初から今澤は選書に関して図書館側の推薦と利用者の好みとを考慮した「折衷主義[87]」を打ち出していたが、図書館での実践を重ねる過程で利用者の好みを考慮する姿勢はより明確になり、「どんな気質の子供にも愛読される図書[88]」、「全体として児童が好愛[89]」する図書を選択の第一条件とするようになっている。この姿勢は児童に対してだけではなく、「公衆の希望と必要（希望なくとも奨励すべき図書）とに留意し[90]」とあるように、成人の選書についても一貫していた[91]。今澤は利用者の好みを把握するべく、毎年読書調査を実施し、その結果を児童、成人、性別、職業などの視点から細かく分析して館報に掲載している。これは図書館側においては図書目録を作成する際の資料となったが、利用者にとっては一種の読書案内の役割を果たしていたと考えられる。さらに成人用の図書目録は一九二一年以降、児童用図書目録は一九二二年以降、毎年発行されるが、いずれも利用者に人気の高い図書に図書館側の「推薦」を加味する形式で編纂されている。利用者の好みを考慮する姿勢は、目録の形式にも反映されていたといえる。

このように、今澤は常に「生涯的教育」の枠組みの中で読書趣味の涵養をめざした実践を模索していた。講演会の開催や、利用者の好みを考慮した選書は児童に対しても成人に対しても行なわれている。このことは、図書館における児童から成人に至るまでの連続的な働きかけが構想されていたことを示すものといえよう。さらに今澤は市立図書館における実践の中で「生涯的教育」論を形成するとともに、この論に基づく実践を展開しようとしていた。もちろんすべての論が実践されたわけではないが、これらの実践は児童に対する働きかけと成人に対する働きかけを相互に連関させつつ、「生涯的教育」の達成を模索するものである。このことから、今澤の図書館論は、「生涯的教育」を構想するだけではなく、この理念に基づく実践を導く理論であったということができる。

(四) 「生涯的教育」論の目的

それでは、「生涯的教育」の目的とはどのようなものなのだろうか。また、「生涯的教育」によって形成される人間像とはいかなるものなのだろうか。「生涯的教育」を達成するための方法、すなわち「読書趣味」の涵養めざした児童図書館論や、学校と図書館さらに家庭の「連絡」、児童や成人への働きかけに関する言及と比較すると、「生涯的教育」の目的や人間像に関する言及は非常に少ない。今澤が図書館における教育の目的について言及しているものを列挙してみると、「一国々民の教育の完成[92]」、国民の「知徳の啓発[93]」、「一般国民の智徳の水準を向上せしむる[94]」などがある。これらの文言から、今澤が「生涯的教育」論を展開する背景には国家の発展を担う国民形成という目的があったと考えられる。この点について、今澤の社会教育観ならびに図書館における教育の捉え方からも検討してみよう。

今澤は「各国の国民は国家が責任を負ふて何処までも教育しなければならぬ[95]」という議論に基づいて社会教育や図書館における教育の必要性を主張していた。ここでいう教育とは、「社会の成分たるに適する人格を有せしむるに至ること[96]」であり、教育は社会化として理解されている。また、今澤は図書館に「政治及経済的行動に対する穏健なる主義を普及[97]」し、「人々をして瑣末事より価値ある事に転せしめる手段[98]」としての役割を見いだしていた。これらの主張から読み取れるのは、今澤は図書館における教育を通じて「政治及経済的行動に対する穏健なる主義」を持ち、既存の「社会の成分たるに適する人格」を有した人間を育成しようとしていたこと、さらに教育における価値基準は教育者側によって決定されるものと捉えていたことである。このことから、今澤が図書館における教育を行なう原点には、国家による国民の教育という目的があり、これを前提条件として「生涯的教育」論が展開されたといえよう。

このような目的の設定は今澤の時代制約性ともいえる。しかし、今澤の「生涯的教育」論は社会、国家という枠組みの中で展開され、国家の想定した「価値ある事」を受け容れ、その価値の実現に向けて邁進する人間の育成を念頭に置いていたことに留意する必要がある。(99)今澤の図書館論の特徴として、個々人の自発性や趣味能力に応じた働きかけを主張したことが挙げられるが、これは「人間はこれを総体としてみると、多くの場合個人よりは進歩が遅れている」(100)という理由からであった。したがって、今澤が個人に対する教育を主張したのはあくまで社会、国家の進歩を促すためであり、たとえこのような働きかけによってなんらかの利益がもたらされたとしても「勿論個人の教育に資するものは、すべて社会団体の教育にも役立つのである」(101)とあるように、その利益は社会、国家の発展に収束していくものとして捉えられていたのである。

今澤は、「生涯的教育」の目的や人間像についてほとんど言及していないが、これは今澤の論がこれらのものを欠いていたことを意味するものではない。今澤にとって「生涯的教育」が社会や国家が示した目的の下で展開されるのは半ば自明のことであり、それゆえにあえて言及する必要はなかったのである。このような性質を持つ今澤の「生涯的教育」論は、容易に国家が示した方向性へと収束していくものであった。(102)それゆえ、「生涯的教育」においては自発性や個性の養成が重視されていたが、これらは図書館側もしくは教育者側によって予め定められた範囲内にとどめられる、あるいは方向づけられることになる。このことは今澤の選書論に端的に示されている。

今澤は図書館論の形成および実践を積み重ねる過程で、次第に利用者の好みを考慮した選書を打ち出していくが、児童の選書について「備付以前に於て十分に注意し、不健全なるものを排却するの方針を取るべし」(103)、「小供ノ読物ノ選択ハ先ヅ予メ大人ガ色々ナ方面カラ不適当ト認メタルモノヲ取除キ」(104)と述べ、成人の選書についても「常に其指導者を以て任じ、其盲従者随伴者ならざること」(105)としているように、「良書」の基準を判断し、選書を行なうのは図書館側であるという姿勢は一貫していた。つまり今澤にとっての選書とは、「どう云ふ本を読めと云ふこと」を予め教えておくことによって「それは読んではいけない」という指導をすることであり、(106)これによって「当初から各人の身心を健《すこや》かにし、抵抗力を強くし、病気にかゝらない工夫」をし、「一国人の心的要素を善導し、耐《マ》えざる《マ》思想的病菌に侵されないよう」にすることであった。[107] 今澤の選書論に即して考えると、「読書趣味の涵養」とは、教育者が示す「良書」の基準に従って被教育者が本を読めるようになることをめざすものであったといってよい。さらに、今澤は「腹の出来た人、頭の豊かな人には所謂どんな悪書でも、それから相当の栄養を摂ることが出来」るので「図書の選択などは或点までは不必要」であるが、「中人以下についてはよく心すべきことで、更に趣味の向上と読書の趣味、読書の力を一層に養はるゝが肝要だと思ひます」とあるように、次第に階級差別的な選書、読書の奨励を主張するようになる。[108]

これらの論から、今澤は教育を通じて伝達される価値は教育者側によって一方的に決定され、さらにそれは絶対的なものであると捉えていたことがわかる。その結果、「生涯的教育」論においては国家によって提示された目的の下で、いかに図書館を機能させていくかが重要な問題となる。今澤が図書館を定義する際に、「其生涯を通じて（中略）各自の趣味能力に相応し、自由に閲読利用せしめ、彼等自身をして自発的に教育修養せしめ得るところなり。是れ公共図書館の解義にして、同時に其目的なり」[109]（傍点引用者）としていたことは、「生涯的教育」論において、個々人の趣味や自発性、「個性」に基づく学習そのものが目的化する傾向があったことを意味しているといえよう。

今澤が形成した「生涯的教育」論は、個人の個性や趣味、自発性を尊重するものであった。その一方で、この論は国家や社会が示した目的を無批判に受け容れ、個々人の趣味や個性に基づく個別化した学習をすることそのものが目的となる側面を併せ持っている。それゆえ、「生涯的教育」の方向性は、国家や社会が定めた目的に規定され、容易にファシズムへと回収されていく危険性を孕んでいるともいえるのである。

今澤は、図書館を学校教育の補完、もしくは社会教化機関とする位置づけが大勢を占める大正期にあって、教育を「生涯的」スパンで捉え、図書館を自発的な学習を促し、「生涯的教育」の達成に不可欠な教育機関と位置づけている。さらに今澤は、学校教育と図書館のそれぞれの特質を活かしつつ両者を「連絡」させることによって幼少期からの連続的な働きかけを行ない、「生涯的教育」の達成を図るという図書館論を展開した。このような意味において、今澤の図書館論はきわめて先駆的で独自のものであったといえよう。また、今澤の図書館論は東京市立図書館において実践され、図書館の発展を導いたという点においても評価される。

しかしながら、今澤の図書館論は社会および国家の発展を前提として展開されたため、国家や社会が示す目的を無批判に受け容れて、「生涯的教育」を模索するものであった。このことは、今澤の図書館論における「生涯的教育」の目的や人間像についての言及の少なさにも反映されている。したがって「生涯的教育」論においてはいかに図書館を機能させていくかが重要な課題となり、「生涯的教育」の目的や実践の方向性が問われることはほとんどなかったといえよう。それゆえ、「生涯的教育」論では、被教育者の自発性を発揮する範囲が予め教育者側に規定され、被教育者は図書館における教育を通じて、教育者側の示した方向へと導かれる構造になっている。このことは、教育者側が学習や教育実践の方向性を一方的に、さらに恣意的に規定することを容認し、被教育者の関心を学習のみに向けさせる要因となる。今澤の「生涯的教育」論は、学校以外の図書館という場において個々人の趣味や自発性を重視した教育のあり方を構想する一方、図書館を「生涯的教育」機関としていかに機能させるかということに関心を集中させるあまり、実践の中で教育目的が問い直されることはなかった。

もっとも、このような今澤の図書館論に内包される問題は、東京市立図書館における実践が一定の成果を収めたことによって、顕在化することはなかった。しかしながら、今澤の図書館論の限界性は、一九二〇年代後半から三〇年代にかけて社会教育政策が次第に教化的な色彩を濃厚にしていくのにともない、今澤の論もそれに同調するという形で露呈することとなる。この意味において、今澤の図書館論は、被教育者の一定の自発性を容認しそれを育成しつつも、そのエネルギーを国家の繁栄へと収束させていこうとする同時代の社会教育論と通底するものであったといえよう。

三　社会教育機関としての図書館——中田邦造による「読書指導」論の展開

このように、今澤は教育を「生涯的」なものと定義した上で、それを実践する教育機関として図書館を位置づけた。今澤の図書館論は教育を「生涯的」スパンで捉えることを出発点として、図書館の果たすべき役割を模索していることが特徴的である。

もっとも、社会教育機関としての図書館に対する期待が高まるなか、図書館における教育のあり方を模索したのは一人今澤だけではなかった。今澤とほぼ同時期に石川県立図書館長として積極的な読書指導を展開した中田邦造もまた、図書館における「自己教育」論を構築し、その論の独自性は高く評価されている。[110] 中田の図書館論は、昭和期以降本格的に展開される「読書指導」の理論的主柱として援用されるという意味においても、戦前の読書行為の教育的位置づけを検討する上で重要な役割を果たしているといえよう。本節では、これまで検討してきた今澤の「生涯的教育」論と併せて中田の論を検討し、戦前期、特に昭和一〇年代以降展開された読書指導論を理解する予備的考察としたい。

中田が図書館における「自己教育」に最初に言及しているのが、「読書の内面的意義を省みて図書館関係者の任務をおもう」(一九二六年) である。中田は、「読まるべき図書の統一としての図書館には何よりも先に教育的理念を持たねばならぬ」[111] と述べ、図書館が一定の「教育的理念」の上に成り立つ機関であることを示している。この教育理念と図書館の理想像は、「人類の自己教養を促進し、可能的なる自由人の生活規範となり、人類発展の大道を明示する」[112] ことであった。中田がこのような論を展開する根底には、「今日の学校」は「多くの場合人格的働きの材料的準備をなし得るにとどまり、教育現象の本質たるべき人格的生命そのものの発動を直接の問題とはなし得ていない故に、教育的働きの最高位におかるべき自己教養の場としてはすこぶる不完全である」、そして「労働と教育とが一生活の内容として結合していない」とする学校教育批判がある。[113] 中田は、人間を「独立者としての自覚に達すべく養育」することを可能にするのが「自己教養」であると考えていた。中田は「自己教養の活動の場所としてはすこぶる不完全」な学校教育を補い、「生活の全期を通じての自己教養」を行なう機関として図書館を位置づけたのであった。のちに中田は、読書指導によって「自己教育力を得」させ、「何もかもを自分の眼で見ることができるようにならしめることを目指[114]」すことを図書館活動の目的としている。

中田が公共図書館における役割を自己教育との関連で明確に論じたのが『公共図書館の使命』(一九三四年)である。中田によれば、「教育の中核は自己教育」にあり、「教育が終生の問題なりとすれば、現実の問題として自己教育を離れて可能性はない」と断言する。そして、この「自己教育を各人に自覚せしめる手段」として「社会教育」があり、図書館は「未だ自ら教育する力なき人々を誘導して、読書による自己教育を可能ならしめんとする」独自の役割を担う教育機関であると定義している。[115] 中田の自己教育論において特徴的なのは、①図書館における教育の自律性を学校教育および社会教育批判との関連で主張すること、②図書館における教育の対象を明確に限定していること、である。

まず、中田の学校教育批判から見ていくことにしよう。中田の学校教育批判の矛先は、学校教育機関の拡大によって、「自ら学ぶ」という意味が薄れてきたという点に向けられていた。中田によれば学校教育は「教へることのために潑剌たる独学心を育て上げ得ぬこと。その二は、教科書的なものゝため豊富なる人生内容を含め得ぬこと」という二つの欠陥を有している。これに対し、図書館における教育は、「学識経験を問わず、幼童から老成人にまで」「終生持続する」「学ぶ心」を主体とする教育を可能とするという。[116] このことから、中田は、「学ぶ心」を主体とする図書館における教育によって、教育の根幹である自己教育を終生持続することが可能となると考えていたことがわかる。

もっとも、中田は学校教育批判をしながらも、手放しで社会教育を肯定したりその可能性を見いだしていたわけではない。それは、「最近社会教育の名の下に行われている事の殆どすべては、事実上行政の便宜の為の手段的教育に過ぎないのであって、小学校を受けたばかりで社会に投げ出された人々を独自の見識をもって生活し得るよう教育する道を講じようとしてはいないのである」[117]という社会教育批判に端的に現われている。また、「講演会とかいふものもそれが図書に関係をもち図書を通して公衆の教養に資するところに役立つ限りにおいて図書館の仕事として適はしく（中略）我々は図書館事業の如きを社会教育の一大領域として教育の本質の中に取入れ愚にもつかぬ社会教育を追放することにつとめると共に図書館事業においても図書館活動の本質にふれぬ附帯事業を洗ひ失つて真実の事業は図書館本質の中に取り入れたいと思ふ」[118]と述べており、ここに中田の図書館の自律性に対する厳格な認識を見いだすことができる。[119]さらに、「図書館は必らずしも、時代の中に出過ぎた任務を引受けるに適したものではないが、単にその時代を超越した一面の任務にのみたてこもることなく、又盲目的に時代のその場的要求に追随して、その日暮し的働きをなす事を事とせず、図書館独自の特色ある立場から大きく時代に働きかけることは極めて必要であると想ふ」[120]と述べ、いたずらに時代を超越したり、あるいは時代に追随することを厳しく戒め、独自の立場から時代に働きかけるべきであるという論を展開している。このように、中田は明確な学校教育批判および社会教育批判に根ざして「若き人々の読書力を養い、読書欲を覚まさせ、これに豊富に図書を供給する以上のことはない」[121]と、図書館独自の役割を強調するのである。

それでは、中田は図書館における教育の対象をどのように捉えていたのかを検討していこう。中田は教育の対象を五種に分け、そのうち「多少の読書力は有し読書への興味もあるが積極的に何を読まんとする心の定まらぬ人々」、「未だ図書と結縁せざるもの」を図書館における教育の対象としている。[122]さらに、中田は自己教育力のない人々の中でも若い人々、つまり青年層を主な教育対象と捉えていた。このことは「社会教育機関としての図書館の働」を「若き人々の読書力を養ひ読書欲を覚ませ之に豊富に図書を供給する以上のことはない」[123]とし、図書館における教育の場として設定した「読書学級」の対象者を「男女青年（約二十歳乃至三十歳）」としていることにも反映されている。[124]

中田の図書館論をもっとも特徴づけるのが、読書学級において相互教育関係に根ざした読書指導を行なうという具体的な教育方法を構想していたことであろう。中田は「先ず読書の習慣を起こし広深なる読書力を涵養する」[125]べく、

「我が国の集団性」を「読書生活の如き極めて個性的働きの必要なる場合にも有効に利用[126]」し、集団的な読書指導を展開する方向性を示している[127]。

このように中田は、学校教育・社会教育批判との関連で図書館における教育の自律性、独自性を主張し、さらにその教育の対象や方法を明確に示すことによって、図書館における自己教育論を構築した。図書館における教育は、「未だ自覚的に自己を教育する力なき状態に放擲せられてゐる公衆に対して、之を自得せしめ彼等をして自己教育を可能ならしめんとする」役割を担い、「一切の公衆をして生涯を通じてあるその精神的発育成長を可能ならしめんと」するものであったのである[128]。

もっとも、中田の図書館論も当時の社会教育政策に対して完全に対立的な立場をとっていたわけではない。中田の読書会に対する見解をみてみよう。中田は「一体広く読まぬものが偶々一思想に触れるとそれに支配されるのは当然のこと」であって、「彼等の無色は思想的に何等抵抗力なきものである」という危機感を有していた。その上で、「図書館の立場からすれば、特殊思想の宣伝などに厭倒されて、(中略)公衆が各種の思想傾向を対比して、そのいづれにも盲従し或は支配せられさるだけの見識を養ふやう、そのためにこそ大いに読書会の如きを普及し読書教育に努めねばならぬのである」と、思想問題の対抗手段になりうるものとして読書会を位置づけているのである[129]。

さらに一九二〇年代後半から高まりつつあった教化運動についても、「所謂教化の意味が何処にあるかによって図書館の如きもの丶参加は適当ではないかとも思われる。図書館は図書を通じての働きであるから何としても幾分知的になることは免れない。教化運動は主として情意に訴へやうとする運動とも見える」と一定の距離感を示しつつも、「広く知識を供給して無知に基づく利己的な欲念を消滅せしめ国民の自由闊達なる社会的精神を発揚させるといふことは不可能ではないであろう。かやうな意味で国民精神の作興を図ることは図書館としても大いに尽くし得ると思はれる」と、図書館がその独自性をもって教化運動に資する機関であるという見解を示している[130]。

前述したように、中田は図書館が「盲目的にその場的要求に追随」する働きをすることをよしとせず、そのような動向に対して独自の立場をもって臨むべきであるとしていた。このことは読書会による集団的読書指導に「各種の思想傾向」のいずれにも「盲従し或は支配せられざるだけの見識を養ふ」役割を期待していたことにも反映されている。しかしながら中田の論においては、いかなる思想傾向を「問題」として捉えるのか、あるいは「国民の闊達なる社会的精神」をどのような方向に「発揚」するのが妥当であるのか、という問題は問われない構造となっている。この点において、中田の図書館論もまた、今澤の図書館論と同様に、国家の示す目的に包摂されていく脆弱性を内包していたといえるのである。

小括

今澤の図書館論は、教育を個々人の自由で自発的な意志に基づく「生涯的教育」と捉え、これを実践するための教育機関として図書館を位置づけていた。したがって、今澤の図書館論においては、学校教育と図書館の連携、幼少期から成人後に至るまでの働きかけも、図書館におけるさまざまなサービスもすべて「生涯的教育」を達成するという目標に貫かれている。このような図書館論は、図書館や社会教育をたんなる学校教育の補完として位置づける論が大勢を占めていた当時において、きわめて先駆的で独自のものであったといえよう。また今澤の図書館論は、東京市立図書館の実践にも活かされ、図書館の発展を導いたという点においても評価される。

一方、今澤とほぼ同時期に図書館の発展に努めた中田邦造もまた、図書館を「自己教育」機関として機能させる論を展開していた。両者の最も大きな共通点として挙げられるのが、ともに一定の「教育」理念に基づき、公共図書館の教育機関としてのあり方を模索していたことであろう。今澤、中田はともに教育を生涯にわたるものと捉えた上で、図書館を「生涯的教育」あるいは「自己教育」を実践する教育機関と位置づけていた。そして図書館におけるさまざまな活動もすべて、その教育理念を実践する方法とされているのである。

もっとも、中田は「読書趣味習慣の涵養」を最大の目標としていた今澤の図書館論よりもさらに踏み込んで、教育機関としての図書館の自律性についてより厳しい認識を有していたといえる。このことは、附帯施設や当時の社会教育のあり方に対する批判的見解にも示されている。さらに、中田は生涯にわたる「自己教育」を推進すべく、「読書学級」という集団を単位とした「読書指導」を構想し、それを実践していたという点において、より実践的な図書館論を構築していたといえよう。

いずれにせよ、今澤、中田はともに学校教育における一定の限界性を指摘した上で、生涯にわたる教育を実現する役割を図書館に期待していた。これらのことから、図書館において独自の教育を模索する萌芽は今澤の「生涯的教育」論に胚胎し、中田の「自己教育」論においては、特定の教育対象を明確化してこれを実践すべく読書指導という方法論にまで一歩踏み込んだ展開がなされるに至ったといえる。

もっとも、今澤の「生涯的教育」論にせよ、中田の「自己教育」論にせよ、教育の目的がすべて「国民形成」に包摂されうるという構造上の問題があったことも事実である。[131] それは、両者の論がともに教育論の目的の明確化を留保したまま実践が展開されているという問題であり、このことは今澤、中田の教育論がいかなる目的にも従属しうるという限界性を内包していることを端的に示している。特に中田の提示した図書館における読書指導のあり方は、その実践性ゆえに昭和一〇年代以降本格的に展開される「読書指導」の理論的・実践的主柱として読み替えられていくことになる。次章ではこの「読書指導」がどのように構想され、展開されていったのかを検討していくことにしよう。

（1） 社会教育の時期区分については、小川利夫「現代社会教育思想の生成——日本社会教育思想史序説」（『講座現代社会教育Ⅰ 現代社会教育の理論』所収、一九七七年、亜紀書房）および松田武雄「社会教育史研究における先行研究と方法論の検討——社会教育成立期を中心に」（『九州大学大学院教育学研究紀要』第四四集、一九九八年、三五－六四頁）参照。

(2)『明治末期社会教育観の研究』『野間教育研究所紀要』第二〇輯、一九六一年(本書では、大空社、一九九二年版)。
(3)宮原誠一『図書館と社会教育』(春陽堂、一九五四年)や宮坂広作『近代日本社会教育史の研究』(法政大学出版局、一九六八年)にも図書館に関する言及があるが、いずれも断片的な記述にとどまっている。
(4)国立教育研究所編『日本近代教育百年史　社会教育㈠』第七巻、一九七四年。
(5)たとえば裏田武夫、小川剛「明治・大正期公共図書館研究序説」(『東京大学教育学部紀要』第八号、一九六五年)や宮坂広作、前掲書がある。
(6)たとえば松田武雄「制度化に至る地域通俗教育の多様性と変容——一八八〇年代から一九一〇年代の東京を事例として」(『日本社会教育学会紀要』第三八号、二〇〇二年、一一一―一二〇頁)などは社会教育政策と地域における社会教育実践とを検討したものである。
(7)山口源治郎「草創期社会教育行政と公共図書館論——川本宇之介の公共図書館論をめぐって」『公立図書館の思想と実践』森耕一追悼事業会、一九九三年、六九―八四頁。
(8)奥泉和久「『市立図書館と其事業』の成立と展開」『図書館界』第五二巻第三号、二〇〇〇年、一三四―一四七頁。
(9)是枝英子「大正デモクラシー時代の図書館」『専修人文論集』五四、一九九四年、一四五―一八〇頁。
(10)石井敦『日本近代公共図書館史の研究』一九七二年、日本図書館協会、二五五―二五七頁。
(11)是枝、前掲論文、一四五頁。
(12)赤星隆子「今沢慈海の児童図書館論——英米文献との関係を軸とした一考察」『図書館学会年報』第三六巻第四号、一九九〇年、一六七―一八三頁。
(13)細谷重義・関野真吉編「今沢慈海著作年表(稿)」『ひびや』第一三号、一九八〇年、七二頁。
(14)一九二一(大正一〇)年より発行。一九三八(昭和一三)年七七号で廃刊となる。
(15)南博・社会心理研究所『大正文化　一九〇五―一九二七』勁草書房、一九六五年、一一八―一二〇頁および一六二―一六五頁。
(16)佐藤政孝『市民社会と図書館の歩み』第一法規、一九七九年、三四頁。
(17)中央新聞、一九〇八年、七月四日。
(18)東京都立日比谷図書館『五十年紀要』一九五九年、二五頁。
(19)細谷重義「東京市立図書館の変遷——日比谷の創立から現代まで」『ひびや』四号、一九五八年、四頁。
(20)今澤慈海『児童図書館の設備及経営』今澤慈海原稿、執筆年不明、成田山仏教図書館、今澤文庫所蔵、三頁。

(21) 今澤慈海「公共図書館は公衆の大学なり」『其事業』第一号、一九二一年、二―三頁。
(22) 今澤慈海「公開書架式閲覧法に就いて」『其事業』第二五号、一九二四年、一―四頁。なお、太字は原文、傍線は引用者による。
(23) 小山静子『子どもたちの近代　学校教育と家庭教育』（吉川弘文館、二〇〇二年）、加藤治『駄菓子屋・読み物と子どもの近代』（青弓社、二〇〇〇年）。
(24) 成城小学校ではドルトン・プラン導入の準備として、創立当時から図書館教育を重視していたことが成城学園発行の『教育問題研究』からわかる。なお、成城小学校の図書館教育に関しては塩見昇の研究「成城の読書教育と学校図書館」『大阪教育大学紀要』第Ⅳ部門第26巻第三号、一九八七年、一四五―一五五頁を参照。
(25) 東京都立図書館『ひびや』第一四八号、一九九九年、一〇二頁。
(26) 一九二六（大正一五＝昭和元）年には閲覧人員が減少しているが、これは一九二三年の関東大震災の影響が残っているためである。
(27) 『其事業』第一五号、一九二三年、一四頁。
(28) 九月二二日からは新聞雑誌室を開放し、図書館前には長蛇の列ができたという（『其事業』第一八号、一九二四年、六―一三頁）。
(29) 竹内善作「図書館の郷土化」『其事業』第二九号、一九二四年、一―三頁。
(30) 今澤慈海「学校図書館に就いて」『其事業』二二号、一九二四年、二頁。
(31) 小河内芳子「資料　東京の児童図書館　明治二〇年（一八八七）―昭和二〇年（一九四五）」*Library and Information Science* No.9, 一九七一年、二〇九―二二九頁。
(32) 今澤慈海「図書館及通俗読み物」文部省普通学務局編『社会教育講演集』一九二一年、二二一―二二三頁。
(33) 前掲注13。
(34) 赤星、前掲論文。
(35) 奥泉、前掲論文、一三八頁。
(36) 赤星、前掲論文、一八〇頁。
(37) 秋岡梧郎「今沢慈海先生をしのぶ(2)　人間の教師　今沢慈海先生」『図書館雑誌』第六三巻第四号、二六頁。
(38) 村尾力太郎「菩薩道に精進した慈海老師」、成田山教育文化福祉財団『今澤慈海先生追悼録』一九六五年、三一頁。
(39) 春山作樹「民衆教化事業の任務」『社会と教化』第三巻第三号、一九二三年、六―八頁。なおこの論文中で春山は民衆芸術・娯楽のあり方についても言及している。

(40) 乗杉嘉寿「社会改造の機能としての図書館に就いて」(『図書館雑誌』第三九号、一九一九年、一七―二三頁)および「文化生活と図書館」(『社会と教化』第二巻第九号、一九二二年、六頁)。
(41) 乗杉嘉寿『社会教育の研究』一九二三年、同文館、四八頁。
(42) たとえば乗杉は「文化生活と図書館」(注40参照)において「社会教育の方法中、外から之を強ひるのでなくして、各人自らの要求によって、その欲するだけ修養することができ、而もその効果の著しいのは図書館設備」であり、図書館を「各個人を文化的に洗練するには最もよき機関」としているし、同じく社会教育官僚であった川本宇之介も「学校教育以外に於て、寺院自社も含ませて論ずると図書館が、矢張其の他の社会教育の中心として大いに活躍するところがなければならないと信ずる」と述べている(「教育の社会化と社会の教育化」『社会と教化』第一巻第九号、一九二一年、一一頁)。乗杉と川本は一九二一年文部省図書館員教習所(二三年図書館講習所と改称)を開所し、今澤を講師として招いている。乗杉と川本の図書館論については拙稿「東京市立図書館における社会教育実践――今澤慈海の図書館理念と活動を中心として」(『慶應義塾大学社会学研究科紀要』第五六号、二〇〇三年、五一―六二頁)において言及している。
(43) 今井貫一「改造に際して」『図書館雑誌』第四三号、一九二〇年、九頁。
(44) なお、今澤は一九一〇年代から一九六〇年代まで長期にわたる執筆活動を展開しているが、本項では「生涯的教育」論が大正デモクラシー期にどのように展開されていたのかを明らかにするという関心から、一九一〇年代後半から一九二〇年代までの今澤の論考や著作を中心に検討する。
(45) 日本図書館協会『図書館小識』一九一五年、三頁。
(46) 同前書、三―五頁。
(47) 同前書、六七頁。
(48) 今澤慈海「公共図書館の使命と其達成――人生に於ける公共図書館の意義」『図書館雑誌』第四三号、一九二〇年、二頁。
(49) 以上、前掲注48、二頁参照。
(50) 前掲注48、三―六頁参照。
(51) 前掲注21、二―三頁参照。
(52) 今澤慈海「読書趣味の養成と師範学校」『其事業』第一三号、一九二三年、二頁。
(53) 今澤慈海「成人教育と図書館」『其事業』第三〇号、一九二五年、三頁。
(54) 同前。

(55) 前掲注32、一一一頁。
(56) 今澤慈海「都市に於ける教育の中心としての図書館」『社会教育』第二巻第一一号、二六頁。
(57) 前掲注48、二頁。
(58) 前掲注56。
(59) 前掲注48、二頁。
(60) 前掲注56、二六頁参照。
(61) 今澤慈海『図書館経営の理論及実際』叢文閣、一九二六年、四九〇頁。
(62) 同前。
(63) 『其事業』第一八号、一九二四年。
(64) 東京市立日比谷図書館『東京市立図書館一覧 自大正九年至大正十年』一九二一年、九頁。なお「図書問合用箋」には「私は左の事項に就いて研究したいのですが適当な本がありましたらお知らせを願ひます」とあり、所定の欄に研究事項(二件まで)と住所氏名を記入するようになっている。また、「たまにしか御登館出来ない方」のために郵便(往復葉書)での問い合わせにも応じていた。
(65) 今澤慈海「参考図書の使用法及び図書館に於ける参考事務」『図書館雑誌』第五五号、一九二四年、三頁。
(66) 前掲注61、二一三頁。
(67) 前掲注56、二九頁。
(68) 同前。
(69) 前掲注56、二六頁。
(70) 前掲注48、二頁。
(71) 今澤慈海「児童と図書館」『図書館雑誌』第一六号、一九一二年、一一頁。
(72) 前掲注45、七三―七四頁。
(73) 前掲注48、四頁。
(74) 以上前掲注56、一八頁。
(75) 前掲注45、三頁。
(76) 前掲注61、四九〇―四九一頁。

(77) 今澤は明確に「青年」を定義していないが、市立図書館では中学校女学校三年以上に該当する者が成人部の図書利用を許可されていたこと、さらに欧米の青年に対する働きかけは大体一四歳から一八歳までを対象とすると紹介していることから、この範囲に該当する者を「青年」、これ以下を「児童」、これ以上を「成人」としていたと考えられる。
(78) 今澤慈海「図書選択と思想問題」『図書館学講座』第二巻、図書館事業研究会、一九二八年、九頁。
(79) 今澤慈海「中間集書に就て」『東京市立図書館と其事業』第五七号、一九三〇年、二頁。
(80) 同前。
(81) 今澤慈海「読書の功罪」『東京市立図書館と其事業』第五八号、一九三〇年、二―三頁。
(82) 前掲注61、五七八頁。
(83) 今澤慈海「児童と図書館」『都市教育』第九九号、一九一二年、二八頁。
(84) 前掲注61、五〇八―五〇九頁。
(85) 東京市立日比谷図書館『東京市立図書館一覧　大正十五年』一九二六年、一八頁。
(86) 同前。
(87) 前掲注65、九頁。
(88) 今澤慈海・竹貫直人『児童図書館の研究』博文館、一九一八年、九六頁。
(89) 前掲注61、五二八頁。
(90) 前掲注61、一八一頁。
(91) 今澤は「読書力読書趣味の増進と云ふことのみに着眼して図書を選択」した場合、「仮令其選択が骨折苦心の結果なりとも、此等の図書中には読者に顧られざるものが多」(前掲注61、一八二頁) いと指摘する。
(92) 前掲注45、五頁。
(93) 前掲注45、六七頁。
(94) 前掲注61、四九一頁。
(95) 前掲注32、三頁。
(96) 今澤慈海「市民生活の要素としての図書館」『図書館雑誌』第五八号、一九二四年、三六頁。
(97) 前掲注45、一〇頁。
(98) 前掲注56、二〇頁。

(99) 今澤の選書論(第四項、注107参照)には、今澤が選書を通じて一種の思想善導を行なおうとしていたことが表われている。今澤は「中人以下」の人々を対象とした選書による思想善導を通して、既存の社会および国家体制の維持と発展を図ったといえよう。

(100) 前掲注56、二八頁。

(101) 前掲注56、二九頁。

(102) ファシズム期になると今澤は「我国図書館の究極の目的は皇国究極の理想そのものである」としている。この論稿の時代的制約性を考慮した上で、図書館の目的と国家目的とが同一視されていたことに留意する必要がある(今澤慈海「図書館員養成問題漫語」『図書館雑誌』第三五年第九号、一九四一年、一八頁)。

(103) 前掲注45、八二-八三頁。

(104) 今澤慈海「児童読モノゝ選ビ方ト与ヘ方」今澤慈海放送原稿、一九二八年、成田山仏教図書館、今澤文庫所蔵。

(105) 前掲注61、一八一頁。

(106) 前掲注32、二二-二三頁。

(107) 前掲注78、八-九頁。

(108) 今澤慈海「家庭と読書」社会教育協会編『婦人講座』第六編、一九三〇年、一八頁。

(109) 前掲注48、三頁。

(110) たとえば宮坂広作『近代日本社会教育史の研究』(法政大学出版局、一九六八年)、小川剛「教化動員下の社会教育施設」(『日本近代教育百年史　社会教育(二)』第八巻所収、一九七四年、国立教育研究所)、山口源治郎「中田邦造の図書館思想」(『信州白樺』第五九・六〇合併号、一九八五年)、梶井重雄「中田邦造における図書館社会教育の理論と実践」(『社会教育』第三六巻第五号、一九八一年)、同「自己教育力の形成論——中田邦造」(『自己教育の思想史』社会教育理論研究会、雄松堂、一九八七年)、福永義臣「地方図書館創成期の自己教育思想と活動の展開——中田邦造の読書指導の実践を中心に」(『九州大学大学院教育学コース院生論集』第二号、二〇〇二年、一八一-二〇九頁)、などがある。この他、中田の実践について検討した丸山弘子「中田邦造の「図書群」運動」(『読書科学』第一四巻第一号、一九七一年)や、原敦之「石川県図書推薦委員会の図書群——蔵書構成との関連から」(『図書館史研究』第一一号、一九九四年)がある。また、戦時下と戦後における読書指導論の連続性、不連続性を明らかにするという視点から中田の論に言及した香内信子「戦時下の図書館運動——読書指導論とその批判」(『図書館学会年報』第二七巻第二号、一九八一年、八九-九六頁)がある。

(111) 中田邦造「読書の内面的意義を省みて図書館関係者の任務をおもう」『石川県立図書館月報』第二二号、一九二六年、三三頁(本書では梶井重雄編『中田邦造』日本図書館協会、一九〇八年、五一―五一頁を参照した)。
(112) 同前論文、三七頁。
(113) 同前論文、四五頁。
(114) 中田邦造「農民教養の現状と読書指導(二)――石川郡県米丸村民読物調査の結果に鑑みて」『石川県立図書館月報』第七九号、一九三〇年、二頁。
(115) 中田邦造『公共図書館の使命』石川県社会課、一九三四年、三一頁。
(116) 中田は学校教育と図書館における教育との相違点を以下のように列挙している(中田邦造「図書館社会教育の意義目的並に其範囲に属すべき事業の種類」『図書館雑誌』第二十八年第八号、一九三四年、二五三―二五四頁)。なお、傍線は引用者による。

イ　学校教育が「教へること」を中心とする教育であるに対し、図書館教育は「学ぶ心」を主体とする教育である。

ロ　前者の対象が「教へること」に集まる若しくは集められる学生生徒であり、従て「教へること」の終了を以て卒業する特定の者であるに対し、後者は「学ぶ心」を持つ不特定の要素を含む。「学ぶ心」は最初「学ぶべき心」であり「学ばんとする心」でもあるが、やがて学ぶ心として終生持続する。それは学識経験の如何を問はず幼童から老成人にまで及ぶものである。

ハ　前者の「教へること」は教科書及之に類する有限の科目に限られるが、後者においては「学ぶ心」を充たすに役立つ一切の科目を包容する

ニ　方法は前者が教室における講義を主とするに対し、後者は時と所を選ばざる読書による

ホ　教へるものは前者においては定められたる少数の教師であるに対し、後者においては著作者の精神に還元せられたる図書自体である

ヘ　学校教師の大部分が特殊の学科目の教授を担任するに対し、図書館員は一般的、多面的教材を準備して大衆の自己教育に機会と便宜を供する

(117) 中田邦造「農村民教養の現状と読書指導(四)」『石川県立図書館月報』第三九号、一九三〇年、二頁。
(118) 中田邦造「所謂附帯事業と事業の本質について」『石川県立図書館月報』第七四号、一九三〇年、一頁。
(119) このような主張は、「附帯施設論争」に通底するものと考えられる(前掲注116)。
(120) 中田、前掲注115、四四頁。
(121) 中田、前掲注117、二頁。

(122) 具体的な分類は以下のとおりである（中田、前掲注115）。
図書館の対象の分類
第一類　図書館を利用する場合に、全く他の力を借らず自己の力によってなし得る人々
第二類　既に夫々の方向において充分なる読書心も読書力も有し、図書館において所謂被教育者として取扱はるゝには適しくないが、図書の世界に精通せぬ故、その読まんとする図書に対して指導を受けんことを欲する人々
第三類　多少の読書力は有し、読書への興味もあるが、積極的に何を読まんとする心の定まらぬ人々
第四類　未だ図書館と結縁せざるもの
第五類　未だ一般文化の内容を味ふまでに精神の発育せざるもの（義務教育の途中にあるもの）

(123) 同前。

(124) 中田が作成した読書学級の暫定規程は以下のとおりである。（傍線は引用者による）
読書学級　暫定規程
一、目的
町村に永住する人々をして教育の実果を全うせしめんため、教育が全生涯を通じて必要なること、従って自己の教育はみずからこれを為すより他なきこと、しかしその為に最も有力なる道は読書にあることを悟らしめ、先ず読書の習慣を起し広深なる読書力を涵養なることをもって目的とす。
三、学級生
夫々の町村に永住する見込ある男女青年（約二十歳乃至三十歳）にして学級の目的成立を理解しその規程するところを良しとして加入を見込みたるものを以て学級生とす。

（前掲注115、七〇頁）

(125) 同前。

(126) 中田邦造「集団的読書指導上における補助員制度と相互教育法（町村図書館の社会教育的協働(四)）」『石川県立図書館月報』第一三二号、一九三五年、一頁。

(127) 中田は相互教育の方法として、「自己教育力のある人々の相互教育関係を念頭においてゐる」としている（同前論文、一頁）。

(128) 中田、前掲注115、三一頁。

(129) 以上、中田邦造「読書会・研究会・座談会（町村図書館の社会的協働(二)）」『石川県立図書館月報』第一二二号、一九三四年、一

一二頁。

(130) 中田邦造「教化運動と図書館」『石川県立図書館月報』第六八号、一九二九年、一―二頁。

(131) この問題は、今澤や中田の論に特有なものではなく、「学習」の教育目的が何であるのか、またさまざまな教育実践がいかなる教育目的のもとに展開されているのかを常に問い直さなければならないことを示唆しており、その意味において今澤や中田の図書館論の限界性はきわめて現代的な問題提起をしているのである。

第四章　戦時下における読書指導の展開

——長野県を中心として

本章の目的は、昭和一〇年代以降本格化する図書館を中心とした読書指導の理念とその実態について明らかにすることである。

既述したように、臨時教育会議において「通俗教育ニ関スル件」が審議され、その答申が出されるなど、文部省の社会教育に対する関心は第一次大戦以降徐々に高まりをみせることとなった。文部省には一九二〇（大正九）年に通俗教育を管掌する第四課が設置され、翌一九二一（大正一〇）年には社会教育課となり、一九二九（昭和四）年には社会局に昇格するに至る。この過程で図書館は思想善導機関としての役割を期待され、「昭和大礼」などのイベントと相俟って全国各地に公立図書館が設立されることとなった[1]。一九二一年には文部省図書館員教習所（翌年講習所と改称）が設立されるとともに公立図書館職員令が施行され、専門職としての図書館員の養成が図られる一方、一九三三（昭和八）年には図書館令が改正され、各府県の中央図書館が公立・私立図書館を「指導」する中央図書館制度が発足する。これら一連の動向は、文部省の図書館を中心とした「読書政策」の基盤が名実ともに確立したことを示している。

一九三七（昭和一二）年以降の日中戦争の全面的な展開にともなう国民精神総動員運動を契機として、一九三八（昭和一三）年には内務省による児童読物の「浄化」[2]が始まり、一九三九（昭和一四）年には文部省による図書推薦事業が開始され、文部省は「文書教育の振興」と「読書指導の徹底」の方針を打ち出していく。この過程で図書館の役割は従来の「良書閲読の奨励」から「読書指導」へと質的に変化していくと考えられる。

当該時期に果たした図書館の役割および読書指導については、社会教育史における小川剛の研究[3]や、図書館史における奥泉和久[4]や松本三喜夫[5]などの研究蓄積がある。[6]小川は、昭和一〇年代における教化施設としての図書館の役割や読書指導の展開について検討し、一九四二（昭和一七）年を読書指導が全国的に普及した年ととらえ、一九三九～四一（昭和一四～一六）年をその「基礎固めの時期」と位置づけている。[7]奥泉は小川の時期区分を支持しつつ、読書指導が導入される経緯、さらに『読書会指導要綱』（日本図書館協会、一九四二年）に見られる具体的な読書指導のあり方について検討している。この中で奥泉は帝国図書館長・松本喜一が読書指導の重要性、特に図書館員の指導性を強調したという見解を示している。松本は、青年団における読書指導の一環として奨励された輪読会および日本青年館発行の機関誌『青年』を分析し、これらが「内容的に実体として、どれだけ内容を伴っていたかという点においては甚だ疑問」であり、この限りにおいて「思想善導の直接的なチャネルとしては、必ずしも十分に成功したとはいえない」としながらも、輪読会では「読書による討議や意見の交換、さらには真理の発見といった発想は、微塵もなく」、輪読会や『青年』によって青年層が優良と目される価値体系を取り込んでいったことによって「より一層の青年の同質化が図られていった」という。[8]

以上の研究から、昭和一〇年代の図書館においては「読書指導」の徹底の方針に基づき、図書館員による指導や、輪読会、読書会などの集団的な読書によって思想統制が図られていったという見解が示されている。それでは、これらの「読書指導」論はいかなる理念に基づいて構想されていたのだろうか。またこのような理念は、実際の読書会にも貫徹していたといえるのだろうか。

本章では、従来の研究成果を踏まえつつ、読書指導の展開過程における「指導」の理念を明らかにした上で、読書指導の実践の一形態である読書会がどのように行なわれていたのかを検討する。具体的には、昭和一〇年代における「読書指導」の理念について、当時の読書指導論、および図書館を中心とした読書指導にいち早く着手した県立長野図書館長・乙部泉三郎の論をもとに検討していく。その一方、在村の指導者のもとで、どのように読書会が営まれていたのかという問題について、乙部が視察に訪れたこともある長野県下伊那地方の三穂青年団の読書会記録をもとに[10]検討していく。これらの分析を通じて、当該時期の読書指導の理念と実態を重層的に描出していきたい。

一　社会教育における「読書指導」の模索――「思想善導」から「読書指導」へ

本節では、社会教育において読書指導という概念がどのように現われ、いかなる理念に基づいて構想されていたのかを概観する。

既述したように、読書行為を社会教育の範疇に位置づけようとする動きは、日露戦後経営期における地方改良運動に端を発し[11]、その後文部省の通俗教育行政、社会教育行政へと継承されていく。一九一一年に設置された通俗教育調査委員会以降、図書館や巡回文庫を利用した良書閲読の奨励、図書や映画の推薦は通俗教育の事業として認知されるようになる。

さらに一九一七（大正六）年から一九一九（大正八）年まで開催された臨時教育会議においては、「通俗教育ニ関スル件」が審議された。「通俗教育ニ関スル件」では「善良ナル読物等ノ供給ヲ豊ニスル為積極的ニ施設ヲ為シ併セテ出版物ノ取締ニ関シ一層ノ注意ヲ加フルコト」、「通俗図書館博物館等ノ発達ヲ促シ之ニ備付クヘキ図書及陳列品ニ関シ必要ナル注意ヲ加怠ラサルコト［促スコト］」などを含む答申が出され[12]、「出版物ノ取締」と併せて「善良ナル出版物」を供給する方針が示されていることが特徴的である。その根拠として、「出版物ニ就テハ単ニ消極的ニ之ヲ取締ルノミニテハ国民ノ思想ヲ善導スルコト困難アルヘシ（中略）積極消極両方面ニ於テ適当ノ措置ニ出ヅルノ要アルヲ認ム」ことが挙げられ、国民の思想善導のためには従来のように有害な出版物を取り締まるという「消極的」な方法だけでは不十分であり、「善良ナル読物ノ供給ヲ豊ニシ之普及発達ヲ奨励スル」といった「積極的」な手段を講じることが主張された[13]。この方針は、「通俗図書館ノ内容ヲ改善シ常ニ健全ナル読物ヲ備ヘシムルノ必要アリ」にも現われているといえ、図書館の設立主体を問わず、あらゆる図書館において蔵書の内容にまで踏み込んで徹底した指導を行なおうとするものであった。これは学習者の「読み」・解釈をも方向づけようとする後の「読書指導」概念の萌芽ともいえる。とはいえ、当時の社会教育において読書行為の教育的位置づけの基調をなすのはあくまで「良書閲読の奨励」であった。このことは、図書館における「生涯的教育」を提唱していた今澤慈海の図書館論においても、同時代に展開された文部官僚による社会教育論においても「良書閲読の奨励」を図書館の活動の主眼とし、図書館を「良書閲読の奨励」による思想善導の機関と位置づけていたことにも反映されている[14]。したがって、図書館に課せられた役割は、不健全な書物を取り締まるほかは、あくまで健全な書物を読むことを奨励することにとどまっていたといえよう。

しかしながら、「川井訓導事件」に見られる新教育運動に対する統制[15]や、いわゆる「学生思想問題」への対応、さらに、国民精神総動員運動が展開される過程で、次第に読書の内容にまで踏み込んでこれを「指導」する方針が明確化された【資料編、表6】。たとえば、一九三六（昭和一一）年の、教学刷新評議会の「教学刷新ニ関スル答申」では、「社会教育ニ関スル事項」が設けられ、その中で「社会教育ニ於テモ西洋思想ノ醇化ニ努メ、新シキ自覚ノ下ニソノ精神内容ノ刷新ヲ図ル」べく、「新聞・雑誌等ヲシテソノ国家的任務ノ重大ナルコトヲ自覚シ、時勢ニ鑑ミ公正ナル批判、適切ナル報道ニヨツテ中正穏健ナル思想ノ作興ヲ図リ、国民思想ノ啓導ニ当ラシメル様適切ナル方策ヲ講ズルノ必要アリ」として、「優良ナル図書・雑誌ノ国家的認定・推薦」と並んで「平易ナル指導的冊子ノ発行・普及ヲ図」る方針が示されている[16]。一九三八（昭和一三）年には内務省の「児童読物ニ関スル内務省指示要綱」に基づく児童読物の「浄化」が行なわれ[17]、この動きに乗じて、文部省は、一九四一（昭和一六）年に、児童に少国民たるにふさわしい文化、文学を提供することを目的とした少国民文化協会を設立する。これは内務省の「浄化」によって「悪書」を一掃した上で、「良書」を積極的に子どもに読ませようとする目論見であったといえよう。

さらに同年開催された内閣直属の教育審議会においては、明確に「読書指導ノ強化」が打ち出されている。「社会教育ニ関スル件答申」には、「文化施設ニ関スル要綱」が設けられ、その中では以下の方針が示された。(18)

五、図書館活動ノ積極化ヲ図ル為読書指導ヲ強化スルト共ニ貸出文庫、移動文庫等ノ施設ヲ拡充スルコト

六、図書推薦制度ノ整備拡充ヲ図ルコト

七、図書、雑誌、新聞等ノ出版ニ対シ教育的指導ヲ強化スルト共ニ優良ナル出版物ニ対シ推奨ノ方途ヲ論ズルコト

これらの方針について、特別委員長を務めていた田所美治は、貸出文庫や移動文庫を「図書館ヲシテ積極的ニ国民ノ読書指導ニ乗出サセル」ものと位置づけ、さらに「図書推薦ト相俟チマシテ、図書、雑誌、新聞等ノ出版ニ対スル教育的指導ヲ広キ視野ニ於テ強化スルト共ニ、其ノ優良ナルモノニ対シテハ出版費ノ補助」をすることなどを提言している。(19)これらのことから、一九四一年には図書、新聞、雑誌などの出版を「教育的指導」の対象として捉え、従来の良書閲読の奨励や優良図書の推薦という方針から一歩踏み込み、図書館の活動を通して積極的に国民の読書指導を展開する構想が固まっていたといえよう。

それでは、ここで構想された図書館を通じた国民の読書指導とはどのようなものなのだろうか。文部省が読書指導の理論として最初に着目したのは、石川県立図書館長・中田邦造によって行なわれた「図書群」を利用した読書運動であった。本来、中田は図書群を、指導者の恣意的な指導を排しつつ、「読書日録」などを併用することによって「立ち入った組織的な指導を可能にする」ものとして捉えていた。しかしながら、文部省は読書指導を公的機関による読書内容の指導と読み替え、読書指導に国民思想の統一の方途を見いだしている。(20)

一九四二年には「国民精神の自覚及び文化の普及向上を図る為、全国に読書会を組織的に結成すること」、「読書

会の結成経営に当り、その中心となるべき指導者の参考」として『読書会指導要綱』（以下、『要綱』と略）が日本図書館協会より発行された[21]。『要綱』において、読書会の目的は「一定の指導者の下相同志相扶け協同読書の方法により、確乎たる人生観・世界観を有する自覚的人間を錬成せんとする[22]」ことにあるとされている。さらに読書会を通じた「読書指導」は、「読書に関して被教育者の自然放任状態に伴ひがちな無読書生活への陥没を防止すると共に、無方針なる自由読書の弊害を匡正し、健全なる読書生活を実現せしめることを目的とする教育的働き」であり、「その目的を実現するに必要なる一切の計画的働きを包含するもの」と定義された[23]。

『要綱』には、「自由読書の弊害の匡正」という文言にもあるように、読書指導が読書の受容にまで踏み込んだ「教育的働き」であることが明確に示されている。読書会の会員においては、「読書日録」に読書の記録だけではなく読書感想などを記入することが奨励され、指導者はこの「読書日録」を点検の上、会員に適切な助言を行なうことが期待されている。さらに、読書会の指導については「何処までも和やかに、会員をして万事につけ積極的に自発的に働かせ、指導者も会員の仲間に入り込んで、相互研究的にやりつゝ、実質的に強き指導性が現はれることを指導の要諦となすべきである」[24]（傍点引用者）という注意があることから、読書会における読書指導では、会員の自発性に根ざした、より深化したレベルでの思想統制が構想されていたと考えられる。

『要綱』の発行後、特に一九四二年以降は、『社会教育』や『教育』などの教育雑誌上でも読書指導に関する特集が組まれたり、論稿が盛んに寄せられたりするようになった[25]。これらの特集や論稿には、以下二点の特徴がある。第一点目の特徴は、読書指導によって、学習者の自主性や自発性に基づいた自己教育を行なうことが可能になるという主張がみられることである。第二点目の特徴は、ラジオなどと比較しつつ、読書固有の教育的効果を主張することである。

まず第一の特徴についてみていくことにしよう。三輪和敬（当時文部省嘱託）は、「児童図書館の現状及び将来」（一九四二年）において、一九三八年の内務省による児童読物の「浄化」、一九三九（昭和一四）年の文部省による図書推薦事業の開始を「童心主義的な読物、芸術至上主義的絵本を止揚し、児童を正しく第二国民たらしめる児童文化財の質的向上」に向けた動きであると総括し、従来「児童読物のやうな学校外の児童文化財に対しては（中略）殆ど教育的関心が向けられてゐなかった」が、「今日国民学校の精神が確立されるに至っては、（中略）この方面にまでも児童錬成の手が伸びなければならぬといふは自明のことである」として、児童に対する読書指導を「錬成」の一環と位置づけている[26]。また、三輪は「子どもの読書の躾け方小考」（一九四二年）においても、「児童の読書指導の究極の目的は、単なる知識の受容ではなく、自ら読書せしめることによって自主的な学び方、研究の仕方を習得せしめ、それと共に合理的創造の精神を伸張せしめると言ふ点に、即ち現在のところでは将来に対する児童の発展を予想するところにあると考へるのである」として、「児童の読書指導の根本的な核心」は「自主的な学び方、研究の仕方」の習得に根ざした「児童の読書錬成」にあるという見解を示している[27]。

読書指導の対象となったのは子どもだけではなかった。有山崧（当時文部省嘱託）は全五回にわたって「青年の読書指導」（一九四二年）と題する論を寄せている。有山は、明治以来の日本の教育について「西洋の知識材を取入れる事には努力したが、それを創り出す過程を自ら経験しなかった為め、相当高度の文化財は持ってゐるが、それを生み出す知的自発性が之に伴はない[28]」と指摘する。そしてこの知的自発性の乏しさは、「卒業後は全く自己教育を怠って一向に読書を省みない現象が一般に見られる事[29]」に反映されているという。しかしながら、日本国民は「自己の個人的人格の実践の為めではなくして、現代日本に課せられてゐる世界史的使命の自覚[30]」の上で、「この使命の自覚に基づき、この使命をよりよく達成する為めに、自己を修練し、その人格を高め、世界観や人生観を広め、知識を向上せしめたりして、自己教育を行わなければならない[31]」。そして「かうした自己教育の重要な方法として、読書が存する[32]」のであった。特に有山は「読書が（中略）自覚からなされつつも、逆に自覚へと帰って行く所に、読書と自覚との深い必然的な循環関係があるのであって、そこに読書の根本性が存するのである[33]」として、読書の教育上の特性を、読書が国民的自覚を高め、その自覚に基づいて読書による自己教育がさらに促進されうる点に見いだしていた。

これらの論から、読書は総力戦体制下で要求されていた自主性や自発性に基づく自己教育の重要な手段として捉えられていたことがわかる。さらに、自己教育の手段としての読書の成果は、個々人の知識や人格の向上にとどまるものではなく、あくまで国家の発展に収束するものとして位置づけられている点にも注意する必要があろう。このような認識に基づき、「読書による自己教育の能力の乏しい初心者に対しては、指導者は、読書の技術、方法を修得せしめて、読書による自己教育可能者にまで仕立てゝやる必要がある(34)」とあるように、読書指導における指導者の役割が強調されることとなった。

次に第二点目の特徴についてみていくことにしよう。昭和初期からのラジオの普及(35)にともない、次第にラジオの教育機能に対する関心も高まりをみせる。たとえば、『教育』第四巻第一二号（一九三六年）ではラジオ教育特集が組まれている。この中で城戸幡太郎（当時法政大学教授）は、「児童文化と放送教育」と題する論を寄せ、ラジオの特徴を「放送の迅速性と同時性と広持性と聴取の簡便性と随意性と挿話性」とに見いだし、ラジオを教師の指導の下、教授に際して有効に使用することを提唱している。その一方で、「言い放しと聞き流しになること、問答や批判による人格的交渉が阻隔されること」をラジオによる教育の大いなる欠点として指摘する(36)。この欠点は、ラジオによる教育と読書による教育とを比較した上で、読書による教育の優位性を主張する根拠となった。

たとえば青年団活動の指導的立場にあった田沢義鋪（当時貴族院議員）は、「青年団教育の回顧(37)」、および「ラヂオと青年教育(38)」（一九三六年）において、「一般的常識向上の教育」に寄与するものとして文書教育を挙げている。田沢は文書教育の方法として「講演会の活用」や、ラジオの利用について言及するものの、いずれも「聴取者の方に問題が多い(39)」と指摘する。なぜなら、ラジオ放送は「各自の家で聴いてもわるくないが、聴取後の感想談の交換等に更に意味がある(40)」のであり、「ぼんやり聞いてゐてはたいして利益にはならない(41)」からである。したがってなるべく青年団員が集まる習慣をつけ、講演やラジオ放送の要領を把握することによって、社会教育の効果を発揮させなければならないという。ここでいう「聴取者の問題」とは、講演会やラジオ放送という方法では、被教育者である青年たちが、その内容をどのように理解し、捉えているかを把握しがたいということであろう。換言すれば、教育者側の意図がどのように被教育者側に受け取られているのかがわかりにくいという点が大きな問題として浮上しているのである。

ここにおいて、「読書会」という集団的な形式に基づく読書指導の重要性が増してくることとなる。先に挙げた有山は「青年の読書指導㈣」（一九四三年）の中で、青年の読書指導においては「個人指導よりも会を形成して指導する方が、方法的に適当と思はれる」理由として以下の三点を挙げている。第一点目は、「読書は日本国民たる自覚から実践され、その自覚を深める為めになされるべきもの」であるが、「唯一人この道を辿れるは容易な事ではない」から、「同志同行の士が相寄り相扶けて互に励まし合って道に進む必要がある」という理由である(42)。第二点目は、「団体的に指導する方が、同じ労にて能率を上げうるであらうし、団体相互の指導啓発の効も少くない(43)」というものであり、これらは読書指導による効率性と、読書会参加者相互の啓発を狙ったものといえよう。

ところが、第三点目の理由は上記二点と大分性質を異にしている。それによると、「現今のごとくものの考へ方、見方に於て、一定の方向をとる事が国家から要請されてゐる場合には、セッカク計画的意図の下に作られた図書が現在多く世に出てゐても、それを受取る側で、自由読書によって個人的にバラバラ受取る時には、その効果も少なからず減殺されるに至るであらう。それよりも一定の指導者の下に会を作って、一定の方向をもつ読書をなすべきであると考へられる(44)」とある。ここでは、図書の内容が「自由読書によって個人的にバラバラ受取る」ことによって生じる弊害を避けるべく、「一定の指導者の下に会」を作ることによって「一定の方向をもつ読書をなす」ようにするという、読者の読み・解釈の内容にまで踏み込んだ「指導」のあり方が示されているのである。つまり、ここでいう「読書指導」とはたんに読書を奨励するだけではなく、その「読み」のレベルに至るまで踏み込んで指導・統制することを目的としており、この目的を達成するには必然的に読書会という集団的形式をとらなければならなかったのである(45)。

これらの読書指導論から明らかにされるのは、一九四二年の『読書会指導要綱』の発刊前後から、自主的・自発的な自覚を有する国民の形成を促す教育方法として、読書による自己教育に対する関心が高まりを見せつつあったこと、そして読書指導は従来のように良書閲読を奨励するというものから、各自の読書内容、さらにはその解釈のレベルにまで踏み込んでこれを一定の方向に統制しようとするものへと質的に変化していったことである。そして、各自の「読み」・解釈を統制する読書指導の方法として、指導者の下に各自の読みに一定の方向づけを行なうことを可能にする「読書会」という集団的な形態が選び取られていくこととなった。

それでは、読書指導を展開する立場にある者たちはどのような読書指導理念を有していたのだろうか。そして実際に読書会に参加した人々はどのように読書会を営み、いかにこれを捉えていたのであろうか。以下ではこの問題について、当該時期に大規模な読書指導を展開したことで知られる長野県を事例として取り上げ、検討していきたい。

二　図書館における読書指導の展開——長野県立中央図書館長・乙部泉三郎の図書館論を視点として

(一)　県立長野図書館と乙部泉三郎

ここで、県立長野図書館の設立の経緯およびその活動と、乙部泉三郎の経歴を簡単にたどっておこう。県立長野図書館は一九〇七(明治四〇)年、信濃教育会によって設立された信濃図書館が母体となっている。長野県では、教育会の財政事情の悪化を受け、一九一一(明治四四)年より図書館の県営化を求める声が上がっていたが、大正期における社会教育に対する関心の高まりにも後押しされ、一九二四(大正一三)年、「御成婚記念事業」の一環として県立図書館設置が県会で決議され、一九二九(昭和四)年に県立長野図書館が設立された(46)。

乙部は一八九七(明治三〇)年、東京に生まれ、京華中学校を経て、一九二二(大正一一)年に東京帝国大学教育学科選科を修了後、満鉄奉天図書館司書となり、満鉄撫順図書館長(一九二三=大正一二年)、日本青年館書記第三部図書館課勤務（一九二六＝大正一五年）を経て、一九二九（昭和四）年より新設された県立長野図書館司書となる。一九三一（昭和六）年同館長心得、一九三二（昭和七）年より同館長となり一九四九（昭和二四）年に退職、一九七八（昭和五三）年に死去した。乙部は県立長野図書館の創設当初から着任し、信濃教育会の移譲図書を基本とする図書約四万冊を、「乙部式」独特の十進分類表をもとに分類整理し、僅か五カ月間で開館にこぎつけている[47]。在職中は「時局文庫」の経営をはじめとする青年団に対する読書指導、農村文化運動に尽力する一方、戦況が苛烈になった際には、帝国図書館蔵書の疎開先に県立長野図書館を提供するなど、中央との交流に努めた。主要著作として、『デューイ十進分類法の解説及応用指針』（一九二七年）、『農村図書館経営の手引』（一九三四年）、『農村図書館の採るべき道』（一九三六年）、『図書館の実際的経営』（一九三九年）などがある。

(二)　乙部の読書指導論

乙部の図書館および読書指導に関する論稿は、前述した著書の他、一九三四（昭和九）年六月より発刊された県立長野図書館の館報[48]である『県立長野図書館報』や、日本図書館協会の機関誌『図書館雑誌』に掲載されている。これらの論稿をもとに、乙部の図書館の位置づけと読書指導論を検討していこう。

まず、乙部が論じている「図書館」とは、基本的に「農村図書館」のことであり、乙部はこれを都市における図書館や大規模な「帝国図書館」などとはまったく性質の異なるものであると認識している。乙部は「図書館が直にその機能を発揮せんとせば、閲覧人なるものをあらゆる活動から研究し尽し、その種類、その職業別、性別、年齢別、地方別等を充分に考慮してこれに応じて活動すべきである[49]」と述べ、特に図書館の立地条件ならびに利用者層に応じた図書館にしなければ、図書館の意義かつ目的として重点を置くべき「利用[50]」は望めないという。したがって、この利用を促すためには、「下足を極めて便利にすること、下足の事は今迄土足を脱がせる事にのみ腐心したが農村では土足の儘で入館出来る様に工夫すること」[51]や、閲覧室についても、どちらかといえば洋装での読書に適している椅子だけではなく、くつろいだ雰囲気で利用できるように畳敷きの座布団の席も用意することなどが必要であると説いている。

さらに乙部は、この「農村図書館」の活動の対象は青年であると明言する。乙部によれば「理想としては全町村民」が農村図書館の読者であるべきだが、「子供には学校あり、壮年には中々読書の暇と習慣とあるものが尠い」ので「中心を青年において、少年、壮年、老年等に及ぼすべきである」という。[52]もっともこれは乙部の真意ではなく、図書館活動の対象を青年としなければならない理由は他にあった。

乙部が農村図書館の振興を図り、県立図書館がこの指導に当たろうとする背景には、「若き二十五歳以下を中心とした青年が寄り集まつて、自分たちの図書館を自由に造《ママ》つて」おり、これが「信州の図書館の特色」であると同時に、[53]一九三三（昭和八）年の二・四事件などにみられる「信州の思想事件」の原因になっているという認識があった。[54]乙部は、このような信州の「図書館の特殊性を生かしてより健全なる方向に導くといふことは、実に慎重を要する問題」であると捉え、「青年の経営によつて図書の選択なり利用なりが自由奔放に流れるのを制止し、学校及び町村当局と連絡をとつて、経営しなければならぬ」と述べている。[55]乙部は、「二十五歳の青年を会長とする青年会の図書館」の蔵書において、第一に小説が多く、次いで左翼思想に関連するもの、社会科学に関するもの、その後にエロ・グロといったものが肩を並べ、「青年たちが最も必要としなければならない筈のもの、繭に関するもの、或は農業に関するやうな書物は殆どそこに姿を見せないといふやふな状況」、「発売禁止の書物が一冊ならず二冊三冊と並んで居る」という視察結果に危機感を覚え、[56]中央図書館制度の公布以降、「青年団立の図書館といふものは出来得るだけ町村立に直したらいゝだらうといふことを第一に勧誘」することになる。[57]

実際に、乙部は県下の青年団（会）運営の図書館を精力的に「視察」し、図書の「浄化」を行なった。[58]その結果、「県下の数多くの青年団の中には、濃かれ薄かれ此の〔左翼図書＝引用者注〕の色彩を帯びて居るものが、かなり」あるという状況は改善されたものの、「事件以後の青年団の図書館は急に淋《さび》れて了つた」[59]。乙部は「茲に再び青年団の図書館が活躍すべき時期はやってきたのである」と述べるが、もとより青年団の図書館は以前のそれとは異なった性格のものでなければならない。具体的には、「今迄〔昭和一〇年頃＝引用者注〕趣味としての読書であつたものが、実際に即した修養のための読書」となり、「社会科学没頭時代を抜け出て、農村実業書物の探索が始まつた」ことに対応しなければならない[60]。ゆえに農村の図書館はけっして「学生の勉強所」ではなく、「青年の修養道場」としての役割を求められることになるのである[61]。

それでは、「青年の修養道場」たるべき図書館においては、どのように読書がなされるべきなのだろうか。乙部は「読書は精神の飲食」であり、「多読したからとて決して我々の精神生活を深めるものでは無い」と多読や濫読を戒め、「書物を読みこなす力が第一に必要なのである。書物に読まれぬ様に警戒しなければならない」、それには「自分に適した良書を発見して魂を打ち込んで読」むことが必要だという[62]。「書物に読まれぬ様に警戒しなければならない」とあるのは、かつての思想事件を念頭に置いたものであると考えられるが、そのためにも「良書」を図書館が供給すること、あるいは良書の「指導」を図書館員が行なうことが重要な意味を持つようになる。農村の図書館は「農村の社会教育機関の中心」となり、学校教育機関以外の教育機関として「広い意味に於て農村人を教育する」だけではなく、「労働するための準備」としての「働いた後の慰安娯楽」を与える機関として位置づけられることになる[63]。

しかしながら、「農村図書館」の位置づけは、このような性質のものにとどまっているべきものではなかった。「農村図書館」が新たな役割を求められる契機となったのが、「時局下」という時代背景である。

(三)「時局下」における読書指導論とその実践

乙部が「時局下」における図書館の位置づけを模索し始めたのは、文部省が図書推薦事業を皮切りに積極的な読書指導へと転じていく一九三八年以降のことである【資料編、表7】。乙部は「時局と図書館」（一九三八年）において、「図書館も亦非常時局に際してはその責務があり、平時と異なつてその力を尽くすべき箇所が自ら異つて来る筈である」と述べ、図書館が時局に適した文化施設としての役割を果たすことを主張する。具体的には、「第一に時局認識、同時に国民精神の作興、第二に産業の開発、第三に勤倹貯蓄の奨励、次に東西問題、移植民問題の認識、科学知識の普及等」であり、「如何に農村図書館と云つても之を忘れてはならぬ。青年団文庫又然り」という。[64] ここから、乙部には末端の農村図書館にいたるまで「時局下」に対応した活動を行なわなければならないという認識があったことがわかる。

すでに乙部は、県立図書館において一九三六年より貸出文庫を開始していたが、文部省の積極的援助もあり、一九三七年より敬老文庫、さらに一九三八年一二月より「時局文庫」を編成し、試験的に県下の青年団宛に発送した。一九三九年には申し込みのあった三七館に対して、一館あたり一〇円の時局関係図書の交付とともに、再び時局文庫を実施している。[65] 乙部は時局文庫の配布に際して、次のように述べている。

国民読書の問題は決して個人の利益を本位として考へらるべきものではない。読書はかつては一個人の知徳の研磨のためと考へられてゐたが、今日はかゝる個人的のものではなくなつた。総てこれ大日本人としての修養のためである。国家の一員として御奉公を致す為の準備である。[66]

ここで注目されるのは、読書行為が「一個人の利益」や「知徳の研磨」ではなく、「大日本人としての修養」、あるいは「国家の一員としての御奉公」といった、国家レベルの問題として捉えられているということである。乙部にとって、読書をすることは、かつてのように人々が「精神の飲食」[67] や教養や修養、そして「高尚な娯楽」を得るためのものではなく、[68] 「国家の一員としての御奉公」としてしなければならないものであった。このことは、「時局下」において青年がどのようにして読書に取り組むべきかについて言及している以下の論にもよく表われている。

国民貯蓄と云ふものは、金が余つたらしやうなど丶云つて居たら決して出来るものではないのである。読書も亦同じである。

青年に読書の必要である事は今更ら云ふ迄も無い事であるが、併し青年に読書の時間など丶云ふのは特別に与へられたものでは無い。自ら進んでしやうと思はなければ、いつ迄たつても出来はしない。[69]

このように、読書は国家のために率先して行なうべきものであり、当然のことながら「総動員」の対象として組み込まれることとなる。

時局文庫配布後、乙部は「県下図書館網の総動員」を図書館事業研究協議会において検討する。その趣旨は、「時局下ニ於ケル読書問題、図書館、文庫経営ニ関スル実際的問題ヲ討議研究シ、国民精神総動員運動ノ本旨ニ則リ国民任務ノ完遂ヲ期セントスル」ものであり、長野県立中央図書館と県下の図書館が共同開催する形で行なった。ここで乙部は町村図書館関係者を対象に、「時局下図書館経営の要諦」と題する講演をしている。[70]

この講演において、乙部は総動員体制下で行なわれるべき読書のあり方は、「集団的読書」であると主張する。なぜなら総動員体制下において「読書は単なる個人的利益」の為にすべきではなく、「財ある者もその資材にたよって自己の為にのみ購読すべき時では無い」し、「学識ある者」も「読んで自己のみ満足すべき時でもない」、さらに「個人的読書を一歩進めて集団的読書に発展させるべき時」にあって、「公益優先は読書の世界に於ても考慮さるべき」だからである。[71] そのためには、「共に読み、共に楽しむ風を養」[72]うことが必要であり、図書館は「国家の意志を宣伝し、国家の企図を国民に流布する第一線の施設」として機能しなければならない。[73] したがって、「農村文化方向の推進向上の点に於ても女子青年の荷つてゐる部面は頗る広」く、「青年の読書修養に関しても、女子青年を除外しては考へられない」という[74]。このことから、「読みたい本を読ませるのが過去の図書館の大任務であつた如く、現在の図書館の一任務として国家が国民に読ませたい希望を持つてゐる図書の普及を計る事が絶対に必要」[75]（傍点引用者）であり、「図書の選択とその読書指導が頗る重要」[76]となるのである。

乙部が具体的な読書指導の方法として想定しているのは、読書会によって集団的読書を行ない、その指導に青年学校長などがあたる、というものであった。乙部によれば、「今読書指導の必要が叫ばれてゐるのは、従来の読書には指導性が欠如してゐた」ためであり、読書指導の対象となっている青年は「自ら読書して行く正しき能力」がないのだから、「青年の読書には常に指導者が之を導き、その書物の選択から、その読書によって得たる結果について指導し批判して行く」べきであるという。そして読書指導会〔読書会と同義と考えられる＝引用者注〕においては、「先づ第一にその読まんとする書物を選択してやる事が指導の第一義」となる[77]。

しかしながら、その読書指導の目標は「自由読書の正しく強き能力を把握せしむる」ことにあった。乙部は「教授法が過去の時代に於て研究された時、自学自習の教授法が児童生徒の精神活動を自発的ならしめ、所謂注入的の教授とは格段の進歩なりとして、現に之が行はれてゐるのを見る時、指導読書も亦飽くまで自発的読書への段階とならねばならぬ筈である」と述べている[78]。もちろん、ここで言われている「自由読書」や「自発的」とは、青年学校長らによる「書物の選択」、「読書によって得たる結果」についての指導に基づくものであるから、字義どおりのものではない。これらは「総動員体制」を下支えする国民文化の基盤を形成し、「国家への御奉公」を自発的に行なわせることで、より体制の維持・補強を磐石なものとするという意図に基づくものであると考えられる。ここに、「自学自習」が「錬成」へと組み込まれていくという従来の指摘を見ることができよう。

これらのことから、乙部の「時局下」における読書指導論には以下の四点の特徴が見いだされる。

第一の特徴は、読書行為の位置づけを個人的なものから国益に資するものへと転換させたことである。乙部も一九三五年頃までは読書行為を「農村文化の向上」や、慰安・娯楽の提供として捉えていたが、一九三九年の総動員体制への移行を機に、読書行為を一個人のものとしてではなく、国家に対する奉公として位置づけ直すこととなる。したがって、読書行為は必然的に国家の意図する方向へと導かれることが求められるようになり、ここにおいて「読書指導」の必要性が認識されることとなった。

第二の特徴は、読書指導の対象を明確に学校教育終了後、主に青年学校等に在籍する「青年」としたことである。これは、少国民文化協会の設立に象徴されるように、従来は「子ども」に対する働きかけが強調されてきたこととは対照的である。乙部は青年たちの思想の左傾化を目の当たりにし、「時局下」における思想善導の重要性を痛感していた。これは、時局下における「銃後」、特に農村地域の担い手として青年層の果たす役割が必然的に大きくなったことも影響している。青年に対する働きかけを機軸とし、子どもや壮年など他の国民に影響を及ぼしていくことを見据え、その具体的な方策として講じられたのが「時局文庫」の配布であった。

第三の特徴は、読書指導の方法として集団性に注目し、その指導者の役割を重視したことである。乙部は青年には自分自身で適切な図書を選択する能力が欠けており、もし選択を完全に委ねれば読書の対象には偏りが生じるという前提に基づいて、指導者が良書を選択し、さらに集団的な読書行為、すなわち読書会を指導することを構想していた。読書会という集団的な読書形態は、指導者がテキストとなっている図書の正確な読みを青年たちに指導するとともに、青年たちの読後感を読書日誌にまとめて提出させたり、発表させたりすることを通して、青年たちが正確に読んでいるかどうかを確認することを可能にするものであった。読書会に代表される集団的な読書形態に基づく読書指導は、青年たちに対して良書を提供するにとどまらず、その「読み」までをも指導しようとする徹底したものであり、その意味において国民精神総動員体制および皇国民の「錬成」に適した、教育的意義を認められたと考えられる。

第四の特徴は、読書指導の目標を「自発的読書」としたことである。乙部は、児童生徒の精神活動を自発的にすることにおいて、自学自習の教授法が「所謂注入的の教授法」と比較すると格段に優れているという認識に基づき、「自発的読書」を重視したのであった。もっとも、この「自発的読書」は読書指導と不即不離のものであり、適切な指導に根ざした読書経験を積み重ねていくことで、最終的に指導者側が意図する読み・解釈を会得することが期待されている。それゆえ、乙部の企図した「自発性」はあくまで、指導者側の示した枠組みの中で発揮されるものであったといえよう。そして、このような「自発性」の発揮は、総動員体制をより強固なものとする原動力として捉えられていたのである。

これらの特徴を持つ乙部の読書指導論は、総動員体制下での「錬成」を貫徹する教育方法として構想され、長野県において実践されることとなる。第三節では、当該時期に積極的な読書会活動を展開し、乙部も視察に訪れた下伊那郡三穂青年団を事例として、実際の読書指導、読書会がどのように行なわれていたのかを検討していくことにしよう。

三　長野県下伊那地方における読書指導の実践——三穂女子青年団の読書会を事例として

(一)　三穂村における青年団活動

読書会活動の分析に入る前に、三穂村および女子青年会も含めた三穂青年団の活動について概観しておこう。三穂村（現、長野県飯田市）は下伊那郡、天竜川中流右岸に位置する農村である。大正期は養蚕が盛んであったが、繭価の暴落以降は養蚕と米作に転じている(79)。また、一九三二（昭和七）年以降、農村更生運動が展開されるが、三穂村は同年七月一〇日に三穂経済委員会規程を設置し、村の更生運動に着手するなど、模範村さらに経済再建を目的とした禁酒村として知られていた。また、一九四〇（昭和一五）年四月に三穂青年学校は県の模範査閲を受け、「県下は勿論全国の青年学校の優位たるもの」と講評されており、青年学校の教育においても名高い。一九四〇年四月一日から一九四五（昭和二〇）年三月三一日まで三穂国民学校長・三穂青年学校長、そして三穂青年団長を務めた宮沢三二は、三穂村について「全村民は勤労を尊び、伝統を重んじ、純朴で礼儀正しく、協力一致の精神が旺盛でした。当時はどの学校にも給与児童がいましたが、三穂に給与児童の一名もいなかったことは一つの驚きでした」(80)と当時を回想している。さらに宮沢は「三穂青年学校、三穂青年団は特殊なものを持っていたと思われる」(81)と述べており、青年団活動も活発であったことがわかる。

青年会（団）の活動に目を転じると、一八九三（明治二六）年立石区に「交友会」が、一八九四（明治二七）年北伊豆木に「講話会」が、一八九六（明治二九）年南伊豆木区に「親友会」が発足、また設立年度は不明だが下瀬地区にも下瀬青年会があり、一九〇一（明治三四）年これらの四つの青年会が統合されて「三穂青年会」となった。三穂女子青年会は一九二三（大正一二）年に創立され(82)、大正デモクラシー期には男女青年会の交流を盛んに行なうようになった(83)。これら男女青年会は、演説会、禁酒運動、経済更生運動を契機とする農事改良など多方面で積極的な活動を展開していた。

一方、一九二〇（大正九）年には戦後恐慌による繭価および米価の暴落によって、県下の青年には社会主義的思想が拡大し、一九二一年、飯田で開催された郡青年雄弁大会では社会主義的進歩主義的思想に関する演説が多く見られた。しかしながら、三穂青年会は「青年会ハ純然タル然モ不偏ナル修養団体タラザル可カラズ然ルニ現在ノ下伊那郡青年会ハ遂ニ此ノ意義ニ違背セリト信ズ三穂青年会ハ斯ノ如キ団体ト歩調ヲ共ニスル事能ハズ依リテ本会左ノ決議ヲナシ郡青年会ヲ脱退ス」(84)として、竜丘、飯田、下条、宮草、大下条、山本、上飯田の青年会などとともに、郡青から脱退している。

これらのことから、三穂青年会は当時県下を席巻していた社会主義的活動とは一線を画し、独自の活動を展開していたといえよう。三穂青年会では、設立当初から文庫活動が積極的に展開され、このことは一九二六（大正一五）年設立の青年会図書館を一九二九（昭和四）年に村立化する際、村会に対して働きかけを行ない、村立化後も実質的な運営に携わったことにも反映されている。この他、巡回文庫活動なども行なわれているが、三穂青年会の資料を見る限り、読書会活動が積極的に展開されるようになったのは、宮沢三二が青年団の団長に就任した後、すなわち一九四二年以降である。それでは三穂青年団の読書会がどのように行なわれていたのかを見ていくことにしよう。

(二) 読書会の開始

本節で検討する読書会活動は、「三穂男子女子青年団　第二分団」において一九四二年七月から一九四五年まで行なわれていたものである。宮沢の回想によると、当時青年団は、男子の青年会が三つ、男女混合の会が一つ、計四つの青年会からなっていたが、第二分団はこの男女混合の会に相当すると考えられる。分析の資料は、三穂青年団の文化部の記録(飯田市歴史研究所所蔵、以下『記録』とする)であり、これを読み解く補助的な資料として『三穂村史』、さらに当時三穂青年団長であり、戦後三穂青年団の読書会指導を回想しつつ、青年の読書指導のあり方を示した宮沢三二の『青年読書の実際』(信友社、一九四九年)を利用する。[85]

記録は青年団文化部によるもので、一九四二年四月から始まっている。文化部長は女子会員が務めていた。昭和一七年度の事業計画は以下のとおりである。[86]

部会
郷土研究　実績調査研究　名士の講演
傾向調査
読書研究会
詩吟研究会
レコードコサト《ママ》会

雑誌発行
青年の夕
俳句詩歌和歌研究会
輪読会
映画見学
音学（ママ）会
講演会　巡回講師其の他文化的ニ必要ナル講演
信協青年新聞会並ニ雑誌女子版取扱
巡回文庫取扱
書籍貸納
一人一芸会

この事業計画をもとに昭和一七年度以降の活動が進められていくことになるが、読書会活動の内容を示したのが【資料編、表9】である。

【表9】より、読書会はほぼ毎月一回の割合で、国民学校の新裁縫室で行なわれていたことがわかる。[87] 読書会は、「指導員の先生」[88]である宮沢三二、萩元義房（三穂国民学校訓導）、春日かずみ（同前）、中塚久美（同前）[89]らの指導の下に行なわれ、長野県立中央図書館長・乙部泉三郎が視察に訪れた際には、近隣の上郷村の校長をはじめとする教員も出席している。この読書会は、男女混合であったが、実際の発表者を見ると大部分が女子会員で占められており、文化部の記録も女子部員によってなされている。読書会は年度初めに発表者および発表の順番を定めた計画表を作成し、月一回、四－五人を限度として行なっていた。発表者は発表の前月末までに書籍・著者を文化部長に報告しておくこととなっている。発表の持ち時間は一人当たり二〇分程度で、書物を選んだ動機や本の内容を説明した後、自身の感想や批評を発表、それを受けて団員が質問や感想、批評を発表し、最後に指導者による指導が行なわれるという形式で進められていた。(90)

青年団では、読書会の始まる前に二回ほど輪読会を行なっていた。この輪読会は青年団男子部と合同で開催され、『時局ト青年』をテキストに、「〇から〇までを読むことに致して順々に読んで廻」り、「男子部員の部長さん方」に大意や「言のはからない所を説明して頂」くという形式であった。(91) 初めてということもあり、「余り成績は良くはなかったが此れから、もと《ママ》研究して行ふ事」(92) として、五月に男子部員と合同で二回目を開催している。この回で『時局ト青年』を読み終えたが、「輪読会はなんだかあまりかたくなりすぎた様な気が致しました」(93) とあり、評判が良くなかったと見えて、以降開催されることはなかった。

輪読会に代わって、七月以降は読書会が開催されている。「読書会等は、初めてでありますから随分其れには苦労致しました」(94) とあり、校長である宮沢と指導員である萩元が出席し、萩元が「読書会に就いての希望、感想」を述べた。当時読書会は各支会ごとに結成されていたため、宮沢はこれらを巡回指導し、毎回の指導には萩元が当たっていたようである。第一回目の発表では二名の会員が本の紹介を行ない、「始めて《ママ》であるが大変に良く出来た」との講評を宮沢および萩元から得て「予想以上上手に出来て嬉しかつた」と感想が書かれている。(95)

読書会は毎回二名程度の本の紹介を行なった後、指導員が感想や注意を述べる形式で行なわれていた。ところが、九月八日に開催された第三回目の読書会については「男子の方達の方へ長く時間をとられて女子部の方の紹介は実に簡単に紹会《ママ》した様な訳でありました。紹会《ママ》中の会員の体度《ママ》は少しだれた様な様子が見えました」(96) と男子会員の発表に時間が割かれてしまうことに対する不満が述べられている。この不満が女子会員の中に広まったのか、以降の読書会の発表は女子会員によってのみ行なわれることが多くなる。(97) その甲斐あってか、第四回目の読書会については「大変に、紹会《ママ》のやり方も良く出来て三回目より、四回目と段々に身が入る様になって読書会も増々熱が出てきて、文化部としても、本当に嬉しく思ひます」[98]とあり、次第に熱心に読書会に取り組むようになったことが記されている。

ここで注目されるのは、一二月と一月に二回の「読書日」が設けられていることである。第一回目の読書日については、「皆それぞれ思ひ思ひの本を持参し、二時間の間皆熱心に読書されました。校長先生〔青年団長・宮沢＝引用者注〕が初めての読書日にて、出席して下さいました。又、読書日の目的に就いてお話して下さいました。目的は読書力が低い、読書の能力を養ふ、これ等を向上させるため……」[99]とあり、指導員の萩元も出席している。二回目の読書日も、各自書籍を持参し、「一時間ばかり皆な静かに熱心に読書された」のち、五分間休み、また四〇分間読書をし、最後に指導員である萩元が出征している友人に宛てて第二分団の読書会の行ない方を丁寧に書いた手紙を読んでいる。このことから、「読書日」は基本的には、読書会のように発表をするのではなく、各自書籍を持ち寄って読書をするというものであったことがわかる。それでは、この読書日はいかなる意図の下に実施されたのだろうか。この問題について、当時青年団の指導に当たっていた宮沢の読書会に対する考え方と併せて検討していくことにしよう。

(三) 宮沢三二の読書指導理念

宮沢が読書会を開催する経緯やその目的について言及しているのは、戦後に青年の読書会指導について論じた『青年読書の実際』(信友社、一九四九年)においてである。

一九四〇年四月付で宮沢は三穂国民学校長・青年学校長に就任するが、その際に宮沢が問題視したのは、青年学校において普通学科、学問、思想芸術が軽視され、青年の団体訓練においては、「独特の気勢を以て、顧慮する余裕を与えず全員を同一方向へ猪突的に駆り立て」ていたことであった。宮沢はこれについて「生活の確実性が失われ」、「一人々々の生活の充実は困難」となるため、青年の将来には、青年の文化水準の昂揚と教養の深化が時局向きの団体訓練よりも重要であると考えた[100]。宮沢にとって読書とは、経験を整理、反省することによって、「経験からよりよいもの」

を生み出す力となるものであった(101)。宮沢は、「読書によって生活に対する自覚を深め、生活内容を充実させる」という信念に基づき、青年の文化意欲を向上させるべく読書会をはじめたのである(102)。

宮沢によれば、読書会のはじまりは一九四一年に青年団の文化部を中心に、各村の教員が木村健雄の『読書論』を読み合わせたことにあるという。さらに宮沢は「自分の書物を持たせる」ことの必要性を主張し、女子青年のために本を購入し、これを貸し出すなどの活動も開始している(103)。

青年団の読書会活動の一環として、輪読会も行なわれたが、これは先述したように二回程度で中止されてしまった。宮沢はその理由として、「「青年」「女子青年」など内容の貧弱、粗雑なものを読むよりは、もっと程度の高い手頃な単行本を読みたい」という要望があったこと、そして「本文を輪番に読みつぐというだけでは無意味」であり、それよりも「銘銘が読みとったことについて感想を発表し、意見を重視する方が大切だ」という声が存在したことを挙げている(104)。このことから、宮沢は各自の感想、意見を発表することが読書の個性化につながり、「本当の読書会」が可能になると考えていたといえよう。

読書日に関しては、「読書の習慣を作るための方法」、「程度の高い書物を端座して読む」こと、そして「要領筆記」がねらいとされている(105)。要領筆記は「作者のいわんとするところを正しくつかむ」だけではなく、読んだ本について「自分のものとして表現」することが可能になるという考えから奨励されていた(106)。宮沢は「感想、批評までいかなければ本を読んだとは言えない」とし、さらに感想や批評を書く事は「自分自身の学問や思想生活の力量を述べることに外ならない」(107)と述べ、このような要領筆記を伴う読書日は感想発表式の読書会へと発展していく準備段階になると位置づけていた。

これらのことから、宮沢は読書による経験の整理・反省に基づく、一人一人の青年の生活内容の充実を目標として読書会を指導していたといえよう。宮沢はこれを「読書と生活の結合」と表現している(108)。そして、このような読書会を支えるものとして、要領筆記などを利用した、個々人の感想や批評の発表が奨励されていたのである(109)。このような宮沢の指導理念に基づき、三穂青年団では読書会活動が展開されていくことになる。

三穂青年団は順調に読書会活動を続けていくが、一九四二年一二月七日には部会が開かれ、長野県立中央図書館長の視察に関する協議が行なわれた。この部会には青年団員だけではなく指導員である萩元や中塚も参加し、視察の日にあわせて読書会の日程を決定し、計画表の内容も少し変更することにしている。この結果、読書会は一二月一七日とされた。(110)

(四) 乙部泉三郎の視察

一二月一三日には青年会員たちが国民学校の旧裁縫室に集まっている。この日の記録には「責任発表者並に指導員の先生方いろいろ御話し致しました。発表いたしました。違つたところ悪かつたところは先生が注意して下さいます」(111)とあることから、乙部の視察に備えて読書会の予行練習を行なったものと考えられる。

ところが、一二月一七日になると、「午後六時半国民学校新裁縫室に於て行ふ予定で有ましたので集まつて居りますが七時半になりましても始まりませんので不思議に思つて先生にお聞きしましたらまだ館長さんが御見にならないそうで有ました。村の有力者の方々、国民学校の先生、単位団の役員の方達も見られますが館長さんが見えられないので流会いたす事になりました。本当に悲しく思ひますが仕方が有りません」(112)とあり、自分たちの読書会の視察がなされなかったことに対する落胆ぶりが率直に記されている。

翌一九四三(昭和一八)年一月一六日には乙部が読書会の視察に三穂村を訪れ、女子会員二名が発表をしている。読書会には、上郷国民学校長、教員一名、三穂村の壮年団長、単位団の部長、三穂国民学校の教員、分団の文化部系の会員が顔を揃えた。急用により、三穂村長と青年団長の宮沢は欠席している。

乙部による三穂青年団の読書会に対する評価は高かったようで、「読書振りは優良でありましたと言つてくださいました」と記録されている。その一方、乙部より発表者は発行部数に言及することや、著者の人となりを簡単に説明すること、そして聞き手に関しては「発表者の批評依りもどの位頭に入つたか、上手に聞くように勉めていただきたい」という「注意」があった。[113] ここで注目されるのは、乙部の「発表者の批評依りもどの位頭にはいったか、上手に聞くように勉めていただきたい」という「注意」である。すでに述べたように、乙部は青年には「自ら読書をして行く正しき能力」がないため、青年学校長などの指導者が「その書物の選択から、その読書によつて得たる結果について指導し批判して行く」ことが不可欠であると主張していた。[114] つまり乙部の主張に従えば、読書発表の内容について批評する立場にあるのは指導者であって、青年たちではない。青年たちに求められるのは、読書した内容を吟味し、批判することではなく、読むべきものとして指定された本の内容、主張をそのまま自身の中に取り込むことであったといえよう。しかしながら、三穂青年団の読書会では宮沢の指導に基づき、青年たちによる批評が奨励されており、乙部の目には、これが青年の自主性を尊重しすぎるきらいがあると映ったとしても不思議ではない。乙部の視察に先だって宮沢の指導の下で読書会の予行練習を行なったのも、宮沢が乙部の理想とする読書会のあり方と三穂青年団のそれとの間には懸隔があることを察知してのことではないかと考えられる。

もっとも、乙部の視察後も従来の読書会の方針は変更されることはなく、むしろ発展していった。発表する書籍がいわゆる「時局もの」であることは物理的にも免れえなかったが、三月一日の部会では、昭和一八年度より作文発表を加えることを決定している。[115] また、四月二六日の第一九回読書会においては、従来より多い、四名の会員が発表を行なっている。この日の記録には「皆回数が重なるに随ひ上手になつて着た様な気がしました。（中略）人数が多くなつたので時間も長くなり閉会が十一時半　こんなに遅くなつたのも初めてでした」[116] とあり、次第に内容の濃い読書会になっていったことが読み取れる。

作文発表会は、七月二八日に第二一回読書会として行なわれ、発表者四人中三人が読書もしくは読書会に関する作文を発表している。この会には宮沢および萩元が出席し、作文発表会について話している。また八月に行なわれた

第二二回読書会には、萩元を含め四人の教員が出席し、萩元が講評を行なった。それによれば、「二分団の読書会が行詰つた末に、又、形が整つてきた　欠点は読んで紹介するのが一番いけない、もう一つは自分の言葉で話せれない（マヽ）、つまり本をはなれない」[117]とある。ここで言われている「読書会の行詰り」が具体的にどのようなものかは不明であるが、同時期に作文発表会が企画され、読書会の一環として取り入れられていることからも、読書会のマンネリ化の打開策としての役割があったのではないかと推察される。しかしながら、注意点として「読んで紹介すること」、「自分の言葉で話せれないこと（マヽ）」などが挙げられていることからもわかるように、自分の言葉で表現することの重要性は一貫して主張されている。このことから、作文発表は読書会で常々指摘されてきた「自分の言葉で話すこと」を強化する一つの方策であったとも考えられる。なぜなら、二月一二日の部会では、読書会に加え、作文発表も継続されていく方針が確認されたからである。作文発表についての協議では、字数を一二〇〇字とすること、作文の内容は読書会に関することとすることなどが決定されている。

　二月二一日の第二五回読書会には乙部が再び視察に訪れ、五名の会員が発表を行なった。この日は、宮沢以下「大勢の諸先生方」が出席し、発表後、館長、宮沢、萩元が感想と批評を述べている。これについては、「どの先生方の申されるのも大体は似ておりまして、一番大きな事は本を離れて自分の言葉で話して貰う様にとそれぞれ批評をして下され、考へられる所が多くありました」と記録されている。[118]「自分の言葉で話すこと」の重要性を強調する姿勢に大差はなかったといえよう。

　二回分をあわせた第二七・八回読書会・作文発表会〔日付不明＝筆者注〕については、「今日は二回分でありましたので時間も割合にかかりましたが、緊張して聞いて下されありがたくありました」とある。また、四月一六日には文化部部会が、同二四日は部会が開催され、両日とも萩元と中塚を招いて読書会について懇談している。二四日の部会では、作文発表会を五回、発表〔読書感想発表のことか＝筆者注〕を五回行なうこととし、会そのものは二時間、一人一五分を持ち時間とし、最大で四人の発表を行ない、その後「話会」を二〇分とすること、教員の発表は二時間というタイムスケジュールが決められた[119]。この日の部会で注目されるのは、「作文は大体部員級以上 書籍は以下の方として月別表を作る」という取り決めがなされたことである。ここでいう「部員級」とは青年団の幹部クラスを指し、会の中心となって活動している人間であるとすると、作文は読書の感想発表よりも一段レベルが高いものとして設定されていたと考ええられる。

一九四五年五月には、読書発表と作文発表を併せた会が二回、七月と一〇月、そして第三三回目〔一一月と推定される＝筆者注〕の読書・作文発表会が開催され、それ以降の記録はない。五月以降の記録は、これまでの記録と比較して、発表者および発表題目のみが記される簡潔なものとなっており、また敗戦に関しても特別な言及はない。その理由を明らかにすることは現時点では不可能であるが、戦局の深刻化および敗戦後の混乱にともない、読書会の内容を以前のようにつぶさに記録する余裕がなくなったことが大きな原因ではないかと考えられる。

(五) 三穂青年団読書会の特徴

以上、限られた記録からではあるが、三穂青年団で行なわれた読書会活動を概観してきた。三穂青年団における読書会活動の特徴について確認しておこう。

第一の特徴は、この読書会が女子青年会員を中心に行なわれていたことである。名目上、三穂青年団第二分団は、「男子女子青年団」とあり、男女合同であったが、実質上は女子青年会員により運営、発表、さらに記録が行なわれている。読書会の前段階として行なった輪読会や、三回目の読書会は男女合同で行なわれているが、そうすると、男子部員に説明や感想を「お願い」することになってしまう。このことに関しては「男子の方達の方へ長く時間を取られてしまつて」と不満が記されており、読書会も回を重ね、発表に慣れてくるに従ってできるだけ女子会員の発表を行ないたいという意欲が芽生えてきたのではないかと考えられる。この後、男女合同での発表が見られるのは、乙部が視察した読書会のみである。当時の時代背景を勘案すると、女性のみでの会の方が感想発表などを行ないやすいという配慮に基づいてのことであろう。

第二の特徴は、読書会活動が輪読会、読書日、読書会、さらに作文発表など試行錯誤を繰り返しつつ、最終的には読書会活動が活発化するように組み立てられていったことである。読書会活動の経営に関しては、宮沢はじめ萩元ら「指導員」が毎回読書会に参加して、感想、批評を述べたほか、しばしば部会を開催して女子青年会員の相談に乗るなど明確な指導性を発揮している。しかしながら、この指導は必ずしも一方的なものではなく、女子青年会員の反応をみながら展開されていた。このことは、輪読会が低調に終わった後すぐにこれを廃して感想発表式の読書会に切り替えたり、読書会活動の基盤となる読書習慣を定着させるべく読書日を設定したこと、読書会そのもののマンネリ化を脱するべく作文発表会を導入したことなどに反映されている。これらのことから、三穂青年団における読書会活動は、宮沢の指導理念に基づき、学習者の反応や状況を踏まえつつ展開されていたといえるのである。

第三の特徴は、三穂青年団の読書会が、「一人々々の生活内容の充実」、さらに読書による経験の整理・反省によって「よりよい生活を生み出す」ことを目的に指導されていたということである。この点において、在村の指導者である宮沢の読書指導理念は、読書会活動の目的を国家への「御奉公」としていた乙部や、文部省を中心に展開された当時の読書指導理念とは必ずしも一致しないのである。

もちろん、宮沢自身が後に回想しているように、読書会のテキストの大部分がいわゆる「時局もの」であり、それによって読書会の性質が一定の拘束を受けたこと、また「一人々々の生活の充実」が結果的には総力戦体制に包摂されていくという可能性も否めない。しかしながら、宮沢の読書会指導は、青年の団体訓練が国家の目的に全面的に引きずられることに対する違和感に根ざしていたこと、そして宮沢が読書指導の過程において青年たちの感想や批評の発表を重視していたことを勘案すると、三穂青年団における読書会は当時の「国民精神総動員」に直結する性質のものであったとは言いがたい。実際に、読書会の記録や感想をつぶさに検討していくと、時局認識に関することよりも、むしろ読書会を開催することや会を重ねるごとに会員の発表が上達していくことそのものに対する喜びを率直に表現した記録が多く見られる。このことから、三穂青年団における読書会には、当時の集団統制的な読書指導理念が貫徹していたとは言い切れず、むしろこれとは異なる理念のもとに読書会が展開された可能性を示しているのである。

小括

最後に、これまでの論を整理・検討して本章のまとめとしたい。

第一次大戦中から開催された臨時教育会議では、通俗教育（後の社会教育）が戦後の「教育改造」の一翼を担うものと位置づけられ、従来のように思想上問題のある出版物を「取り締まる」ことに加えて、「善良ナル読物」の供給を豊かにするという積極的な手段を講じることが主張された。この結果、図書館は「良書閲読の奨励」による思想善導機関として明確に位置づけられることとなる。

しかしながら、一九四二年の『読書会指導要綱』の発刊前後から、従来の「良書閲読の奨励」は読書の解釈まで踏み込んでその内容を統制しようとする「読書指導」へと転換していくこととなった。四二年の『読書会指導要綱』の発刊を契機として、読書指導は二つの性質を持つものとして捉えられる。第一の性質は、読書指導が総力戦体制下で求められていた学習者の自主性、自発性に基づいた自己教育を可能にすることである。第二の性質は、集団的な読書指導、すなわち読書会による指導によって、学習者の理解・解釈というより深化したレベルにまで踏み込んだ統制を可能にすることである。これらのことから、読書指導の理念は、一九四二年前後を境にして「良書閲読の奨励」から読み・解釈のレベルにまで踏み込んだ「読書指導」へと質的に転換してゆき、その過程で一定の方向へと学習者の解釈を統制するべく「読書会」という集団的な読書指導の形態が奨励されていったのである。

このような読書指導論をいち早く取り入れ、実践しようとしたのが県立長野中央図書館長・乙部泉三郎であった。乙部は農村青年の読書指導に特化し、当時の青年たちの思想的動揺などの背景を踏まえつつ、「時局文庫」の青年団への発送などにみられる積極的な活動を展開している。乙部は、時局下における農村青年の読書は、個々人の利益よりもあくまで国家への「御奉公」を目的として行なうべきであり、個人的読書から集団的読書へと発展させなければならないと主張している。さらに、集団的読書においては青年たちが誤った解釈をしないよう、青年学校長らが「指導」を行なう読書会を奨励した。

一方、長野県の三穂青年団では、宮沢三二青年団長の青年の「一人々々の生活内容の充実」、読書を通して「生活をよりよくする」することを目的とした指導理念のもと、女子青年を中心に活発な読書会活動が展開されていた。この読書会では、青年団長を初めとする「指導員」が明確な指導性を発揮し、また読書会のテキストもいわゆる時局ものが大半を占めるという時代的制約はあるものの、女子青年たちがテキストについて自分の言葉で感想、批評を述べ、聞き手もそれに対して批判的検討をすることが奨励されていた。この点において、在村の指導者である宮沢の指導理念は、国家の利益を目的として読書指導を展開しようとする、乙部をはじめとする昭和一〇年代の読書指導理念とは一線を画するものであったといえよう。これらのことから、先行研究で指摘されてきた、青年の思想統制を目的とする読書指導理念は、在村の指導者に至るまで貫徹していたとは言いがたい。三穂青年団の読書会に見いだされた在村指導者の読書指導理念と乙部をはじめとする国家の指導理念との「ずれ」は、当時の時代的制約の中にあって、『読書会指導要綱』などで提示された、読書を「国家への御奉公」へと収束させようとするものとは異なる読書会が生み出された可能性を示しているのである[120]。

もちろん、このような読書会がひとえに宮沢をはじめとする指導者の読書指導理念によって生み出されたとすることは早計である。宮沢が青年たちの自主的な選書に基づく、感想発表会形式の読書会を展開した背景には、当初実践しようとした当時のモデルどおりの読書指導に対する、青年たちの率直な不満に直面したという経緯があったことを忘れてはならない。読書会の実践に際して、当時の読書指導理念どおりにはいかないという「挫折」に直面して指導方法の変更を余儀なくされ、このことと宮沢自身の読書指導理念とが相俟って、結果的に当時の読書指導理念とは異なる読書会が誕生しえたのだと考えられる。

指導者の指導理念が読書会活動の性質にどのような影響を及ぼすものであるか、さらに指導者が読書会参加者、すなわち学習者の反応を指導の中にどのように位置づけていくかという問題は、戦後の読書運動の展開を評価する上でも重要な視点を提供するものである。このことを踏まえ、次章では戦後の読書運動がどのように展開されていくのかという問題について、戦前の実践との連続性、不連続性も含めて検討していく。

（1）図書館数は公・私立合わせて一九二一（大正一〇）年には二〇五五館であったが、一九二六（昭和元）年には四三七七館へと増加している（図書館数は各年の『日本統計年鑑』による）。

（2）一九三八（昭和一三）年一〇月に、内務省警保局図書課によって「児童読物改善ニ関スル内務省指示要綱」が成立した。この要綱の成立には、城戸幡太郎、波多野完治はじめ、小川未明などの童話作家らの答申が影響を及ぼしている。詳細については浅岡靖央「〈児童読物改善ニ関スル内務省指示要綱〉の成立――幼少年少女雑誌改善に関する答申案との照合」（『児童文学研究』第二七号、一九九四年、九四―一〇五頁）、同「〈児童読物改善ニ関スル内務省指示要綱〉にいたる経緯」（『児童文学研究』第二三号、一九九一年）を参照。

（3）小川剛「教化動員下の社会教育施設」『日本近代教育百年史　社会教育(二)』第八巻、一五一―二〇八頁。

（4）奥泉和久「戦前の図書館における「読書指導」の導入について――一九三五〜一九四〇年」（『図書館界』第四四巻第一号、一九九二年、二―二二頁）、同「戦時下における読書指導の展開」（『図書館界』第四六巻第一号、一九九四年、二一―一二頁）。

（5）松本三喜夫「輪読会と民衆動員」（『図書館学会年報』第三一巻第四号、一九八五年、一七七―一八四頁）。

（6）このほか文書教育について言及したものとして多仁廣照「福井県下昭和前期青年団団報と文書教育」（『敦賀論叢』第六号、一九九一年、六一―七九頁）、宮内美枝「埼玉県利島村青年団体と出井菊太郎――一寒村における青年団体の存在」（地方史研究協議会『内陸の生活と文化』一九八六年、三四二―三六六頁所収）がある。

（7）前掲注3、一九七頁。

（8）前掲注5、一八四頁。

（9）国民読書運動が展開される一九四三（昭和一八）年までを主たる分析対象とする。

（10）なお、下伊那地方では戦後、飯伊婦人文庫による女性の読書運動が展開された（拙稿「一九六〇年代における読書運動──飯伊婦人文庫の活動を中心に」『日本社会教育学会紀要』第四一号、二〇〇五年、七三─八三頁）。この運動の背景には、戦前の青年団における活発な読書活動があると考えられ、本章も戦後の活動との連続性を検討することを視野に入れて書かれている。

（11）裏田武夫・小川剛「明治・大正期公共図書館研究序説」（『東京大学教育学部研究紀要』第八号、一九六五年、一五三─一八九頁）、拙稿「地方改良運動期における読書と社会教育──井上友一の「自治民育」構想を視点として」（『哲学』第一一五集、二〇〇六年、一一五─一五五頁）。

（12）文部省『資料臨時教育会議』第五集、一九七九年、一四四頁。

（13）「通俗教育ニ関スル件答申理由書」同前書、一四六頁。

（14）これらは『社会教育』における乗杉嘉寿や川本宇之介らの論に見ることができる。

（15）文部次官・松浦鎮次郎は各地方長官に宛てて「近来小学校ニ於テ教科書ノ解説書若クハノ教科書類似ノ図書ヲ副教科書又ハ参考書ト称シテ使用セシムル向有之ヤノ趣右ハ教育上尠カラサル弊害ヲ来スモノト存セラル、ニ付キ厳重ニ御取締相成度依命此段通牒ス」という通牒を出している（通牒発一八号大正一三年五月一四日、『文部時報』第一三六号、一九二四年、九頁）。

（16）「教学刷新ニ関スル件答申」（一九三六年、一〇月二九日）『近代日本教育制度史料』第一四巻、一九五六年、四三─四四頁。

（17）内務省警保局『出版警察資料』第三二号（一九三八年、七〇─一一九頁）には「資料」として小川未明、百田宗治、波多野完治、城戸幡太郎らによる「答申案」が掲載され、これが有害図書の浄化の基準になったという。内務省による児童図書検閲については枡居孝「内務省図書課昭和十三年児童雑誌検閲簿について」『国際児童文学館紀要』第一二号、一九九七年、一四一─一七二頁を参照のこと。

（18）「教育審議会第十三回総会会議録　社会教育ニ関スル件答申」（一九四一年六月一六日）、（『教育審議会総会会議録』第八輯、『近代日本教育資料叢書』史料篇三、一九七〇年、二六─二七頁所収）。

（19）同前。

（20）前掲注3、一八二頁。なお小川は一九三九（昭和一四）年の石川県図書推薦委員会の設立と翌年の『昭和一五年度甲種図書群』編纂をその画期とみなしている。

（21）日本図書館協会『読書会指導要綱』一九四二（昭和一七）年、序（頁なし）。

(22) 同前書、三五頁。
(23) 同前書、四〇頁。
(24) 同前書、五二頁。
(25) たとえば『社会教育』第三三巻第一一号（一九四二年）では「読書指導特輯」、『教育』第十一巻第三号（一九四三年）では「図書教育特輯」がそれぞれ組まれている。
(26) 三輪和敬「児童図書館の現状及び将来——山形男子国民学校児童図書館参観記」『社会教育』第三二巻第二号、一九四一年、六〇頁。
(27) 三輪和敬「子供の読書の躾け方小考」『社会教育』第三三巻第一一号、一九四二年、四三頁。
(28) 有山崧「青年の読書指導(二)」『社会教育』第三三巻第一二号、一九四二年、五三頁。
(29) 同前。
(30) 同前、五四頁。
(31) 有山崧「青年の読書指導(三)」『社会教育』第三四巻第一号、一九四三年、五三頁。
(32) 同前。
(33) 同前。
(34) 同前、五六頁。
(35) ラジオの聴取加入者は一九三一年度に一〇〇万件以上、一九三四年には二〇〇万件以上となった（数字は昭和六年から九年度の『ラヂオ年鑑』による）。しかしながら、当時のラジオ普及には大きな差があり、東京、大阪、名古屋など中央局が置かれた都市の府県に聴取者が集中し、また聴取者にはラジオ受信機の購入と聴取料の支払いが可能な都市中間層が多くを占めていた（野村和「昭和初期のラジオが提供した「婦人」向け学習プログラム——一九二五—一九三三年の番組内容分析から」『日本社会教育学会紀要』第四〇号、二〇〇四年、五一—五九頁）。
(36) 城戸幡太郎「児童文化と放送教育」『教育』第四巻第一二号、一九三六年、六—一一頁。
(37) 田沢義鋪「青年団教育の回顧」『教育』第四巻第七号、一九三六年、九六頁。
(38) 田沢義鋪「ラヂオと青年教育」『教育』第四巻第一二号、一九三六年、七七頁。
(39) 同前。
(40) 同前論文、七八頁。

(41) 同前。
(42) 有山崧「青年の読書指導(四)」『社会教育』第三四巻第二号、一九四三年、四三頁。
(43) 同前。
(44) 同前、四四頁。
(45) さらに有山は、「選ばれた一部の青年をして、指導者の手足となって残余の仲間に働きかけ得るように、集団的に、一定の方向の下に指導すべきである」と主張している(同前、四五頁)。
(46) 県立長野図書館『県立長野図書館三十年史』一九五九年。
(47) 叶沢清介「乙部泉三郎――長野の図書館の歴史を切り拓いた人(先人を語る)」『図書館雑誌』第七七巻第七号、一九八三年、四二七頁。
(48) 同館報は一九三七(昭和一二)年九月より『長野県立中央図書館報』、一九三八(昭和一三)年一月より『信州の図書館』、同年六月より『読書信州』と名称を変え、全七四号で廃刊している。
(49) 乙部泉三郎「座布団の座席も」『図書館雑誌』第三一年第一号、一九三七年、一九頁。
(50) 乙部泉三郎(述)『町村図書館の経営とその振興策』群馬県社会教育課、一九三七年、二頁。
(51) 同前書、八頁。
(52) 同前書、四頁。
(53) 長野県立図書館『県立長野図書館十年史』一九三九年、二四頁。
(54) 乙部泉三郎(述)『農村図書館の採るべき道』長野県立中央図書館、一九三六年、二頁。なお、教員左翼運動と二・四事件、その後の県当局や信濃教育会の対応については『長野県教育史　総説編三』第三巻、一九八三年、長野県教育史刊行会、六四〇－六四六頁を参照のこと。
(55) 前掲注53、二四頁。
(56) 乙部泉三郎「長野県の図書館に就て」『図書館雑誌』第二八年第八号、一九三四年、二四五頁。
(57) 同前。
(58) この経緯については小黒浩司「「優良図書館」の誕生――長野県下伊那郡千代村立千代図書館の歴史」『図書館界』第五五巻第五号、二〇〇四年、二三四－二四五頁を参照のこと。
(59) 前掲注54、『農村図書館の採るべき道』、四頁。

(60) 同前書、六頁。
(61) 前掲注50、四頁。
(62) 乙部泉三郎「飲食と読書」『県立長野図書館報』第三号、一九三五年、一〇頁。
(63) 同前。
(64) 乙部泉三郎「時局と図書館」『長野県立中央図書館報』第一三号、一九三八年、七〇頁。
(65) 前掲注46、六〇–六一頁。なお、文部省は一九三八年より全国各府県立図書館に対して、国民精神総動員費として三五〇円の交付をはじめたが、県立長野図書館はこれに加え、五〇〇円を奨励金として交付されている。初回は約三〇冊が貸与された。なお、時局文庫の実施要項は以下のとおりである。

一、趣旨　県下男女青年ヲシテ時局ヲ認識シ之ニ対処セシムル為ニハ各種ノ方法アランモ文書ヲ通ジテ行フハソノ良法タリ。本館ハ左ノ事項ニヨリ之ニ関スル書物ヲ積極的ニ交附シ其ノ閲読並ニ読了後ノ座談会ノ開催ヲ勧奨セントス
二、時期　昭和十三年十二月以後
三、編成　ソノ内容ハ別紙目録ノ如シ
四、読者　農村男女青年ヲ主トス
五、費用　一切本館負担トス
六、読了後ノ書物ハ貴青年団ニ保存ノコト
七、報告　実施後ハソノ状況報告ヲ乞フ　報告ハ特ニ左ノ点ニ願ヒ度シ
　1、得ル所ガ有ツタカ
　2、ドノ書物ガ良カツタカ
　3、今後ノ継続ヲ希望スルカ
　4、其他ノ希望・感想等

(66) 乙部泉三郎「時局文庫の配布——県下図書館に告ぐ」『長野県立中央図書館報』第二二号、一九三九年、一二一頁。
(67) 前掲注62、九頁。
(68) 前掲注50、八頁。
(69) 乙部泉三郎「時局下に於ける青年の読書」『長野県立中央図書館報』第一四号、一九三八年、七四頁。
(70) 乙部泉三郎「時局下に於ける図書館事業研究協議会——県下図書館網の総動員」『長野県立中央図書館報』第二三号、一九三九年、

一三三頁。

(71) 乙部泉三郎「読書の機会均等――町村図書館必備の時代来る」『読書信州』第三七号、一九四〇年、二一五頁。

(72) 乙部泉三郎「農村娯楽と農村図書館」『読書信州』第四〇号、一九四一年、二三一頁。

(73) 乙部泉三郎「町村の図書館」『読書信州』第四八号、一九四一年、二七一頁。

(74) 乙部泉三郎「読書会とその採用図書」『読書信州』第七三号、一九四三年、三八五頁。

(75) 乙部泉三郎「地方小図書館の活動」『読書信州』第四九号、一九四二年、二七五頁。

(76) 乙部泉三郎「青年と読書計画」『読書信州』第五七号、一九四二年、三二一頁。

(77) 乙部泉三郎「指導読書と自発読書」『読書信州』第五八号、一九四三年、三五七頁。

(78) 同前。

(79) 『角川日本地名辞典　二〇　長野』角川書店、一九九〇年、一〇八一頁。

(80) 宮沢三二「回想」『三穂小学校の百年』三穂小学校百周年紀念事業実行委員会、一九七三年、七五頁。

(81) 同前書、七六頁。

(82) 「三穂女子青年会々則」によると、三穂青年会は「女子青年の純真ナル精神ヲ基礎トシ精神修養ト生活ニ必要ナル智識ノ研究ヲナシ以テ女子青年トシテノ本文ヲ尽ス」ことを目的とし、会員は三穂村在住の一五歳から二五歳までの女子とされていた（「青年会関係昭和十二―二十七年」三穂支所文書、飯田市歴史研究所所蔵）。

(83) 「昭和十二―二十七年　青年会関係」三穂支所文書、飯田市歴史研究所所蔵。

(84) 「三穂青年親友会沿革」一九二八年、三穂支所文書、飯田市歴史研究所所蔵。

(85) 正確には読書会活動の前に、一九四二年四月から輪読会が行なわれ、一九四五年一〇月以降も一回読書会が行なわれている（日付の記載なし）ので、これらも分析の対象に含めた。三穂青年会の記録によると一九四一（昭和一六）年度にも輪読会が開催されているが、詳細な記録はない。

(86) この事業計画には（備考）として、「読書会　「葉隠講話読合会」（男子第一分団）「読書研究会」（第二分団）「読書研究会」（男子第三分団）指導員の指導による」との記載があることから、他の分団でも読書会やそれに類する活動が展開されていたと考えられる。

(87) 昭和一九年度の「読書会　研究発表者並作文発表者月別表」の後には、「◎毎月発表会予定日は　毎月二十五日」との記載があるが、実際には日付にはこだわらずに開催されていたようである。

(88) これが大日本連合青年団における文書教育指導員を指すかどうかは不明であるが、資料の表記に従った。
(89) 各教員の職位は「三穂小学校職員録」(飯田市立三穂小学校所蔵) による。
(90) 宮沢三二『青年読書の実際』信友社、一九四九年、八五頁。
(91) 「三穂男子女子青年団　第二分団、昭和十七年度文化部記録」四月二八日、三穂支所文書、飯田市歴史研究所所蔵 (以下「記録」、日付の順で記載する)。
(92) 同前。
(93) 「記録」、五月一二日。
(94) 同前、七月一二日。
(95) 同前。
(96) 同前、九月八日。
(97) この後、男子部員と合同の発表が行なわれるのは、乙部をはじめとする有力者の視察があった時など、読書会が公開された時のみである。
(98) 「記録」、一一月一八日。
(99) 同前、一二月一八日。
(100) 前掲注90、二七－三〇頁。
(101) 同前書、一四三頁。
(102) 同前書、三〇頁。このほか、宮沢は当時の青年は「ものを見、ものを感じ、ものを考える力、そして表現する能力がまことに乏しい」という問題意識に基づき、「深くものを見、感じ、考える力を養い、豊かな表現能力」を養うべく「生活を深化し、教養を深めなければならない」として俳句研究会を開催している (同前書、一三二頁)。さらに宮沢は創作活動と読書との関連について「創ることが大切であると共に、読むことが大切であります。創る為には読まねばならない」(同前書、一四一頁) として創作と読書とは相補的な関係にあるという見解を示している。なお、宮沢は図書館の活動に興味を持つようになったのは、「外国文学の雑誌をとりたいと考えて」、「ロンドン・タイムス社から出ている Literary World という雑誌を注文」したところ、実際には「Library World という図書館雑誌」が届き、「長いこと雑誌を無料で送ってくれた」という偶然によるものであったと回想している (宮沢三二原稿「読書指導について――私の見た女子高生の読書から」執筆年不明、頁なし)。
(103) 宮沢は当時の書籍について以下のように回想している。「いうまでもなく当時は大戦のさなかであったから、文化や読書は後廻しにされ勝ちで、村から図書館へ与えられる予算も乏しかった。そこで私の考えたのが、団員めいめいに書物をもたせ、貸し借りをさせるということであった。まず□農期や養蚕上りに買いたい希望図書を書いたものへ現金を添えて提出させる。金は概算で、金額は各自まちまちである。最高は十円くらいであったと記憶しているが、当時は校長としての私の俸給が百円程度だったから、五円十円も馬鹿にならない金額である」、「私は購入希望図書の提出が終ると、青年学校（戦後廃止された）の職員や、時には青年団文化部の役員と共に飯田市へ出て、書物を購入するのである。戦争が烈しくなるにつれて、出版界もマヒ状態となり、欲しい本も買えなくなったので、第二第三の希望図書も申し出てもらったが、図書の選択に困る団員のためには、私が本人のそれまでの読書経路や性格を勘案して購入するようにした。こうして購入が終ると、書名、著者名、所有者（購入者）の一覧表を印刷して団員に配布し、貸し借りの便をはかったのである。この方法は図書館予算の乏しさを補うためのものであったが、結果においては「形のない図書館」をつくることであった」（宮沢三二、前掲注103原稿、一一頁）。これらの回想から、宮沢は青年たちが希望どおりの読書ができるようにさまざまな工夫をしていたことがわかる。

（104）前掲注90、七八頁。

（105）同前書、八三頁。

（106）同前。

（107）同前書、八四－八五頁。

（108）同前書、一一二頁。

（109）宮沢の読書指導理念についての詳細な検討は次章における言及と併せて検討する。宮沢は図書群による読書指導については多量の本が必要であるという物理的な理由、さらに他人の定めた書物の系列にしたがって読書することは読書の自主性を喪失する危険性があり、自主的な読書を求める者は、このような系列に従うことを肯じないのが普通であるとして、これを採用しなかった（同前書、一二二頁）。このことから、宮沢の読書指導理念は、集団的な読書指導を通して青年たちの読み・解釈を統制していこうとする当時の読書指導理念とは一線を画する可能性を持つものであったことを指摘しておきたい。

（110）「記録」、一二月七日。

（111）同前、一二月一三日。

（112）同前、一二月一七日。

（113）同前、一月一六日（一九四三年）の記録。

（114）前掲注77。

(115)「記録」、三月一日。
(116)同前、四月二六日。
(117)同前、八月一三日。
(118)同前、二月二一日。
(119)同前、四月一六日および二四日。
(120)筆者は、宮沢が戦後も下伊那地方において青年たちの読書指導に携わったこと、さらに戦前から戦後直後にかけて青年会での読書活動の経験のある人々が、戦後の下伊那地方における読書運動の展開に携わっていることから、戦前から戦後にかけての読書会活動の連続性／不連続性を次章において考察する。また、三穂青年団の特殊性と読書会の発展に果たした役割、下伊那地方における他の青年団の読書会との比較検討に関しては、今後の研究課題としたい。

第五章　戦後における読書活動の展開

——長野県下伊那地方における読書運動を中心に

敗戦を機に、学校教育を初め、あらゆる面での教育改革が展開されるが、社会教育もその例外ではなかった。特に、一九四五（昭和二〇）年から一九六〇（昭和三五）年に至る「社会教育法体制期」は、「民主主義を理念とする近代市民社会形成の一要素としての社会教育へその様相を一変させていった時期」であった。(1)またこの時期の特色として、社会教育の法体制が整備されたことに加え、「国民の側からの文化的・教育的要求が高まり、それらが憲法・教育基本法が保障する国民の権利として組織化され、従来の団体とは異なった形でのサークルやグループが生れ、さらにそれらが大きく呼応しあってさまざまな文化運動・教育（学習）運動が展開されていったこと」が挙げられる。(2)

長野県の社会教育の動向を見ると、一九四五年一二月一〇日、長野県は文部省訓令に基づく「社会教育ニ関スル件依命通牒」を受けて、市町村社会教育委員や青少年・婦人団体の設置、学校施設の開放と図書館・博物館の整備増設、成人教育・婦人教育講座の開設や郷土芸術活動の展開などを市町村に呼びかけている。(3)戦後の社会教育の新機関として公民館が登場する一方、図書館は戦前とはまったく異なる教育方針の下での再編を要求された。具体的には、GHQの指令に基づき、図書館から軍国主義・超国家主義的書物が排除されることとなる。それと同時にGHQは情報教育を強化することを目的として、長野県立図書館に進駐軍読書室を設置し、これは勤労動員で読書から遠ざかっていた青年たちに大いに利用された。(4)

行政による改革が展開される一方、農村地帯では「久しきにわたって文化的飢餓の状況にあった国民、とくに青年層の間から文化的要求や娯楽を求める声が膨拝として高まり、疎開文化人や海外からの引揚者・復員兵士などの指示と協力を得て、多彩な文化活動が全国津々浦々で盛んに行われるように」なった。(5) 文部省による戦後教育改革の中で新たな方針に基づく社会教育が推進されるが、これに呼応する形で青年たちも各地で活発な学習・文化運動を展開していくこととなる。なかでも長野県は知識人が多数疎開していたという事情もあり、青年の文化活動は彼らから多大な影響を受けていると言われる。一九四六（昭和二一）年には、新たに結成された労働組合の文化部や青年会の演劇活動、農村文化協会の諸団体の読書会・講習会などが盛んに開催された。(6) そしてこのような活動は、一九五〇年代半ばに入ると「初期の啓蒙的教養の段階を超えて現実の社会や生活との矛盾に直面し、これを乗り切るかたちで初期の啓蒙・理念とは異質の、より具体的・現実的な学習へと発展し、生活記録運動や、共同学習・仲間づくりといった独自の学習方式が広範に持込まれ」る。(7) また、この時期は、青年たちの学習・文化運動の勃興にほぼ一〇年間の遅れをもって、「一般の婦人たち」を構成員とするＰＴＡや婦人学級などで、さまざまな学習活動が見られるようになるという意味においても特徴的であるといえよう。(8) 長野県のＰＴＡ母親文庫の活動が、信州大学教育学部付属小学校のＰＴＡ活動として始められ、これが全県に拡大するのは一九五二（昭和二七）年のことである。(9)

このような動向の中で、戦後の読書活動が誰によって、どのように展開されていったのか、長野県下伊那地方を中心に検討していくことにしよう。

一　戦後読書活動の展開——読書会連絡会を中心に

長野県では敗戦直後から青年たちの活発な活動が展開され、一九四五年八月から年末にかけて、青年団が組織されている。(10) 読書活動も青年によるさまざまな活動の一環として頻繁にみられるものであり、松本では一九四六年六月に、松本高等学校長・木村秀夫を会長として「松本読書会」が結成されたし、[11] 下伊那郡智里村では熱心な青年たちが資金を出しあって本を集め、読み仲間を増やす運動が「智里読書会」によって進められている。[12] もっとも、当時の読書活動はあくまで各地域で個別的に展開されていたものであり、このような各地の活動に対して全国的な影響力を有していたのは農村文化協会（以下、農文協）の指導であった。農文協が発行していた農文協叢書は青年団の中でテキストとして読まれていたし、農文協主催の読書指導者講演会などは、郡青年団の幹部が読書指導の方法を学習する場として活用されていた。[13] 特に、農文協の『農村青年通信講座』を利用した読書会は、全国規模で展開されることとなる。また、農文協はこれらの読書会活動を促進するべく、図書の斡旋も行なっていた。[14]

しかしながら、農文協の図書などを利用した読書活動はあくまで青年団ごとに個別的に展開されていたにすぎない。これに対し、長野県において全県的な読書（会）活動の組織とその指導を行なったのが、松本市立図書館長・小笠原忠統（一九一九―一九九六年）による「読書会連絡会」と、長野県立図書館長・叶沢《かのうざわ》清介（一九〇六―二〇〇〇年）によるＰＴＡ母親文庫の活動である。[15] 以下では、下伊那地方の青年団や婦人会の読書活動と特に関連の深い、小笠原の読書指導を概観した上で、下伊那地方における読書活動がいかなる理念に基づき、どのように展開されていったのかを検討することにしよう。

(一) 松本市立図書館長・小笠原忠統による読書指導

本項では、小笠原忠統が松本市立図書館を中心として、どのように読書会活動を推進し、組織化しようとしていたのかを明らかにしていく。

小笠原が松本市立図書館長に就任したのは、一九五二（昭和二七）年二月一日であるが、実際には一九五一（昭和二六）年夏頃から、館長の健康問題を背景とした館長人事が検討されており、小笠原は一〇月に開催された同図書館の定例会に参加している。一一月一六日には館長人事について市長との合議があり、同日嘱託として図書館勤務を開始した。[16] 小笠原は嘱託職員就任直後からNDC分類法への切り替え、館員や公民館職員に対する説明会の開催（一一月一九日、二二日、二九日、一二月七日）、開架式貸出しを想定した出納カウンターの設置[17]（一二月八日）、カトリック日曜学校への図書普及活動（一二月九日）、レコード貸出しやレコードコンサート開催の検討（一二月一三日、一二月二八日）などに着手する。一九五一年一二月三一日の『日誌』（松本市立中央図書館蔵）には「十一月十六日小笠原さんをお迎えしてから強力にサービス、レファレンスワーク其他刷新して本年終る」とあり、小笠原がまずは図書館内部の改革に乗り出したことがわかる。

小笠原は翌一九五二年も引き続き図書館の改革に努め、繁忙化する図書館業務の手伝いをする「友の会」の結成（二月二一日）、レコードコンサートの開催（四月二四日）などに踏み切り、図書館予算も前年度費より二〇万円増額して獲得している。しかしながら、五二年は小笠原が館内活動の充実のみならず、館外活動に着手するという意味において画期的な年であった[18]【資料編、表8】。五月一日、館長が錦部村に出張して以降、錦部村の青年団員の研修を目的とした来館（五月四日）、巡回文庫の貸出し（五月八日）などを通して緊密な連絡が取られるようになり、七月八日から九日にかけて同村の読書会に出席すると、その後も青年団員が読書会の運営について来館するたびに面会し、相談に乗っている。小笠原自身も「東筑摩郡錦部村七嵐青年団の読書会結成の援助をしたのが始まりで、現在松本を中心として、四三組に及ぶ青年や婦人の読書会が生まれ漸次その数を増す傾向[19]」にあると報告しているように、これを皮切りに小笠原は県下の読書会を組織結成するべく精力的な支援、指導を展開することになる。これらの読書会は、青年団のみならず、婦人会主催のものも含まれていた。同年の『日誌』によると、五二年は「松本図書館史に大きな足跡を残した一年」と総括されている[20]。

翌一九五三（昭和二八）年は、読書会指導を目的とした出張がほぼ毎日あり、ときには一日で三つの読書会に顔を出すことさえあった。また、この年は松本近郊のみならず、南信にも足を伸ばし、下伊那郡大島村（一〇月一二日）、川路村（一一月二〇日）の読書会にも指導に出かけるようになる。一九五四（昭和二九）年になると下伊那地方への読書会指導はかなり頻繁なものとなり、座光寺村（二月二七日）、飯田市（三月二五日）、上郷村（三月二八日）などを訪れている。

それでは、小笠原はいかなる理念に基づき、どのような読書会指導を行なっていたのであろうか。また、実際に読書会に参加した人々は読書会をどのように捉えていたのだろうか。小笠原が訪問し、指導した一つ一つの読書会の活動を検討することは困難であるが、松本自身の論稿や、小笠原が会長を務めていた「松本図書館協会報」（一九五二年創刊、一九五三年より「松筑図書館協会報」となる）の記事、さらに松本市立中央図書館所蔵の当該時期の『日誌』などを参照しながら、当時の読書会指導の様子を再構成してみよう。

(二)　小笠原忠統による読書会の指導理念

小笠原は、読書会を組織した理由について、次のように述べている。

読書会と云うものに私が意図したものは、（中略）従来の読書意欲の強い知識水準のたかいひと達の同好会的なものとしてではなく、読書習慣の少い、従つて読書力も低くその意欲も低調な人達、要するに従来図書館と縁遠かつた人達と読書を結びつける場としてでありました。(21)

「従来図書館と縁遠かった人達」とは具体的に言えば「農村の人達」であり、農村の青年団や婦人会などと接触を始めたという。(22) したがってこのような人たちに読書を普及させることを目的とした読書会は、グループの力により読書の機会をつくり、それを習慣づけ、読書の力を養い、その範囲をひろめ、読書意欲を高め、図書館と農村の不読者層との結び付きを計ることを目的とするもので、感想発表形式と短いテキストによる輪読形式を組合せた読書会で多くの場合巡回文庫の貸出を伴うものである。(23)

と定義される。このことから、小笠原は当初から読書指導の対象を不読者層であるところの「農村の人達」に限定していたこと、彼らの読書活動を推進する方法として集団的な読書会という形式を採用し、その中で感想発表と短いテキストの輪読による指導を行なっていたことがわかる。

もっとも、「農村では〝読書会〟と云う言葉そのものがこのグループに参加することの大きな抵抗になるので、この言葉は〝むづかしいこと〟・〝かたくるしいこと・〝勉強〟・〝生意気〟等との概念と重なり合つて」おり、「読書会にでることが偉ぶつたことだつたり遊んでいることだつたり」したため、「姑などいる家ではこの様な会合に出席することは、余程の抵抗を排除しない限り不可能」であった。(24)「これらの人に対して初めから「読書会」一本槍で臨むことは却つて何か堅苦しい印象を与え勝ちで不成功に了る場合が多」いとみた小笠原は、「他の組織による行事、例えば公民館主催の婦人学級青年学級、ＰＴＡ教養部の行事」などのスケジュールを有効に利用し、それらとの組み合わせる方法を考えたり、(25)婦人会の読書会の場合には青年団と協力して子どもと年寄（姑）対象の紙芝居、幻灯、人形芝居を催して嫁の参加を促すこと、さらにはレコードコンサートの開催や小笠原自身の特技である茶道、華道の指導から誘導するなどして読書会への方向づけを行なっている。(26)また小笠原は、読書会を進行する際には、(27)屋号で呼びかけるようにする、一回で読みきりやすいテキストを経費節減の意味も含めてガリ版で用意するなどの細かな配慮も怠らなかった。

『日誌』によれば、小笠原は各地の青年団や婦人会などから読書会に関する相談があれば必ず面会し、(28)こまめに現地に足を運んでいる。また、一度組織した読書会には、初回以降も継続的に参加していたようである。このような小笠原のきめ細かな指導[29]が功を奏したのか、「二十九年の末頃には県下にもひろがってゆき、その大会を開くまでに」なり、「その結果三十年から長野県読書会連絡会の組織ができ、毎年定期的なリーダーの研修会や大会等をもって、よこの結びつきとしての活動をすすめ」るに至る[30]。それでは、小笠原の指導に基づく読書会はどのように営まれ、参加者たちはどのように読書会を捉えていたのだろうか。この問題について、小笠原が会長を務めていた「松筑図書館協会報」に掲載された読書会のレポートや、読書会連絡会の機関誌『遠近』など断片的な資料からではあるが、検討してみよう。

㈢ 読書会活動の展開

まず、小笠原が読書会をどのように始めたのかを見てみよう。東筑摩郡に位置していた筑摩地村（当時）における「婦人読書会の記[31]」によれば、「私共の村の生活改善研究会の九月の定例会の時であったかと記憶しています。松本図書館長様がお見えになられて読書についてのお話を伺いました」とあり、小笠原が地域の活動に顔を出しつつ読書会結成の勧誘をしたことがわかる[32]。この地域ではもともと読書グループを作りたいという潜在的な要求があったが、小笠原の助言を受けて、四人一組のグループをつくり、読書会活動を開始した。会の参加者は以下のように述べている。

> 小笠原先生はご多忙の中おさしくり（ママ）下さって、いつも時間に御いで下さいますので、もうほんとうに皆さん大喜びで包みをとくのももどかしく「わあすてき」なんて大きな声を出す方もあります。
>
> 本の交換がすみますと次は先生の指導でやさしいテキストの輪読や感想等、遠慮なく話し合いつゝ明治、大正、昭和の年代の人々のそれぞれの感覚の相違を面白く感じます。その後は十時まで皆の知っている歌のコーラスや、輪唱に年を忘れて少女の日に帰った様な顔をして喜びます[33]。

「本の交換」という語があることから、この会では通常は巡回文庫を行ない、月一回の例会の折に小笠原の指導の下で読書会活動、それにあわせてコーラスなどのレクリエーションが行なわれていたのだろう。松本市内の天白町読書会の活動の様子（会員八名）も見てみよう。

集るのは一ヶ月一回、午前九時から十二時まで、館長さんの持ってきて下さるプリントを読んで意見を交換し合い、また館長さんが読書会へいらっしゃるときに自転車で本を持って来て下さるので、各自一冊ずつ読みたい本を選んで借り、四人一組となって一週間毎に本を交換して、毎日図書館の本を手もとにおいて読むという仕組でございます。(34)

このことから、小笠原のいう「巡回文庫」は、読書会の指導の際に館長自身が持参して、交換などを行ない、四人一組のグループ内で本を廻覧するという方式になっていたことがわかる。

読書会で使用するテキストは、「プリント」で、その内容は「純文学、演劇、詩歌、時事問題など凡ゆる面にわたる短い文」であった。(35)「最初は人前で声を出して本を読むことにも困難を感じ、何回読んでも何が書いてあるかさえわからず、感想や意見など全然いうことが出来ませんでした」(36)とあることから、参加者の前でテキストを音読した上で、各自の感想、意見を交換しあう方式となっていたのだろう。

読書会を開始して間もない頃は、「先生の御親切な説明を聞いてなるほどと思うのがようようなほどで、緊張の数時間を続けるので体が疲れ、今さらのように頭の固くなったのに驚き合ったことでございました」とあるように、緊張しきった時間を過ごしたようだが、「二回三回と会を重ねるごとに会員同志《ママ》もなれ、先生にも親しみを感じて来て、今では何でもいえるようになり、いいたい放題グループとして発表しても恥ずかしくない明朗な読書会となりました」と記されており、次第に会員同士の活発な意見交換が行なえるようになったと考えられる。(37)その過程で、「短い文を読んで感じたまま、思ったことを自由に発表して「あなたはそう思っても私はこう考えられます」と生活環境も生活経験も違う人が違う角度から眺めて違論《ママ》を百出し時には思わぬ表現の仕方などで、心のそこから笑はされることがしばしばでございます」という[38]、読書会ならでの「読み」、すなわち解釈の違いの面白さを味わえるように「成長」している。

もっとも、上記は読書会が比較的スムースに運営されている例であり、実際は「地域の文化団体即ち婦人会青年団、4Hクラブ、農協青年部等の組織をそのままに読書会と重ねてしまうとそれらの団体の運営がうまく行っているところは別として、逆の場合は、その団体に旧来からあったいざこざがそのまま読書会に持込まれて、運営上、非常な困難を覚えた[39]」り、読書会の参加者に「能力の落差」が大きく、「グループ中のすぐれた何人かが重《ママ》に発言し、テキストの選択も急速度に高いもの、難しいもの、思想的に極度に片寄ったものになって、グループの実力と遊離したテキストや議論が行われ」、結果として「読書会が生まれてもすぐつぶれてしまう」などの事態[40]に遭遇することが多かった。

小笠原自身は、「図書館員が読書会にタッチする場合、それはあくまで助言者としてであり、積極的な指導意識を持つことは避けなければならない」ことを充分認識しつつも、「現実にはその意欲の無い人達を一つの読書グループに組織化し、それが永続発達し得るまでの相当永い期間、組織に於いても運営に於いても、図書館員が積極的に進出しなければ何としても不読者層と手を握ることは出来ませんでした」という矛盾に悩んでいた。また、「読書会に於ける図書館の比重が、その会の自主性を圧迫しているのではないか」という疑問も常につきまとっていた[41]。同様の問題意識は、小笠原の指導を受けた読書会参加者の側からも示されており、「現在館長さんによる所が多く一人歩きが出来る様努力はしているつもりですが館長さんにお願いしない時の会は何故か間の抜けたような感じがして仲々おもうようにうまくいかないと云うのが現状です[42]」といった不安の声が上がっている。この問題については、「小笠原先生の熱心なご努力の如何に大きかったかを思うとき、今後必要な指導者と、これを受継ぐ指導者が青年の中からゾク々々と生れてこなければならない[43]」と、小笠原のような指導者に依存せずとも、自主的に読書会活動を継続させる方法を模索しようとしている。

しかしながら、小笠原が直面した最大の問題は、なんといっても読書会のマンネリ化であった。小笠原は「読書会も一年以上継続し大体同じようなメンバーでやっているとするとどうしてもマンネリズムに陥入り勝に」なることを踏まえ、「御互いに刺激し合う意味から他村のグループと合同で読書会を行」なったり、「県内のグループ相互の連絡連携をはかり研究を仕合う」べく「各グループの代表二〇〇名が一晩泊りで読書大会を開く」などの対策を講じている。(44) 実際、この動きは読書会の自主性を重視する主張と相俟って一九五五(昭和三〇)年の「長野県読書会連絡会」結成、(45) さらに各読書会相互の連絡強調を図るべく、一九五八(昭和三三)年には松本市内の各読書会約三〇団体による松本市読書会連絡会の結成へと展開していく。(46) 一見するとこの読書会連絡会の結成は、読書会活動そのものの発展を反映するものと捉えられがちであるが、このような「連絡強調」をしなければならない背後には、読書会活動そのものが「マンネリズム」に陥る、という問題が抜きがたく存在していたといえよう。

小笠原と同じく松本市立図書館に勤務していた井口福夫は「昭和三四年頃を契機として連絡会の組織(特に県の組織)にそろそろ転換期が訪れたように思います」とし、マンネリズムに陥った読書会にあっては「広い視野からつっこんだ話し合い、学習活動をおし進めるには、読書会だけの「カラ」の中だけではどうにもならなくなって来ました」と述べている。(47) しかしながら、第一の「転機」は一九五五年の段階ですでに訪れていたと見るべきだろう。なぜなら、井口自身が上記と同じ論の中で「生活記録を中心とした読書会も読書グループの中にひそむ数多くの弱点と、系統的学習の不足から大きな壁にぶつかり、話し合いが同じところをからまわりし、停滞ゆきづまりの傾向があらわれ、中には挫折し消えて行くグループも数多くなりましたが……」(48) と当時の状況を回想しているからである。

このような読書会の停滞およびマンネリ化の原因について、小笠原自身も井口と同様に、読書会活動が「それぞれの生活に根ざした問題点を解決する場としての学習、あるいは共通の目的意識を持つ学習というものには、ほどとおいものであった」(49) と指摘している。さらに、一九六〇年末に開催された長野県読書会大会では読書会停滞の問題が検討され、これには宮原誠一（当時東京大学教育学部教授）も参加して系統学習の重要性を主張し、結果的に読書会連絡会は「私の大学」へと「発展的解消」することとなる。しかしながら、これを文字どおり「発展的解消」とみるか、すなわち「漠然とした学習」から「系統学習」への移行を「発展」と評価するかは判断が分かれるところだろう。なぜなら、読書会のマンネリ化や停滞を指摘する声は同時期の青研集会のレポートや農文協にもみられ、その打開策として一様に「系統学習への移行」が主張されるものの、その一方で必ずしも社会科学的な視点に根ざしているとは言いがたい「読書会」の活動の継続が報告されているからである。

ここで、長野県連合青年団の資料、特に読書会に関する問題が多く取り挙げられ、小笠原が「助言者」として出席していることも多い、飯田市連合青年団関係の資料をみてみよう。飯田市連合青年団の「青年問題研究集会」では、一九五四（昭和二九）年の「サークル活動に寄せて」という報告（山本地区）の中で読書会に関する問題が指摘されている。それによれば、青年団文化部では十年来農文協の読書会を続けているが、「一年もやれば若い人はやめてしまい、あとは「惰性で」行なうことになる、という。一部の青年団員からは「農文協が面白くない」、そして「自分独りでよむだけでなく、皆同じ作品をよんで話しあって見たい」という声が上がり、青年団の図書委員がリーダーとなって二十数名の読書会が発足した。これは「みんなの力で下から盛り上げて作った会」であり、リーダーの能力もあって「割にスムースに運営がきゝすぎて気持ちの悪いくらい」だという。しかしながら、回を重ねるごとに問題となったのがテキストの選択であった。具体的には、「生活雑記を取り上げても会員の集合が悪」いので、「文学」、特に「現代作品の短編」を読むようにしたという。その結果、「以前の読書会の自分たちと、今の自分たちを比較すると、読書方法の変化、社会観の変化」が見られ、「お互いが信頼できるようになった」とされている。もっとも、「仲間づくり」の難しさは存在し、特に「団員とそうでない人たち（勤人などを含む）」のつながりが薄くなっているため、「読書会を普及させる運動」や「会の永続方法」、「図書館との協力」のあり方などを今後の課題として指摘し、報告を終えている。(50) また、伊賀良地区による「会活動の中の読書会」では、「話し合いよりも文学を」という声が参加者から上がっていることが報告されている[51]。

ここで注目されるのは、従来の農文協のテキストや生活雑記などは青年たちにとって興味ある対象ではなく、むしろ文学などをテキストとしたい、またその形式もたんなる話し合いではなく共通のテキストをもとにした読書会をしたいという声があがっていること、さらに同じ地域内であっても「勤人」との生活のずれが意識されていることであろう。青年たちは、同一地域に住みながらも、生活のずれを感じる人々とどのようにして共通項を見いだすのか、あるいは「つながり」を持つかという問題を抱えていたのである。

それにもかかわらず、青年団の会合に出席した小笠原から示される助言は、相変わらず身近な生活雑記をもとにした「話し合い」の重要性であったり、あるいはそれを社会科学的な学習へと発展させた読書会の必要性であったりした[52]。このことは、小笠原が読書会停滞の原因を「それぞれの生活に根ざした問題点を解決する場としての学習、あるいは、共通の目的意識を持つ学習というものには、ほどとおいものであった[53]」として「社会科学的な基礎学習を取りいれてゆくものが多くな」り、「漠然とした学習から、系統的な学習にはいった」ことを肯定的に評価していること[54]からも裏づけられる。このように、小笠原は読書会の有効性をいかに生活に根ざしているか、あるいはそれを「漠然」としたものではなく社会科学的な視点に根ざした「系統的」なものであるかに見いだしていたのに対して[55]、青年たちが読書や読書会に求めていたものは必ずしも小笠原のそれとは一致していなかったようである。

たとえば、一九五五年の「第一回青研資料、女子研資料」には、読書会の進め方について「農文協のテキストは変化がないからやめるようになってきた。自分に直接関係ない事が多いから面白くない」という意見が記録されている[56]。さらに、一九五七（昭和三二）年に開催された読書会研究会では、「従来の読書会は、生活雑記的なものから自分たちの生活に直結した問題を抜粋してつくってきたが、それがマンネリズムになり、（中略）読書への正しい物の考え方や文芸作品を正しい意味で理解し得るか、がお互いの悩みの種となる」という報告があった[57]。このことから、農村で生活する青年たちにとってさえ、農村の問題を積極的にとりあげた農文協のテキストは「自分に直接関係ない事」であり、生活雑記的なものも「マンネリズム」としてしか捉えられなくなっていたことがわかる。むしろ青年たちが求めていたのは「文学」や「文芸作品」であり、必ずしも「生活」に根ざしている事柄ではなかったのである。換言すれば、「生活」に根ざしているからといって、それが青年たちの「生活」観や学習要求と一致するとは限らず、したがって生活雑記も青年たちの関心を捉える力を失っていたといえよう。

この問題は、読書会そのものについても指摘されている。小笠原が初期の頃から指導していた七嵐読書会の読書会報告をみてみよう。

> デモンストレーション、新聞で紹介され、同輩の若い者や、村の人たちから羨望の目で見られ（中略）其の反面、会の内は紹介されるような立派なものではありませんでした。（中略）それは洒落や自惚れや虚栄や見栄坊や塊のようにしか見えませんでした。読書会に来て立派な発言や美しい御尤もな発言をします。なる程とうなずいて帰り又大変楽しそうに、あゝよかったとか面白かったと云っても其の時だけで家へ帰れば又もとの現実にでもしかれるとでも云うのか、読書会と日常生活とを分離した考え方をしてしまっています。（中略）本当に読書会のための読書会になってしまいます。(58)

そもそも参加者自身が、読書会そのものが生活と分離しているという深刻な認識を有していたのである。したがって、青年たちは本当に小笠原が重視した社会科学的な関心に基づく系統学習を求めていたのか、また、読書会そのものをまったく不要と考えていたのかは疑わしい。なぜなら、青研集会で紹介された文学をテキストとした読書会などは、次節で検討するように下伊那地方において継続していくからである。むしろ、「生活」という概念やそれに関する学習を青年たちが求めているがゆえに、社会科学的な系統学習が彼らを引きつけうると主張する小笠原自身こそが、青年たちの読書会に対する要求を捉えきれていなかったのであり、その結果として読書会から「私の大学」への「発展的解消」へと導くことになるのである。

それでは、青研集会で指摘されていたような、「皆で同じものを読んで話し合いたい」という要求に基づく読書会、さらに男性の学習・文化活動に比して困難さと「遅れ」が指摘されていた女性の読書会はどのように展開されていくのだろうか。以下では、この問題について下伊那地方の読書会活動を視点として検討していくことにしよう。

二　女性の読書運動の展開——飯伊婦人文庫の活動を中心に

(一)　宮沢三二による戦後の読書指導

前節で述べたように、下伊那地方では戦後直後から青年団結成の動きがみられ、それに付随する形で読書会の結成が青年団（会）、婦人会などで行なわれるようになっている。[59] 読書会結成のきっかけはさまざまであるが、ここで注目されるのは、戦争末期の三穂村で青年たちの読書会を指導していた宮沢三二が、戦後も下伊那地方の読書会の結成やその指導に少なからぬ貢献をしたということである。

宮沢は一九四六（昭和二一）年飯田市立追手町小学校校長となるが、この時期は学校図書館の普及に尽力していた。[60] その一方、一九四八（昭和二三）年に下伊那郡公民館運営協議会が発足して図書部の研究会が開催されると、宮沢もその指導にあたっている。[61] 宮沢は一九五四年三月追手町小学校を退職するが、この年から居住している部落の婦人たちと読書会を始め、一九五七（昭和三二）年に大島村図書館長に就任すると「家庭文庫」の実施などによって農村の読書普及活動およびその指導に携わることとなった。宮沢がどのようにこれら一連の活動を捉え、実践していったのかを、宮沢の日記[62]（以下、『日記』）および原稿から検討していくことにしよう。

宮沢は「昭和二十九年の夏、私の住んでいる部落の婦人達と読書会をはじめた(63)」としているが、実際には同年の一月二一日付の日記に「読書会あり出席(64)」とあることから、正式な形ではないにせよ、同年の冬から読書会を始めていたと考えられる。「△第一回読書会」と位置づけられている読書会は、宮本婦人会で開催されたものであり、「西尾先生の「生きた言葉」をテキスト」として始められた(65)。

読書会は「毎月一回、時には二回、部落の集会所の薄暗い電灯の下で続け」られ、「その頃は読書会をつくる機運が全国的に動きだしていた時であったということもあろうか、「読む」という作業を始めて《（ママ）》と経験する清新な熱意でもあったと思う」と回想されている(66)。「婦人たちは読書会ではすこぶる熱心であった」が、「家庭ではまとまった読書はしていない。二十四の人員のうち、婦人雑誌の月極購読をしているものは二人、ある婦人雑誌を三人なかまで購読しているものが一つあるに過ぎなかった。まして単行本を自分で買っているとか、図書館から借りているなどというものは全くなかったのである」という状態であった(67)。

この状況をみて宮沢は「婦人たちの熱心さに報いるために、ポケット・マネーで会員数だけの図書を買って読書会に寄付し、廻し読みをしてもらった」りしたが、それと併せて、「村の図書館から本を借りて読まないかと提案した」。ところが、「忽ち一せいに反対されてしまった」という(68)。この時の様子を宮沢は以下のように記している。

―女学校も出ておらんわしが、図書館へ本を借りに行ったりしたら、それこそ笑いものにされちまうじゃなあかな。

―そんなことをしたら生意気なやつだと思われるからわしゃあいあやだ。

―大体うちで許してくれんことはわかっとるじゃあなあかな。

といった調子で全然問題にされなかった(69)。

当時の女性たちは、みずからの趣味や娯楽に自由にお金を使うことが困難であるという物理的な悪条件に加え、「女学校も出ていない」のに読書をすることに対する引け目、読書をすれば「生意気なやつだと思われる」という周囲のまなざしに対する怯え、そして「大体うちで許してくれん」という家のものに対する遠慮といった感情がないまぜとなって、より一層読書をすることが困難になっていたのである。

宮沢は、生活の「緊張度」が高く、個性的な言行を抑圧する性質を持った、農村の人々の日常生活の領域・生活圏を「部落の小宇宙」と名づける。[70] そして「部落の小宇宙」という環境においては、「部落について見聞を広め、部落の宇宙になじむことを生活の第一条件として」いるために、「思考領域が狭小に」なり、[71] 特に婦人層においてその傾向が顕著であると指摘する。これが農村の「封建性」ということになるわけで、「決して農村の婦人は頭が悪いわけではなく、(中略)知識を必要としない生活を長く続けてきた」だけだという。[72] ここで問題となるのは、「農村の婦人の思考領域を拡大するにはどうしたらよいか。この大切な問題に対して図書館はどのようなあり方をしたらよいのであろうか」ということである。[73] 宮沢は「個性的な言動を抑圧されれば、勢い類型的な行動をとるより他に道がない」[74]という「部落の小宇宙」の性質を利用し、農村の女性たちの思考領域を拡大する方策を提案する。それは「個性的言行を避けるということは、類型的な行動をとれる」[75]、「他人との間にバランスを保てる行動ならできる」ことを踏まえて、「これを図書館に結びつければ、勢い集団の形で活動するということになる」というものであった。[76] 宮沢は先の図書館へ本を借りに行くことを提案して、瞬く間に否定された時、次のような対案を示している。

そこで私は、それならみんな一しょに図書館へ行かないかと言うと、今度はそれなら行くといって大きくうなづいた。明るい顔である。一しょなら行く——類型的な行動ならできるということである。そして後になって、これらの婦人たちは次の章で述べるように家庭文庫の会員になって、大手をふって図書館へ出入りするようになった。[77]

この事例は、宮沢に農村の女性たちの類型的な行動パターンを利用して読書活動を推進するという方法を決定づけるものとなる。以下の文章はこのことを端的に示している。

読書を集団の形でおこなうということは、読書という行為を類型的行為にすることである。そして類型的行為は、読書を目立った奇特な行為として考えさせないことであり、従って一人々々に一種の安心感を与えることである。平たく言えば、私も読書しているが、お隣のおばさんだって読書している、と考えさせるのである。そして時にはお隣のおばさんに負けないという良い意味での競争心をかき立てることにある。(78)

このことから、宮沢にとって集団的な読書形態（貸出しも含む）は、農村の人々、とくに女性たちに読書活動を推進するべく、必然的に選び取られたものであったといえよう。宮沢は「読書組織は読書組織そのものに目標をもつものではない。組織を通して個人読書を形成するところに目標をもっている」(79)と述べており、集団で読むことそのものに対して、読書を農村の女性たちにとって身近なものとし、読書習慣をつけること以上の意味を見いだしてはいなかった。このことは、宮沢が「もともと読書は個人現象」であって「集団で読むということは非常に不自然なことである」のだから、(80)町村図書館活動はあくまで「集団を基礎として個人現象としての読書がおこなわるべき」ことを目標とするべきであると主張していることからも裏づけられる。(81)むしろ、宮沢自身が実践していた「家庭文庫」も、形の上では集団読書であったとしても、「読書は一人々々でなすべきものであることを自覚し、家族のひとりひとりがめいめいの読書をすること」、「内容的には個人読書の成立」であり、それは集団読書の「発展的解体」とみるべきものであった。(82)

宮沢は「個人読書の成立」の通過点として「集団読書」を位置づけ、読書会を推進していくこととなる。なぜなら、宮沢にとっての最大の問題は、「農村に潜在する利己主義や、そこから派生する従属的な身分関係、あるいは生活の封建性[83]」を解決することであったからである。そのためには、「良質の、しかも共通の話題」によって「相互の理解、信頼、愛情」を生み出し、「意見の対立があっても必ず次の理解を生み出す」、「進歩的な人間関係の構築」が不可欠であり、これを促進する役割を図書館が担い、特に「共通の話題をもって話し合う」読書会が有効であった。

読書会ではお互いが同一のテキストを読み合い、共通の話題をもって話し合い、読書力を育成しあい、意見を交換し合う。そこから個人の成長と相互理解が生まれ、相互の信頼即ち新しい人間関係が生まれる。そしてさらには現実の生活を改革しようという熱意も生まれる。いや、そういうものを生み出すような読書会であることが最も望ましい。[84]

つまり、宮沢にとって読書会とは「部落の小宇宙」という言葉に表現される農村の封建性を打開する方策であり、これを実行するために「封建性」を象徴する「類型的な行動をとる」性質を逆手にとって「集団読書」を選択したのである。これは宮沢が集団で読むことそのものを最終目的としていないことを示している。[85]

以上のような理念に基づき、宮沢は読書会を含めた読書指導を自身の居住地域を中心に展開していった。「昭和三十二、三年ごろは、全国的にも読書会運動の最盛期」であったこともあり、大島村には「十六の読書会」――「婦人会のもの、青年団のもの、4Hクラブのもの。郵便局のもの、農業経営のおじさんたちのもの」があり[86]、宮沢が図書館長に就任して推進した家庭文庫は「グループ数一七二、会員数六九〇人であった[87]」という。

読書会の指導は、「宮本婦人会の婦人読書会の件で、綿屋、秋屋の細君来る。続いて土井場の細君来る[88]。読書会の打ち合わせをする。こんなことで午前中を終わり2時[89]」とあり、「婦人相手は骨が折れる」といった苦労もあったようだが、全体的には「大いに活気があり愉快であった[90]」り、「出席人数が多く、活気のある読書会[91]」であることに満足していたようである。また、次節で言及するPTA母親文庫の活動が一九五七年より開始されたこともあって、頻繁にＰＴＡ向けの読書に関する講演会に講師として出席することとなるが、「皆々熱心で話し甲斐があった」[92]、「手ごたえのある講演」[93]、「蒸し暑い日であったが居眠りする者もなく大いに愉快であった」[94]など、熱心な聴衆を前にして全般的に好意的な印象をもっていたようである。

その一方、小笠原忠統とは、一九五四年二月二八日、小笠原の突然の来訪を機に知り合うこととなるが[95]、その読書会指導のあり方にはいくぶん違和感を覚えたようである。読書指導者講習会では「小笠原館長主宰の読書会のデモンストレーション」を見るが、「どうにも見当の違った読書会」と評しているし[96]、後には飯田市立図書館長・木下右治から読書会デモンストレーションについての報告を受け、その内容について「小笠原式のやり方で滑稽である。殿様らしい仰山なものだ。こんなことをしなければ読書運動の展開ができないとは情けないことだ」[97]と評している。宮沢が小笠原の指導のどのような部分に対して違和感や反感を覚えたのかは定かではないが、いずれにせよ宮沢が小笠原の読書指導のあり方に同調していなかったことは明らかである。

これまで述べてきたように、宮沢にとって最も大きな問題は「多くの人たちに良質の共通の話題を持たせることによって新しい進歩的な人間関係を作る」ことにより、村の封建性を打破することであった。宮沢が重視していたのは、生活の充実や改善であり、このことは宮沢の教育長時代から公民館主事を務めていた松下拡氏の「『生活の中に読書を』という考え方であり、生活と無関係に読書があっても無意味と考えていたのではないか」[98]という証言からも裏づけられる。宮沢は「生活の充実」を目的として集団読書、すなわち読書会を位置づけ、その活動を推進・指導していたのであった[99]。したがって宮沢にとって集団読書はあくまで個人読書を目標として行なわれるべきものであり、この形態は農村の人たちに読書を身近なものとすること以上の意義を認められてはいなかったのである。

しかしながら、宮沢の活動とほぼ同時期に、下伊那地方では、集団で読み、書き、そして話し合うことを活動の柱とする飯伊婦人文庫が大規模な活動を開始することとなる。次節ではこの文庫の読書活動を検討し、宮沢とは異なる理念に基づく読書活動がどのように展開されたのかを明らかにしていくことにしよう。

(二) 飯伊婦人文庫の活動の展開

本項では、飯伊婦人文庫[100]（一九五七年−現在に至る＝筆者注）の設立の経緯および活動の展開を検討するとともに、女性にとって読書という行為はどのように捉えられていたのかを一九六〇年代を中心に明らかにしていく。

既述したように、下伊那地方では敗戦直後から地域の「民主化」をめざして青年団を中心に学習・文化活動や公民館運動が展開された。これらの活動は、一九四〇年代後半から展開される生活改善運動と相俟って、女性の学習活動への参入を促すことになる。飯伊婦人文庫は、このような長野県下伊那地方におけるさまざまな学習・文化活動の影響を受けつつ、その延長線上に生まれた女性を対象とする読書活動推進団体である。

長野県では、松本市立図書館長・小笠原忠統を中心とする「読書会連絡会」と、長野県立図書館長・叶沢清介を中心とする「ＰＴＡ母親文庫」に代表される二つの系統の読書運動が展開されている。[101] 松本市立図書館長・小笠原忠統は、松本市における青年団の学習活動の一環として読書会活動の支援を行ない、これを起点として一九五四年以降、各地に「読書会連絡会」を設置し、農村の読書会の組織を試みた。[102] 小笠原の活動は「読書に親しませる」ことを目的とし、これが教養主義的な傾向を生んで主に青年団や地域婦人会に歓迎された。一方、長野県立図書館長・叶沢清介は農村女性を「不読者層」の「最下層」と位置づけ、「人間生活において要求せられる読書の最低保障」を行なうべく、一九五〇年にＰＴＡを組織母体として配本を行なうＰＴＡ母親文庫を発足させ、長野県全域への普及をめざしている。

読書会連絡会は比較的教養主義的な色彩が濃いのに対し、ＰＴＡ母親文庫は大衆的であるという違いはあったものの、「不読者層の開拓」を目的とするという点において二つの読書運動は共通していた。本項で検討する飯伊婦人文庫の特徴として、読書会連絡会に見られる「読書会」を組織するという教養主義的側面と、配本によって「不読者層の最下層に位置する」女性を対象とした読書推進活動を展開するというＰＴＡ母親文庫の大衆文化運動的な側面とを併せもちながらも、いずれの読書運動とも距離を保ちつつ独自の運動を展開したことが挙げられる。さらに、飯伊婦人文庫は、前項で検討した宮沢の読書会活動とも異なり、活動当初から集団で「読む」ことを重視していたという特徴を有している。本項で飯伊婦人文庫に注目する理由もここにある。

飯伊婦人文庫の活動に関しては、ＰＴＡ母親文庫の活動との関連で言及されているが、その数は少ない。たとえば島田修一は「長野県における読書運動」においてＰＴＡ母親文庫は「生ま生ましい生活上の問題との結びつきが極めて薄」く、「実体として「配本組織」というより「読書する母親たちの連絡組織に近」いという問題点を指摘している。その一方、飯伊婦人文庫の活動は「読書への抵抗をやわらげ、読書の質の深まりを目指す活動が巡回配本のワクを超えて求められ、しかもそれが自然成長的な活動としてではなく、一つの推進組織をもってはじめて確実に行われることを示している」として高く評価した。[103] また、生活記録文集の観点から飯伊婦人文庫に注目した研究もある。『戦後信州女性史』ではＰＴＡ母親文庫の文集は初期のものと比較すると「母親たちが読書に忠実ではなく、（中略）書くことを強く求められると、読書とは関係の全くないことを書くようになっている」が、飯伊婦人文庫の文集は「その題名が「読書についての文集」とあるだけに、その目的にかなった特徴を濃厚に持ちつづけている」と、生活記録文集としての質の高さを指摘している。[104]

飯伊婦人文庫の活動そのものを詳細に検討した研究は管見の限り存在しないが、[105] 婦人文庫の活動に近接する領域、すなわち戦後の学習・文化運動に関する大串潤児や北河賢三らの研究蓄積がある。[106] これらの研究は戦前における学習・文化運動との連続性を考慮しつつ、戦後の青年による活動の展開過程を明らかにしようとしている。しかしながら、これらの研究において検討される「青年」とは主に男性、すなわち学習活動を組織化したり学習活動の中心的な存在にある人々であり、学習・文化運動における性差の問題が十分に明らかにされているとはいえない。このことはたんなる資料的な制約によるものではなく、当時の女性が学習・文化的な活動から疎外されていたことを示している。

一方、辻智子[107]や石原豊美[108]の研究は、生活記録運動の視点から女性の学習・文化活動を検討し、女性が生活を「書く」ことの意味や農村女性の生活意識に迫ろうとしている。辻は生活記録運動の展開には指導者の果たす役割が大きいことを示唆するとともに、学習者の視点から学習および文化活動のあり方、さらには学習者の「主体」形成を検討する必要性を指摘している。石原は、生活記録を「書く」ことを通じて、女性が自分たちの生活が社会の動きから「遅れ」ている感覚が派生し、状況打開のための研鑽の機会が希求されつつあったことを明らかにした。辻や石原の研究はあくまで生活記録を書くことによって女性たちが「生活」をどのように捉えるのかを明らかにすることに重点が置かれている。本項では、女性にとって「読むこと」そして「読書」という行為はいかなる意味を持つものであったのかを明らかにするという関心に基づき、飯伊婦人文庫における活動を検討する。

具体的には、婦人文庫で発行された文集である『かざこし』(一九五九年―一九七一年)と『読書についての文集』(一九六二年創刊、現在に至る)を分析することにより、当時の女性の視点から、読書という行為はどのように営まれ、捉えられていたのかを明らかにしていく。これによって、戦後の女性の学習・文化活動への参入の一端を明らかにし、女性にとっての知的営為への参入の意味を描き出したい。

飯伊婦人文庫の設立

●文庫設立の経緯

飯伊婦人文庫は、下伊那地方で敗戦直後から展開されていた青年団活動、地域婦人会の活動、さらに公民館運動が結びついた結果設立されたものである【資料編、表10】。最初に婦人の学習運動に取り組んだのは、一九四五年末から町村単位で形成された婦人会であった。婦人会は、翌一九四六年五月には長野県連合婦人会を結成し、婦人の学習活動を展開する。一九四九年から生活改良普及員が生活改善指導に乗り出すと、生活改善運動と平行して学習活動が行なわれたが、「うけたまわり学習」と揶揄されていたように、必ずしも女性の自発的な学習活動を展開するには至らなかった。子どものしつけや家庭内の人間関係などが女性の大きな関心事となり、学習内容として取り上げるようになると、婦人会は次第に公民館との結びつきを強めていくこととなる。

公民館は一九四六年一月二四日の「婦人教育施設の設置並に育成強化に関する件」（長野県内政部長の市町村長学校長宛通達）に基づき、母親学級講座の設置および公民館知識の普及に努めていた。公民館が婦人の学習活動に与えた影響は、一九五五年の喬木村の婦人による『たんぽぽ』の発行を発端とする生活記録文集ブームに見ることができる。『たんぽぽ』の発行の影響は直ちに下伊那地方各地に波及し、松尾村の『ほほえみ』、竜丘村の『丘の白菊』『草の実』などが次々と発行されるようになった[109]【資料編、表11】。これらの文集の発行には公民館館長らによる積極的な支援があったことが共通点として挙げられる。

たとえば、松尾村の公民館では一九四八年に村内の婦人一三〇〇名を対象とした基礎調査を実施したところ、教養と生活の向上に関心が高いことを見て、読書活動を重点事業と位置づけた。松尾村公民館では一九五四年に婦人文庫を設置し、婦人会組織を通じてその利用の普及を図った[110]。婦人文集『ほほえみ』は、この婦人文庫活動の一環として発行されたものである。また、後に言及する竜丘公民館長・木下右治は、竜丘婦人会の文集『丘の白菊』の発行を支援し、文集の書き方に関して具体的な助言を行なっている。これら一連の公民館における婦人の学習活動の支援は、飯伊婦人文庫が活動を展開する上での土台となるものであった。とくに生活記録文集は、物を書く機会の少ない女性に「書く」という行為を促す上で重要な役割を果たしたと考えられる[111]。

そして、青年団活動は、婦人会および公民館それぞれに積極的な働きかけを行ない、飯伊婦人文庫の設立に大きく貢献した。戦後の読書運動の高まりの中で、下伊那地方の大島、山吹、市田、座光寺、上郷の郡青年団図書部の青年たちは北部五カ村図書館協議会を結成する。一九五三年に長野市で開催された北信五県図書館大会に参加した図書館協議会のメンバーは小笠原、叶沢と知り合い、読書運動をさらに推進する方針を明確にした。この結果、婦人会員を網羅した巡回文庫活動が誕生することとなる。さらに図書館協議会のメンバーは公民館にも読書活動の支援を求め、一九五四年には郡公民館運営協議会の図書部協議会で下伊那郡図書館協議会を結成するに至った。

一九五四年から五六年にかけての下伊那郡図書館協議会による粘り強い陳情活動の結果[112]、一九五七年に現在の飯伊婦人文庫の原型となる飯伊母親文庫および飯田婦人文庫が設立されることとなる。そして両文庫の活動の方針を示し、実質的な運営の指導にあたったのが、一九五六年に竜丘村教育長・公民館長を退職した木下右治(一八九八―一九七六年)であった。

● 木下右治の経歴と思想

ここで、木下の経歴と思想について概観しておこう。木下は下伊那郡竜江村に生まれ、飯田中学校を卒業後、竜丘国民学校長兼青年学校長、竜丘中学校長などを経て一九五三(昭和二八)年より竜丘村教育長および公民館長を兼任する。木下は西尾実に綴方教育の指導を受け、教育者としての道を歩む一方、一九二一年よりアララギ会員となり、島木赤彦に師事するなど歌人としての一面を持ち併せている。また、竜丘村の学習グループ「段丘」の一員でもあった(113)。

木下が竜丘村公民館長となった二年後の一九五五年、竜丘村婦人会の駄科婦人会により文集『丘の白菊』が発刊される。木下はこの婦人文集の発行を支援し、寄稿もしている。木下は婦人文集を書くにあたって、「誰もかも書くところに文集の意義」があるのだから、「文の長いとか短いとか、上手だとか下手だとかはあまり問題にしないで下さい」、「むずかしい事を書こうと思わなんで下さい。(中略)常に使っている言葉で、すなおに書きましょう」、「一番大切なことは、本当のことを書くことです。いつわらない自分の本心を書くことです。(中略)こんな事を書くと、他人や世間にさわるか知らんなどと遠慮せず、常々心に思っている事口に出せない事をそのままずばっと書いてください」などの助言をしている(114)。

しかしながら、当時の女性にとって、文章を綴ることは必ずしも容易ではなく、しばしばなぜ文章を書かなければならないのかという疑問が寄せられたようである。木下はこれに応える形で、「自分の生活を文に書く事によって、自分自身がよくわかるようになり、自分自身を「よく考える事の出来る人間」、「物の感じ方が正しく確かな人間」になれる方向につながる仕事なんです」と述べている。[115]さらに、このようにして綴った文章を文集とし、婦人会で「読み合い、話し合」うことによって、仲間意識と進歩への意識が育てられるようになるという。[116]これらのことから、木下は生活記録を書くことによって、女性が物事をよく考え、批判的な精神を身につけること、さらに文集をテキストとして読み合い、話しあうことにより仲間意識と進歩への意識を育成しようと考えていたことがわかる。

それでは、なぜ木下は生活記録運動を推進しようとしたのだろうか。木下は、一九五六年のラジオ放送「婦人と読書」において、「〔婦人は＝引用者注〕新しい時代に育つ青年の話相手、相談相手になれるだけの教養を身につけなければならないということが、現実の問題として痛切に身におそいかかって来ると思います」[117]と述べている。さらに木下は、マスコミが氾濫するなか、雑多な情報を受け止め、選択し、批判する「力」は「読書によって培う教養が最も力強い」という。[118]このことから、木下が生活記録運動を推進したのは、当時の女性には新しい時代の青年の相談相手たるにふさわしい教養と、雑多な情報に対する「批判力」を身につける必要があり、そのためには読書をし、さらに文章を綴ることが不可欠であるという考えに基づくものであったといえる。

このような木下の考え方は、婦人文庫の活動のあり方にも反映されている。たとえば、婦人文庫は旧村部に関してはＰＴＡ母親文庫と同様、県立図書館の配本を受けていたが、木下は組織母体を婦人会とし、文庫の名称にはＰＴＡの文字を加えなかった。これは当時の婦人会の組織力が強かったこともあるが、ＰＴＡを組織母体とすると、女性の読書活動が子どもの卒業と同時に途切れてしまうことを恐れたためであるという。[119]

また、「配本」という制度については小笠原忠統を中心とする読書会連絡会から「選書は女性自身が行うべきもの」という批判があった。木下自身はこれを十分理解しつつも、当時の農村の女性たちが置かれている状況から判断して、半ば強制的に本が手元に届かない限り、読書することは困難であるという考えに基づき、あえて配本制度を取り入れている。さらにこの配本を地域社会から認められている婦人会組織を利用して行なうことにより、女性たちの生活に読書を根づかせようとした。[120]これらのことから、木下は当時の地域の女性たちの置かれた実情を踏まえ、従来の二つの系統の読書運動の長所を取り入れつつ、そのどちらにも偏しない独自の読書運動を展開しようとしていたといえる。

木下は、「自分の環境の中にある矛盾に気づく力、即ち生活のすべてにわたってものを考える婦人」をめざし、婦人文庫の設立当初から「読むことと書くことと話し合うこと」を婦人文庫の活動の柱に据えた。(121)

まず「読むこと」であるが、これに関しては婦人文庫が「読書しようとする雰囲気が地域にうまれ、眠っていた婦人の読書意欲をかきたてる」役割を果たすという。木下は、読書を通じて「自分の周辺の狭い社会しか見ていない婦人に無限に人間の心を知らせ、自分の家族を正しく批判することの力を得、社会の不合理や矛盾に気付くようになる」ことを期待していた。さらに回覧する本としては、「一日労働して疲れた眼に、暗い電灯の下で面倒な本は読めという方が無理」であるから「小説と随筆がよい」としている。(122)

次の「書くこと」については、木下は竜丘の生活記録文集に寄稿した時と同様、「自分をよくみきわめるということ」、「厳しい現実の生活をみきわめ、そこに起る悲しみとよろこびと苦しみを自分の外に投げ出してみる」ことと位置づけ、書くことは「「読書を生活に結びつける」のに内向的な働きかけをなすものだと思う」と述べている。(123)

「話し合うこと」は、「読書することも、生活を記録することも、その結果を話し合いの場まで持って行きたいものである」にもあるように、「読むこと」、「書くこと」の最終段階に位置づけられていた。(124)「読むこと」は婦人文庫による配本によって推進されていたが、「書くこと」は婦人文庫が設立されてから二年後に『かざこし』が編まれると、ここに女性たちが徐々に寄稿するようになる。婦人文庫創立十周年には、これを記念して『読書についての文集』が発刊され、現在に至っている。「話し合うこと」も、婦人文庫設立二年後から「読書会」が木下の指導によって始められている。木下は生活記録文集から適当な文章を拾ってテキストを作ったほか、『わたくしたちの憲法』をテキストとして利用している。(125)もちろん、「読むこと」「書くこと」「話し合うこと」は婦人文庫が活動を開始してから、すぐに実行されたわけではない。木下は毎月一回行なわれる配本時にみずから「お話」をすることによって、女性たちが読書に興味を持ち、また図書館に親しみを持つよう、粘り強く働きかけた。木下が示した方針に基づく活動は、木下が図書館を去った後も継続され、後に女性たちが自ら婦人文庫の運営を行ない、企画および活動を展開していく基盤となる。

これらの活動方針は、その後の婦人文庫の活動に生かされることとなる。それでは、具体的にどのような活動が展開されたのかを見ていくことにしよう。

●婦人文庫の活動の開始

婦人文庫は、木下右治が示した「読むこと」「書くこと」「話しあうこと」の活動方針に基づき、さまざまな活動を展開していくことになる。婦人文庫設立時のグループの分布状況、および会員数の変化は【資料編、表12－表13】に示したとおりである。

木下は「婦人会の集りに出席して説明し一般の理解を得」、そして「婦人文庫の規定」を作った。[126] この規定によれば、婦人文庫は飯田市立図書館に設けられ、文庫を利用できるのは「旧飯田地域の婦人会員」であるが、「但し婦人会員でなくともこの地域に居住する婦人は誰でも参加することができる」とある。このことから、婦人会は婦人文庫の母体ではあったが、同一の組織ではなかったことがわかる。文庫の目的は「会員の教養を深めること」とされ、この目的を達するために「図書を会員に貸出す外、婦人文集（生活記録）をつくり、また読書会を開催する」方針が示された。[127] このようにして婦人文庫は七〇〇〇人余の会員数をもって発足する。[128]

当時婦人文庫は飯田市立図書館の館外活動の一環とされていたが、婦人会が組織母体となっていたこと、また「飯田婦人文庫を利用している会員が、お互いに手を取り合って、この文庫を真に自分たちのものにするよう、文庫に関する問題を研究して行くため」、一九五七年一一月に婦人会によって推薦された運営委員によって運営委員会が組織された。役員は委員長一名、副委員長二名、委員が橋北、橋南、東野、羽場丸山各地区より若干名、飯田図書館職員の幹事一名という構成であった。[129]

配本の方法は、会員四名（婦人会の班単位）に対して一回一冊の割合で一カ月間貸出し[130]、各グループのグループ長が回覧の順番を決め、一人一週間の期間で回覧し、代表者が毎月一回の配本日に図書館に集合して会員の希望を参考に図書を選択して借り、また返本するというシステムになっていた[131]。

主な活動内容は、①毎月一回行なわれる配本と、同時に開催される木下による「お話」を核として、②文集の発行、③年一回の総会（講師を招いた講演と会員による発表）と読書研修会の開催[132]【資料編、表14】、④読書会の開催、長野県図書館大会への参加などである。

①の配本日は、「皆様のお顔を拝見する楽しさ、また返本と貸本の間の諸先生のご講演等で、二十何冊かの本の重さもどこへやら、図書館へ図書館へと急いだものでした[133]」という回想にもあるように、外出する機会のない当時の女性たちにとって、貴重なものであったようである。

②の文集は、婦人文庫の創立二年後、『かざこし』の発行に始まる。文集の発行はもともと木下が意図していたものであったが、当初は「文庫だより」を作成しようという話が婦人文庫の中で持ち上がったのを、「どうせ手をかけるのなら文集を作ったらどうか」ということになり、発行に至ったという[134]。一九六二年には、文庫設立一〇周年を記念して『読書についての文集』が発刊され、一九七一（昭和四六）年に『かざこし』が終刊した後も継続し、現在に至っている。『かざこし』は八〇―一〇〇頁、誌面構成は各号によって異なるが、主な内容としては、婦人会、読書記録、生活記録、詩・短歌・俳句のコーナーが設けられている。『読書についての文集』は六〇―一五〇頁前後であり、こちらも誌面構成は号によって多少異なるものの、大体読書感想、読書経歴、読書会記録、図書館大会の記録などからなっていた。

③の総会では、一九六〇年より会員による発表が始まったが、一九六〇年代後半になると読後感想など個々人の「読み」、解釈を発表するようになっていることが特徴的である。

④の読書会は、当初木下の指導の下で行なわれていたが、徐々に会員同士が自発的にこれらのものを企画し、実行

していくようになり、この中には現在も継続して行なわれているものもある。

一九七二（昭和四七）年には飯伊母親文庫と飯田婦人文庫が一本化して「飯伊婦人文庫」となった。これにともない、婦人文庫の規定や運営のあり方も変化する。文庫の規定に関しては、「飯田、下伊那地方の読書活動を活発にし、教養を深める事を目的とする」[135]（傍点引用者）という文言が加えられ、運営に関しては会計と「文庫のいっさいの記録を行う」記録を担当する役員が置かれたことが大きな変化として挙げられる。婦人文庫の会計を会員自身が行なうこと、さらに婦人文庫の活動を「記録」することは、婦人文庫の活動が会員の手によって自立的に行なわれる基盤となるものであった。一九七二年の『読書についての文集』以降、婦人文庫の活動が克明に記録、報告されるようになり、一九七五（昭和五〇）年からは、文集の編集はすべて会員の手によって行なわれることとなる。

それでは、婦人文庫の会員である女性たちは、このような活動をどのように捉え、実践していたのだろうか。以下では、婦人文庫発行の文集『かざこし』、および『読書についての文集』[136]の分析を通して、この問題に迫っていきたい。

飯伊婦人文庫活動の初期――一九五七－六一年[137]

● 一九五〇年代前半の文化的状況

婦人文庫設立前後の時期、すなわち一九五〇年代前半の女性たちはどのような文化的状況に置かれていたのだろうか。松尾地区においては飯伊婦人文庫設立前から公民館に婦人文庫が設けられ、婦人会がその運営を行なっていた。婦人文集には、読書会がある日、家を空けにくい状況が次のように綴られている。

> 「今夜行ける?」「たいてい行けると思うけど」
>
> （中略）
>
> 二人とも同じように家を出にくいのだ。家におれば家人の機嫌もよく、後でいや味をきかなくてすむけれど、そ

うして居ればよそのおばさん達におくれてしまうような気がする。いくら年をとっても生きているかぎり、新しいことを知り、覚えたい。そして何かしら公民館の文化的雰囲気にひたりたいのである。(138)

女性たちには、「新しいことを知り、覚えたい」、そして「文化的雰囲気にひたりたい」という欲求があったが、これを満たすのはそれほど容易なことではなかった。「文庫返さいに出かけるようとしていると、主人が「又嬉しいら、映画を見たり、おしゃべりしたり」とからかわうように云われ(139)」たりして、家を空けること、婦人文庫の活動に参加することに対してなかなか理解が得られなかったからである。女性たちは、「三日も四日も前から思いつめていて「行かしてなむ」と頼(140)」んだり、「かくれるようにして読(141)」んだりしていた。

このような読書にともなう困難さの背景には、女性が読書することに対する根強い否定的な考え方がある。

襖がさっと音もなく開いて母上の顔が見えた。私は何となくハッとした。私はきまり悪げに読みさしの母親文庫を半分閉じかけた様な変な格好をした。(中略)もし何を縫っていたとしても、針仕事でもしていたなら、平然として母上と対することができただろう。(142)

この女性は幼い頃からの「女は身だしなみが第一だでね」という母のしつけがしみついており、「母上は私が本を読んでいようと叱言をいわれるような方ではない」と頭では理解しながらも、女性である自分が読書することに対して罪悪感を拭い去れないでいる。(143)この他にも「近所の気兼ね、本家から誰か来はしないかなどと思い乍ら新聞さえも気楽に読むことが出来ず、編物の仕事に精を出した(144)」や、「〔嫁いで来た=引用者注〕当時は、新聞も皆様が読んで散在している三、四日前のものをおそるおそるのぞき見ていました。物音にハッとして、そうっと場を立った時もありました(145)」など、娘時代からの「しつけ」、さらに家人に対する「気兼ね」から、なかなか気楽に読書を楽しむことができない様子が綴られている。(146) 当時の女性たちは、自分よりも常に姑や夫、家庭の事柄を優先させなければならない状況におかれていたといえよう。
　このような状況の中で、女性を読書へと駆り立てた原動力とは何だったのだろうか。女性が読書をする動機として一貫しているのは、時代に取り残されたくない、そして子どもや夫の話し相手、相談相手になりたい、ということである。

　　主人は昇進するし子供は新教育をうけて行く。自分は三十年前に高等科を出ただけで、それも皆忘れてしまった。家の中にばかりいて世間も知らず、私一人が取り残されていくようで淋しくてならなかった。(147)

特に、子どもが自分自身の教育経験とは異なる「新教育」を受け、自分にとっては未知の、新たな知識を身につけていくことは、当時の女性たちに大きな衝撃を与えたようである。「平凡な母親として振舞ってきたが、子供達が長ずるに従い、彼等は勉強して又さまざまなことを知って行く、何んだか自分だけが取り残されて行く寂しさを感じた」(148)や、「内職をしながら子供と二人の生活をしていれば、自然と世間のことにもうとく、何んだか自分だけがとり残されて馬鹿になって行くような気がしてならなかった」(149)などは、当時の女性たちが周囲の状況は刻一刻と変わっていくにもかかわらず、自分だけはその流れに乗り遅れているという意識を持っていたことを反映している。女性たちはこのような危機感を抱き、なんとか現状を打開しようとしていた。そしてこの現状を打開する上で最も身近な手段が読書であり、(150) その機会を提供したのが婦人文庫だったのである。

●婦人文庫の登場
婦人文庫の登場について、女性たちは次のように綴っている。

婦人文庫が毎回回覧されるようになると、読書好きの私は、いつしか手にして読むようになりました。（中略）婦人文庫を契機として読書を生活の中にとり戻せたことは大変ありがたいことだと思います。[151]

読書の良いことを充分に理解しながらも、さて主婦となってからは全くなさけないほど読書から遠ざかってしまいました。（中略）回覧文庫がはじまり、読書に近づけて頂いたことは誠にありがたいことだと思います。[152]

婦人文庫によって、今迄忘れていた読書ということにとても親しみを感ずるようになりました。家の仕事で忙しく、あるいは何んとなく億劫で本を手にするということが仲々できなかったのです。それが婦人文庫によって、これといった読書の時間がなくても、読むということが楽しいことになりました[153]

「読書を生活の中に取り戻す」などの表現にもあるように、女性たちには本を読んだ経験がまったくなかったわけではない。しかしながら、結婚、子育てなどによって、娘時代の読書の経験は寸断され、読書から遠ざかってしまう。いわば読書に関しては「空白」の時間が生まれてしまうのである。[154]このような状況にあって、婦人文庫は本を回覧することによって「読書を生活の中に取り戻」し、再び「読書に近づける」役割を果たした。

また、婦人文庫の「配本」という制度は自由に使えるお金を持たない当時の女性たちにとって重要な意味を持っていた。「なかなか私達の立場においては、嫁が自分勝手に本を買い入れる様なことはとうてい出来ませんが、母親文庫に入れていただいておれば、いやでも本が廻ってくるので楽しみにしております」[155]や、「毎月安い会費で過去に読んだこともない楽しい本、また色々の新しい本を読ませていただけることは本当にうれしいことである」[156]などはこのことをよく表わしている。

もちろん、「読んだり書いたりは私にはおよそ縁遠い存在」[157]であった女性や、「僻地で勉強する機会に恵まれない」

人たちにとって「母親文庫を通じての読書はただ一つの勉強の場」となり[158]、婦人文庫が重要な役割を果したことは言うまでもない。なぜなら、「母親文庫が出来てから、毎月手もとに本が届くようになり、いやでも読書することができるように[159]」なったからである。

さらに婦人文庫の活動は、女性に読書だけではなく外出の機会も与えることになった。月一回の配本日には、木下をはじめとする「講師」による講演会や会員の読書に関する発表会、話し合いの時間などが持たれている。

毎月一回という僅かなひとときが、私にとっては尊いそして憩いの場所とでも云いましょう。（中略）家庭を持つ私達には、一月一度の楽しい御話を聞く事の出来る機会を得る事が、どんなに良い事であるか、私には痛切に感じられます。[160]

もちろん、少ないながら女性にも外出の機会はあった。しかし、「たまの集まりも、話題の乏しさは、他人の噂話に終始するのが関の山、そんな座に居て、ある時は虚しいものを感じながら、その場その場の雰囲気に辻褄を合わせている自分の気弱さ、ずるさに滅入っていた[161]」とあるように、閉塞した環境に鬱々としていた女性にとって、婦人文庫はこれらのものから「解放」してくれたのである。ある女性は、「読書は、家のこと、子供のこと、一日のできごと、私たちの身の回りの一さいを忘れさせてくれます。これが何よりの楽しみです[162]」と綴っている。

このように、婦人文庫は女性に読書の機会を与えただけではなく、外出する機会、閉塞した日常生活から解放させる役割をも果たしていた。それゆえ、女性たちは「真暗闇」の中、「マッチをすって灯をつける。こんなことをかれこれ三度もくりかえしながら、ただ本を読むために、一心に道をいそぐのだった」とあるように、夜の遠い道のりをものともせずに出かけていったのである。[163]

もっとも、婦人文庫の活動に参加したからといって女性たちはすんなりと本を読めるようになったわけではない。

女性たちは配本のたびに、自分自身には読書に関して「空白」の時間があること、文字を忘れていることに気づき、文集の募集が行なわれるたびに書くことの困難さを痛感している。

読むと云う事はとても大変な事です。始めは仲々骨が折れた。目ばかり疲れ頭がぼうっとして其の内に眠気がさしどうにもならない。自分で自分がなさけなかった。何故こんなのか結局読み慣れないから、一字一字のひろい読みにも等しい。回本を其のまま廻わす事も度々……[164]

という例も多く綴られている。それでも、「字は忘れ読む事はおそくなり、一生懸命ひろい字をしていると、何をするより頭が疲れ、時たま嫌気がさす。でもくじけたら自分がおぼれるばかり、読む習慣を付けなければと、一生懸命努力[165]」した。最初は「本を開いて二、三頁読むと、もう目が自然に合わさって、良い気持ちになってしま」ったという主婦も、「なんとかして全部読んでしまいたいと思って、今晩はここまで、あすはここまでと、計画的に読む」という方法を自分なりに編み出し、「この頃では全部読むことが出来ました。今では本の回ってくるのが楽しみです」と述べている。[166]この主婦は本を読みきることができた喜びを、「私にとっては皆さんと肩が並べられた様な気持ちでうれしく思っています」と率直に表現している。[167]

このような努力の結果、「母親文庫のみならず、月刊誌へ目を出す習慣も生まれて来ました[168]」、「いつも進んで本を見る私ではなかったのに、この頃回ってくる度に頁を繰って目を通す[169]」とあるように、女性たちは読書の習慣を形成していったのである。

飯伊婦人文庫の活動の質的発展——一九六一—一九七〇年

●女性を取り巻く環境の変化

婦人文庫の活動は女性に読書の機会を与え、読書の習慣を形成することに寄与した。その一方、女性を取り巻く環境は大きく変化することとなった。その一大転機となったのが、一九六一（昭和三六）年六月に起った大水害、通称三六災害である。この災害は、下伊那地方に住む人々の生活、特に女性の生活を一変させ、皮肉にも災害が女性の社会進出を促進することになった。

折から下伊那地方では兼業化が進行しつつあったが、この災害の復旧作業には女性も駆り出され、復旧後も女性が「働きに出る」ことは常態化して「パート」に出るようになる。この背景には、「災害があったから消費面を減らすというのでなく、消費生活者としての性格が強まり」をみせていたことがある。(170) 実際に、「パート」だけではなく「内職」をする女性も増えていた。「パート」や「内職」による女性の労働は消費生活に不可欠な現金収入をもたらすものであり、結果的には家庭内における女性の地位を向上させることになる。

ところが、女性は以前とは異なる多忙な生活を送ることを余儀なくされた。

農村では所得倍増のかけ声にあおられて、所得倍増どころか、物価倍増で、百姓をしているだけでは生活してゆけなくなり、男の働き手は殆んど、かせぎに出てしまい、一切が女にまかされ、女でも砂防工事に出て行く人が多くなり、こう生活が貧窮してきては、本等読んでいる隙のない人が多い現状である。(171)

という文章はこの状況を如実に反映している。もちろん、折からの生活改善運動によって、主婦の家事労働は大きく軽減された。しかし、「台所改善から電気機具、ガス使用により、主婦の家事労働が軽減された反面、肉体労働が多く要求される結果となり、主婦の自由な時間は少しも浮いてきません」(172) とあるように、女性の生活は以前よりも多忙になり、さらに肉体的にも厳しい条件の下におかれることとなった。「物価は年々あがる一方で、収入は必ずしも、電化生活とはマッチしているとはいえない」状態であり、「来る月も又来る月も、月賦に終われ、共婦〔主婦？=引用者注）は共稼ぎに又は内職に、番当《（ママ）》から、事務員、外交までもやらねばならぬ状態となっている」からである。[173]「三ちゃん農業」という言葉に象徴されるように、農業における労働負担が大きくのしかかってきた女性も多数存在していた。

　このような状況の中で、女性の読書を妨げる理由は、かつての家人（特に姑）に対する「気兼ね」から、「忙しさ（多忙）」へと質的に変化していくことになる。「読書の時間はその都度つくってあるが、掃除、洗濯、整理、内職等に消されてしまう」にはこのことが反映されている。女性たちを「多忙」にさせる「内職」や「パート」は、「お金が伴っている」ということから「一日の大半の時間」が割り当てられていた。[174]「物価の値上がり、そして消費景気にあおられてつい買ってしまい、所得とのアンバランスに苦しむ[175]」生活状態、これらの要因に基づく女性の「多忙」化は、農家の主婦だけでなく、サラリーマン家庭にも共通して見られる現象であった。

　「多忙」に加えて、女性の読書をさらに困難にしたのが、テレビの登場である。「この頃の農家の忙しさは、誰もが認めています。でもどこの家にもテレビが入って、夕食後とか昼食後のひとときにテレビをみないという人はほとんどありません[176]」とあるように、テレビは下伊那地方に住む人々の生活の中に深く入り込んでいる。

　下伊那地方におけるテレビの普及は、経済成長政策による離農の激増と重なっている。一九五七年には郡市合わせて一七九台であったテレビの受像機は、五八（昭和三三）年には四三〇台、五九年には二万五〇〇〇台と増加し、世帯数に対する普及率は市部で六三パーセント、郡部で五五パーセントとなる。一九六五（昭和四〇）年には普及率が郡市あわせて八六パーセントに達し、読書を減退させる要因となった。[177]

　忙しい毎日の生活の中で、テレビは読書よりも気軽に楽しめるものとして魅力的であったようである。このことは、

> いわゆるサラリーマンの家庭では、本を読むより内職の手をせっせと動かしているでしょうし、たまに疲れて手を休める時は、細かい活字を一つ一つ拾って読書するよりテンポの早いテレビに目を向けてしまうかもしれませ

ん。半農半分勤めの家では、お母さんが家の中や子供の世話から田畑の管理に至るまで忙しく飛び回らなければならないでしょう。家庭の主婦が読書をするということは、色々と困った問題にぶつかります。[178]

私共読む時間はありますが疲れたり用事があったりしてなかなか落着いて読めません。今は何より一番せわのない見てすぐわかるテレビが出来たので遂早く後片付けをしておいて、テレビを見ようと思い、本の方は二の手になってしまい、この坐っている間に読めばよいと思いますがなかなか読めません。[179]

という文章にも表われている。

兼業化、内職やパートによる労働などによる「多忙」、さらに読書にとってかわるテレビの登場のあおりを受けて、婦人文庫の会員数、グループ数は減少していった【資料編、表12】。

婦人文庫は活動を維持するため、婦人会を通して呼びかけを行なったが、会員数は減少するばかりであった。[180] なぜなら、地域を網羅していた婦人会組織そのものが衰退し、地域によってはほとんど解体していたからである。[181] 一九六〇年代後半には、兼業化の進行、[182] テレビをはじめとする「レジャー」の出現によって、個々人の趣味を追求しようとする個別化が進み、地域の凝集性は低下していた。この時期、地域ぐるみでの活動や共同学習の難しさが指摘されているが、[183] この現象は下伊那地方にも見られるものであった。[184]

●婦人文庫の活動の「質的向上」

婦人文庫では、「最初三年間はグループ数が増加していったが、〔昭和＝引用者注〕三十五年度より順次減少した」と報告している。その一方、「減少したことは望ましいことではないが、内容は順次充実していった」と評価している。[185] それでは、会員数が減少するなかでの内容の充実は何を意味するのだろうか。具体的には以下の三点が挙げられる。

第一点目は、『読書についての文集』の発行である。それまで、婦人文庫では『かざこし』を発行していたが、文庫十周年の記念号として『読書についての文集』が新たに発行されることとなった。「読書の記録や感想・文庫の回顧等はそちらの方〔『読書についての文集』＝引用者注〕にお寄せ下さい(186)」とあるように、『読書についての文集』は「読書」に関する事柄だけを扱うものである。このことは、会員がこの文集を編むに十分な読書習慣と読書力、さらにそのことについて文章を綴る力を身につけていたことを裏づけるものである(187)。

第二点目は、会員による自発的な活動の開始である。一九六三（昭和三八）年からは伊賀良で、一九六四（昭和三九）年からは上郷と竜丘において、県立図書館の図書に各地区の図書館の図書を加え、主婦のみならず家族をも対象として本を回覧させる「家庭文庫」を発足させた(188)。また、会員による自主的な「読書会」も開催されるようになる。

> 皆様の前で一章ずつ順々に読み回し、話し合うのですが、人前で正確に読むということは、私にはなかなか大変なことで、内容はおろか、読む努力が精一杯で、たどたどしい読み方に全身燃えるようにほてり、かきざみ（ママ）にどこかふるえるのを静止できない有様。今のところ、こっそり内緒で、何とか落伍しないで続けようと意気込んでいるところです(189)。

読書会における発表などは、女性にとっては慣れないものであり、戸惑いもあったが、仲間たちと共に勉強し、話し合うことによって得られる喜びも大きかったようである。「明治大正昭和の三代のみ世に生をうけた白髪交りのおばさま達」と「少々若き奥様二人交ぜて十二名」から成る読書会に参加している会員は次のように綴っている。

> 大半が老眼鏡の離せない生活で、むずかしい本に取り組んでの勉強はたいしたもので四十余年前の学校時代に戻ったような若やいだ気分です。声をあげての本の朗読はまた何とも言えない楽しいものでございます。年など忘

れての勉強ぶりです。質問も飛び出します。私も長い間の空白を取り戻したいと懸命に頑張っています。[190]

このように、読書会などの自発的な活動は、読書の習慣を身につけた女性たちがさらに学習意欲を向上させていたことの現われといえよう。女性たちは「長い間の空白」を取り戻すべく、「与えられた」読書から抜け出し、自発的な読書活動、学習活動を展開しようとしている。[191]

婦人文庫の活動内容を充実させた第三点目の要因は、会員自身の読書に対する意識の変化である。婦人文庫が活動を開始した当初、会員の多くが困難な状況の中でも読書をしようとしたのは「時代に取り残されたくない」、そして「夫や子供の話し相手、相談相手になりたい」という意識によるところが大きかった。しかしながら、「今ではすっかり習慣になり、さらに読書欲が湧いて来て一寸した暇にも本を読まないと何だか寂しい様になりました[192]」、「少しでも早く仕事を済ませ読書の時間を生み出すのが唯一の楽しみなのです[193]」、本がないと「物足りないと言ったらどのようにして表わしてよいのかわかりません[194]」とあるように、婦人文庫の活動を通して読書習慣を身につけた女性たちにとって、読書は自身の生活に不可欠なものとなりつつあったと考えられる。

また、読書会への参加を通して「私たちの育ってきました封建的な社会、その環境のなかで、自分では気づかないまま、長い間に植えつけられてきました封建的な観念。その観念のために、与えられている自由を受け取ろうとせず、自分自身をしばりつけていた私[195]」に気づき、さらに「自分のように読まない方が幾人もいらっしゃること、又同じなやみを持っていることが色々と分かって来[196]」ると、なおさら読書が自分自身の人生に不可欠なものであることが自覚されることとなった。このような過程を経て、女性たちは「始めから何かまとまった難しいものを読むのが読書であると考えなくてもいいのだと思います。そう考えないと、読書とは文人とか暇な人のなすべきものであって、私達農村婦人には縁うすきものと思いがちになるのではないでしょうか[197]」とあるように、読書を身近なものとして捉えるようになっている。

多忙化、テレビの普及などによって会員数が激減し、文庫の活動が衰退していくなかで、読書を身近なものとして捉えることはどのような意味を持っているのだろうか。また、このような状況下において、女性にとって読書とは何だったのだろうか。女性たちは、テレビの普及によって読書の時間が奪われるという現象の中で、あらためて読書の意味を捉え返すことになる。「本を読むより食事をしながらテレビを見ている方がよいと一寸思う」という会員は、「しかしよく考えてみると、テレビやラジオだと見たい番組を見る為には時間をくり合わせて」いるということに気づく。(198) そして、「自由に使える時間の少ない私たちには〔読書は＝引用者注〕一番都合のよい楽しみではないかと思う」という。(199) また、「忙しさ」を理由に読書をしないということに関しては、「テレビの時間はあっても読書の時間はない。なぜか矛盾している」(200) と指摘する会員もいる。

またテレビなどの普及によって、新しい知識や情報が次々ともたらされることを十分認識した上で、「多読」によって「知識を養って正しい批判が出来るような力を身につけ」られること、(201) さらに「激しく変わる世の中にあっていろいろなことに対して批判力を持つということは読書によって養われるのだと思います。本の中のよいと思うところは何回も繰り返して読み、考えてみることが自分を向上させることになると思います」(202) と述べている。さらに、「何だか皆が勢い競って肩ひじ張って暮さねばならないような今日この頃」、「自分の時間」や「ものを考える時間」、「より良い家族を造るべき貴重な時間」が「超音速で消え失せてしまいそう」な時こそ「読書で救われるのではないでしょうか」と述べ、(203) あえて読書を選び取る姿勢を見せている。多忙な毎日にあって、ついついテレビ番組に自分の時間を流されてしまうという違和感を抱いていた女性にとって、読書はゆっくりとさまざまな問題を考える時間を与えてくれるものであった。

女性たちは「読みたくても時間が与えられないのが常ですが、でもない時間を生み出して読むところに尊さがあるのではないでしょうか」(204)、「本は隙があるから読むのではなく自分で読む時間を見出して、生活の中に読書を折り込む事を考えようではないか、と言い出し」(205) て、忙しくて本が読めないと嘆くことに終始するのではなく、どうしたら本が読めるのかを自分なりに考えるようになる。

女性たちは「何処か乗り物に長く乗る時、病院等に行く時、いつでも読みかけの本を持って歩くことに[206]」したり、「寝る時間を三十分遅らせて本を読む[207]」ことにしたり、「忙しい時には主人に回して読んでおいて」もらい、「後からその本についての読みを主人から聞かせて」もらう、「子供に本を読んでもらう」など[208]、自分なりの読書法を確立した[209]。さらに、

忙しい時を、自分で計画を立てて、仕事を進めて、ある時は読書をする。それによって母親の悩みや、気分転換になったならば、もし少しでも救われればその人は本当に幸福でしょう[210]。

とあるように、女性にとって読書を生活の中に位置づけること、そして日常化することは、読書したいという自分の意志に基づき、それを実行することであった。これは、女性たちが自分自身の生活をコントロールすることであったともいえよう。

このように、読書を生活の中に根づかせようとすることと平行して、読書そのものに対する考え方にも変化が見られるようになる。

本を読んでどれだけ自分が磨かれたか、また教養が身についたかははなはだ疑問ですが、私は私なりに解釈して、時には勇気を与えられ、時には慰められはげまされて、自分を反省し、残された人生をよりよく生きる様努力しております[211]。

実用一点張りの読書（中略）ばかりしていると、いつの間にか本をめったに読まない人と同様、「本とは何かを得

るために読むものだ」という通俗的な読書法に身をゆだねてしまいます。（中略）読書は何の役にも立たないかもしれないが、やめられないという状況こそ、ほんとうの読書ということではないでしょうか。(212)

このように「教養が身についたかどうか」などの「利益」は度外視し、読書そのものに意味を見いだそうとする姿勢が徐々に見られるようになる。さらに、以下のような主張も見られる。

家庭の中だけに閉じこもっている主婦では進歩できないと思います。勉強の場がありましたらどんどん出席して一人でも多くの方と交際すれば、それらの方のお話が聞かれ、しらなかったことも知ることができます。（中略）お友だちは必要です。私はひとりひとりを大切にし、なんとしても一人でも多くの方たちと知りあい、共に読み、聞き、書き、言い、そして私の考えを一歩でもすすめたい。(213)

この文章では、何に向かっての「進歩」であるのかは明らかにされてはいないが、なんとしてでも「私の考えを一歩でもすすめたい」という強烈な進歩への意志が女性の中に芽生えつつあったことが読み取れる。また、自分自身の「進歩」には、「共に読み、聞き、書き、言」うことが前提とされていることも見逃せない。女性たちは、読書会をはじめとする婦人文庫のさまざまな活動を経験することによって、共同で学習することの重要性を認識し始めていると考えられる。「進歩」への意識にめざめ、自分自身のために学ぶことを考えはじめた女性たちにとって、読書という行為、さらにそれを共同で行なうことは、自分自身の考えを整理するとともに、それを主張する手がかりとなるものであったといえよう。

文集の分析から見えてくるのは、女性にとっての読書の意味が、かつてのように「時代に遅れないようにする」や「夫や子供の話し相手、相談相手になる」、「知識や教養を得る」という何かの「役に立つ」ための読書から、自分自身をより成長させるためのものへと変化しているということである。何かの「ため」に本を読むのではなく、本を読みたいという自分自身の意志に基づいて読書をすることは、女性たちの読書をする動機が他律的なものから自律的なものへと変化しつつあることを示している。

したがって、会員数の減少という現象についても、「網羅的に婦人会全体がはいった最初の年の婦人文庫から、八年の歳月が流れた今は、嫌な人はぬけても、それはほんとうの姿だと思います。本当に読書の好きな人たちの集りでよいのではないでしょうか(214)」と冷静に受け止められることとなる。読書をもはや婦人会などの指導によって「与えられる」ものではなく、みずからの意志に基づき行なうものであると捉えていた女性たちにとって、会員数の減少は表面的な問題にすぎなかったのだろう。

このような会員自身による読書の捉え方の変化にともない、文集の内容や総会における会員発表は読後感や読書感想に関するものが増え、ある作品に対する自分なりの「読み」を発表するようになる。閉鎖的な地域社会において、女性たちが実名で自分の思いや考えを率直に「書く」こと、表現することは容易なことではない。したがって、女性たちは、「読む」という行為に重ね合わせることによって、自分自身の考えを表現する道を選んだのだと考えられる。

●女性たちが読書行為に参入するということ

飯伊婦人文庫の設立の過程と婦人文庫発行の文集を分析することによって明らかにされた事柄を整理して、本項のまとめとしたい。

敗戦後の学習・文化運動の高まりの中で女性たちはこれらの活動に対する欲求があったにもかかわらず、この欲求が満たされない、もしくは活動から疎外されるという状況にあった。このことは読書に関しても例外ではない。婦人会や婦人文庫発行の文集からは、幼少期から青年期（特に結婚前）にかけての読書経験や環境の有無にかかわらず、結婚や子育て、家事などによって女性たちには読書に代表される学習・文化活動に関する「空白」、「闇」の時間が存在したことが浮き彫りにされた。

このような「空白」、「闇」の時間の存在に気づかせ、それを補塡するべく読書の機会を提供し、さらに読書をはじめとする新たな活動へのスプリングボードとしての役割を果たしたのが婦人文庫であった。婦人文庫は設立当時、組織力が強くさらに「世間」的にも認知されている婦人会を利用し、「配本」という制度を導入することにより、女性にとって縁遠い存在であった本を手元に届け、読書機会を提供することに成功した。また、配本日に「お話」や「講演会」を開催したことは、女性が外出し、さらに新たな人と出会い、話し合う機会を提供することにもなっている。女性たちは「時代に取り残されたくない」、「主人や子供の話し相手になりたい」という意欲につき動かされ、徐々に読書習慣を形成していった。

しかしながら「三六災害」前後からの女性の社会進出、さらにテレビの普及は女性の生活を大きく変化させることとなった。女性は農業や家事労働など従来の労働に加え、内職やパートなどに追われる。このような動きにともない、女性が読書をできない理由は、それまでの姑や夫を代表とする家人への「気兼ね」、女性が読書することに対する否定的な考えから「多忙」へと質的に変化していった。それと同時に、婦人文庫の役割も読書機会の提供から、読書習慣の維持・充実へと変化することになる。

女性が「多忙」な生活を送るようになったこと、さらにテレビの普及により、婦人文庫の会員数、グループ数は徐々に減少していくが、その一方で読書を続けた女性たちが存在したことも事実である。女性たちはこのような状況の中で改めて読書を捉えかえし、自分なりの「読書法」を編み出して読書を続けている。このことは女性にとって読書が、かつての「教養を得る」、「時代に遅れずについていく」ためのものから、より女性にとって身近な、そして日常的なものとなりつつあったことを示している。[215] 多忙な中で読書を生活の中に位置づけることは、女性にとっては自分自身の意志で生活をコントロールすることに他ならない。読書習慣を身につけ、読書という行為を日常化することは、女性が自分の意志で生活を組み立て始めたことを示している。

さらに、女性たちは婦人文庫の活動を通して読書習慣を身につけ、その行為を日常化するとともに、共同で学習活動を営むことに対して積極的な意味を見いだすようになっている。女性たちの読書に対する姿勢はかつての「時代に遅れずについていく」という他律的なものから、読書のもたらす利益は度外視して、読書をしたいという意志に基づいてそれを実行するという、自律的なものへと変化しているといえよう。女性たちの「読書」行為への参入、読書を習慣化し日常化するプロセスは、一直線に主体形成へとつながるものではないにせよ[216]、総じて読書をはじめとする知的な営みから疎外されていた女性たちが、自分の意志に基づいて自律的な読書を営む上で不可欠であったと考えられる。

そしてこの自律的な読書が成立した背景には、婦人文庫における集団的な読書活動があったことを見逃すことはできない。女性たちは婦人文庫の活動を通して自分と同じような境遇にあり、悩みを共有する仲間と出会うことで、読書行為に参入していったのである。進歩への意識、自分自身で物事を考える必要性を感じ始めた女性たちにとって、読書という行為は自分の考えを整理し、さらに主張していく上で重要な手がかりとしての役割を担っていた。ゆえに、女性たちにとって読書という行為は自分自身と周囲の状況を媒介するとともに、自分の考えを再確認し、外界に向けて発信していく核となるものであったのである。

もっとも、一九六〇年代の段階では、男性の「指導者」の下に活動を展開するという構図から抜け出せていない。この一定の指導のもとに行なわれた女性の「読書」を、自律的ではなく、また「主体形成」という観点からすれば未発達の段階にあるという評価を下すことも可能であろう。しかしながら、婦人文庫の会員であった女性たちは総じて読書をはじめとする知的な営みから疎外されていた。このような状況にあった女性たちにとって、読書を習慣化し、日常化すること、さらにこれを促進する「指導」は不可欠だったのであり、この過程を経ることなくして読書という行為に参入することは不可能であったと考えられる。

また、このような読書の捉え返しは、会員数の減少という状況の中で起こったことも事実である。このことは読書によって教養を高めるという当初の目的が一定程度達成されたためともいえるし、多忙な状況下にあって、自分自身の考えを主張しようとする女性が少数であったことを示すともいえる。しかしながら、この活動に残った人々にとっての読書が、もはや当初「読書によって教養を得る」という目的とは異なるもの、もしくは当初の目的を超えたものとなっていたことは確実であろう。

それでは、女性たちにとって「読書」をするということは、自分自身にとってどのような意味を持つものであったのだろうか。また、女性たちが読書を習慣化する過程でその重要さを認識する、集団で「読む」ことはどのようにとらえられていたのであろうか。次節では、婦人文庫における読書会活動を中心にこの問題を検討していきたい。

三　女性にとって「読書する」ということ――集団で「読む」ことの意味

本節では、一九六〇年代の飯伊婦人文庫における女性の読書活動を分析し、女性たちがどのように読書活動を営んでいたのかを明らかにするとともに、集団で読書活動を営む意味を検討していく。

女性たちは飯伊婦人文庫の活動を通して徐々に読書習慣を形成していった。しかしながら一九六〇年代半ばの高度経済成長や一九六一年の大水害は女性たちの生活環境を大きく変化させ、生活の多忙化、さらにテレビの普及も相俟って、婦人文庫の会員数は激減してしまう。しかしながら、このような状況下で女性たちは読書の意味を捉え返し、婦人文庫の活動は質的に向上していくことになる。この過程で注目されるのは、婦人文庫の活動を通して、女性たちが自分と同じ悩みを共有する仲間と出会い、集団で読書活動を営むことの重要性を認識し始めていたことである。

このような女性の読書活動に対する意識の変化を明らかにするためには、女性たちの読書活動の内容および読後感想にまで踏み込んで検討することが不可欠である(217)。本節では、婦人文庫の活動内容が集団で読書活動を営むことを含み、女性たちも活動の過程でその重要性を認識し始めたことに注目し、集団で読書活動を行なうことが女性たちにとってどのような意味を持つものであったのかを明らかにしていく。具体的には、婦人文庫発行の文集『かざこし』(一九五一―一九七一年)[218]、『読書についての文集』(一九六二年―現在に至る)[219]、総会での読後感想発表などを分析することにより[220]、一九六〇年代における女性の読書活動の実態と、集団で読書活動を営むことの意味を描き出していきたい。

(一) 婦人文庫の読書活動――「配本」を中心として

配本の方法

初期の婦人文庫の活動を支えたのは、県立図書館および飯田市立図書館の本を利用した「配本」であった。配本日には配本と併せて、当時飯伊婦人文庫の指導者的立場にあった木下右治をはじめ、下伊那の知識人などを講師として招いて「お話」が行なわれている。

> 毎月楽しみに図書館に出席し、木下先生のユーモアたっぷりの御話しをお聞きし、又幾人かの講師の方々をお招きしての広い範囲の良い御話を聞き、毎月一回という僅かなひとときが、私にとっては尊いそして憩いの場所とでも云いましょう。(中略)家庭を持つ私たちには一月一度の楽しい御話を聞くことの出来る機会を得ることが、どんなに良い事であるか、私には痛切に感じられます[221]。
>
> 皆様のお顔を拝見する楽しさ、また返本と貸本の間の諸先生のご講演等で、二十何冊かの本の重さもどこへやら、図書館へと急いだものでした[222]。

にあるように、読書のみならず、外出する機会の限られていた当時の女性たちにとって、配本日は貴重なものであった。女性たちは、「真暗闇」の中、「マッチをすって灯をつける。こんなことをかれこれ三度もくりかえしてからただ本をかりるために、一心に道を急ぐのだった」。なぜなら、「あまりおそくなると、皆がかりてしまったあとだったりして、希望した本がなかったりするから」である。[223]

配本については、「読みたいと思う本が与えられないのは、この文庫の一番悲しいことであるけれども、とにかく、本一冊買い求めて読むことの出来ない悪条件のもとで母親文庫は本当にうれしい存在である」[224]とあるように、当時の女性の経済的状況もあっておおむね肯定的に受け取られていた。

女性たちは、当初「そのまま廻してしまう時もあった」が、次第に「月月廻ってくる本が待ち遠しくてたまらなくなり」、「回数を重ねると只面白かったではもの足りなくなってしま」う。[225]女性たちは、読書行為に慣れてくるに従って、「はじめの時は、娯楽を主にしたが」、「少し頭を使う本も借りたいと思」うようになり、「新聞の広告とか、文化芸術欄の紹介とか、ベストセラーとかに注意し、本のタイトルと、著者を頭に刻みつけて配本日には出かけ」たり、[226]配本で読んだ本をきっかけに読書記録をつけるようになったりしている。[227]

配本の内容

それでは、具体的にはどのような本が配本されていたのだろうか。配本する本は、長野県立長野図書館および飯田市立飯田図書館の本で、地域の婦人会が文化部の予算で本を補充することもあった。配本の選定は、会員の希望を聞きながら、木下右治が中心となって行なっている。婦人文庫には、当時の配本内容の記録は残されていないが、婦人文庫発行の文集に掲載された会員の読書記録などから、配本の一例を示したのが【資料編、表15】である。

まず、全体的な傾向として言えるのは、壺井栄、有吉佐和子など女流作家のものがよく読まれているということである。これは、毎日新聞社の『読書世論調査』において、女性の「好きな著者」の上位二〇位以内に上記の作家を含めた女流作家がランクインしている傾向と一致している。(228)女流作家について細かく見ていくと、円地文子、三宅艶子、森田たま、由起しげ子らの本が配本されているが、これらの作家は一九五八（昭和三四）年に開催された「本を読むお母さんの全国大会」で講演している。会員の中には、この講演に参加した者も多く含まれていることから、これに配慮して選本されたのだろう。また、松尾ちよ子の『ママ、おうちが燃えてるの』は一九六一年度のベストセラー小説であるが、婦人文庫の配本には一九六二年以降、取り入れられている。

次に、男性作家についてみてみると、石坂洋次郎、丹羽文雄、井上靖、石川達三らの本が挙げられている。これらも、『読書世論調査』において女性に人気の高い作家である。特に石坂洋次郎の人気は高く、配本された『我が愛と命の記録』の他にも、『若い人』や『あいつと私』なども読まれている。(229)興味深いのは、『読書世論調査』において石坂の著作は「男女学生や若い女性間に支持が多い」(230)とされているが、大部分が「主婦」である婦人文庫の会員に受け容れられていることである。石坂の作品については「とにかく毎日のつましいまかないに追われ、生活費が上がって苦しいとか、主婦としてのきまりきった枠の中にはまり込んでいる私自身にとって、この小説をずうっと通して読んだ事は、世の中にこんな生き方もあるのかしら、と新しい生き方に目を開き直された感じ」(231)という感想が寄せられていることから、会員にとっては、日常生活とはかけ離れた別世界、「新しい生き方」に本を通して触れられることが大きな魅力となったのだろう。

さらに配本の内容で特徴的なのは、村井実・丸岡秀子編『夫も教師・妻も教師』や、林勝三『こんな子どもはこのように』、波多野勤子の『少年期』など教育関係の書籍が見られることである。これは、子育てに携わっている会員が多く、子どもたちが自分の受けた教育とはまったく異なる教育を受けていることに刺激され、子どもの教育（方法）に対する関心が高まりを見せていたことを反映していると考えられる。(232)

配本全体としては、多少の遅れはあるにせよ、その年のベストセラーの傾向とほぼ一致しているといえよう。これは、新刊書を読みたい、という会員の声にできるかぎり対応し、読書習慣を身につけてほしいという意図に基づいた結果であると考えられる。

会員の読書感想

会員たちは、配本された本を読んで、どのような感想を抱いていたのだろうか。今東光の『春泥尼抄』を読んだ会員は、「以前週刊誌で拾い読み」をした時には「尼さんの桃色遊戯としか思えず」、「あまり感じのよい小説とは思えませんでした」が、婦人文庫の本で「一冊通して読んでみて、全然今までの考え方が違っていたことがわかりました」という。この会員は、「他から見れば不幸と見られる自分の運命に、強い信念と自信を持って、幾多の誘惑にも、また尼僧間の問題にも、みごとに、こころよいまでに解決して解決していく春泥」の姿を読み取っている。[233] 会員たちは、一冊の本をじっくりと読書することを通して、従来の印象や考え方が一変する、という経験をする。樺美智子の死について評した清水慶子の『愛情の記録』についての読書記録もその一例といえよう。

この会員は、「新聞やテレビの報道から得た私の大ざっぱな感想は、この事件を苦々しく思い、美智子さんの育った家庭は少し行き過ぎた家庭であったろうと思い、その後一周年の追悼記念集会にご両親を先頭にたてて行進している写真などをみても、なんでこんな大騒ぎをするのだろう……などと冷たい目でみてい」た。しかしながら、この本を読み、会員は「それがせまい自分であったことを覚りました。実際に当事者の言葉を聞くなり、書いたものを読んで巾の広い考え方をし、正しい批判をしなければいけないと思いました。ここにも読書の大切さがあります」と結んでいる。[234] 会員たちは、読書経験を積み重ねるに従って読書が「巾の広い考え方」や「正しい批判」の基盤となるということ、さらに読書を通じて従来とは違った考え方やものの見方ができるということに気づきつつ、「読後しみじみと何かを考えさせられ、いつまでも心に残るような本がもっとあったらいいなと思います。単なるベストセラーではなくて、古今の名作、外国の文学書等、少しずつでも〔配本に＝引用者注〕入れていただきたいと思います」[235]、「少し難しくても、古典的なものや、人間の内面的な問題や、更には真実の生活を追求するような本は、がまんして読めば、するめをかんだような味が、読んだ後にしみじみとわいて参ります」[236]とあるように、次第に自分の読書の嗜好を確立していくのである。一九六〇年代後半になると婦人文庫の指導者的立場にあった池田寿一のもとには、「〔配本では＝引用者注〕読みたい本が来ない」という批判も会員から寄せられるようになっているが[237]、このことは会員たちが自分なりの読書の嗜好を確立しつつあったことを示すものである[238]。

それでは、会員の読後感想にはどのような変化が見られるのだろうか。婦人文庫が設立された当初（一九五〇年代後半）の感想を見てみると、「婦人文庫より次々と回読させて下さる。又ＰＴＡの文庫よりも回ってくる。居ながらにして勉強させて頂き幸いだ」[239]〔一九五九年＝引用者注〕、「皆さんのお骨折りで回覧文庫が始まり、読書に近づけていただいたことは誠にありがたいことと思います」[240]〔一九五九年＝引用者注〕のように、婦人文庫そのものを「ありがたい」存在と捉える感想が多くを占めていた。

しかしながら、一九六〇年代以降、文庫の活動が進展していくにつれて、読書した内容に踏み込み、自分の関心に引きつけて感想や主張を書くようになる。

いろいろの国々のいろいろな様子を読んで、人種的な性格や、社会的、経済的、歴史的といろいろな要素がからまってできあがっているのだから、どのようなあり方がよいかということはいちがいにいえないと思いました。[241]〔『未開の顔　文明の顔』の読後感想、一九六三年＝引用者注〕

部落問題がなかなか根づよく容易にとりはらえないということはどういうことなのだろうか。（中略）私どものまわりには、殆どそうした差別意識はなくなってきておりますが、それでもさて結婚というような問題になりますと、ふと持ちあがってきて、つり合わないとか、「いくら貧乏していても、エタやバッタじゃないで」といったことが口に出されます。[242]〔『部落の女医』の読後感想、一九七二年＝引用者注〕

などは、読書を自分の問題に引きつけて読み、自分なりの「読み」、解釈を主張したものの例といえよう。また、藤村の『破戒』を読み、「お互いに一個の人間として平等な社会に生きる為にはどうしたら良いか。広く知識を求めることが大切だ、そんな思いに日本史のページも繰ってみました」(243)〔一九六六年=引用者注〕のように、新たな読書への意欲も生まれている。

さらに、一九六〇年代以降の読後感想において特徴的なのは、個々人で読書を営みながらも他の会員と話し合いたい、という意欲が出てくることである。文集には、「誰でも心の中に何か考える事があると思います。宝の持ち腐れにならぬよう、来年こそはお互いに発表出来る機会を持って励みたいと思います」(244)〔一九六二年=引用者注〕、「大切なことは自分一人で考えたり苦しんだりしているよりは、他人の言葉を聞いたり意見を求めたりするということです。そのためにもグループで時々集まって話し合う機会を作ることが大切だと思われます」(245)〔一九六三年=引用者注〕、「常日頃、読むには読んでいても一人で感心しているだけでした。書いてみて本当に話し合いの必要性を感じました」(246)〔一九六六年=引用者注〕などの言葉が綴られている。

ある会員は、『橋のない川』について、「この辺ではあまり聞きませんが、結婚というとまだまだこの問題をとり上げるというのは何が原因か。私はこの問題をもっと納得の行くように話し合う必要があると強く感じました」(247)〔一九六三年=引用者注〕という読後感想を書いている。このことから、他者と話し合いたいという意欲が生まれた要因として、読書経験を積み重ねていく過程で、一人一人が自分なりの「読み」、すなわち解釈を掘り下げていった結果、ときとして自分だけでは解決できない疑問や問題に直面したことが考えられる。

それでは、読書をするということは女性たちに具体的にどのような影響を与えたのだろうか。また、読書を通じて、女性たちはどのように他者とのつながりを求めるようになるのだろうか。以下では、個人の読書経験、総会での読後感想発表の分析をもとに、この問題に迫っていきたい。

(二) 婦人文庫会員の読書――読書経験と読後感想発表から

ある会員の読書経験(248)

今回お話を伺ったIさんは一九一四（大正三）年、鳥取県に生まれ尋常小学校四年の時、両親の仕事〔両親ともに教員＝筆者注〕の関係で飯田に住むようになる。飯伊婦人文庫の設立当初から会員となり、ほぼ毎号文集にも寄稿している。

――印象に残っているのはどのような本ですか？

石坂洋次郎の『若い人』が印象に残っています。「こんな女の人がいたのか、こんな生き方があるのか」と魅力を感じました。

「自分なりに何かしたい」と思ってそうしたこともあります。

――具体的にどのようなことをなさいましたか？

結婚してからは自分の過去は天竜川に投げ捨てて、自分を抑えていましたが、本〔石坂洋次郎の＝引用者注〕を読んで、解放されたような感じがしました。自分の思うように生活してみようと思いました。

ここでIさんの当時の生活状況について補足しておこう。Iさんは結婚するまでは、両親が教員ということもあり、読書にも比較的理解があってよく本を読んでいた。ある意味で、「わがまま」に育ったという。しかしながら、結婚して生活が一変した。姑の他に小姑もいる。自分自身は読書が好きでよく読んでいたのに、読めない。新聞さえも読めない。当時「女の人はお勝手を這いずり回っていればよい」という考え方で、「農村に来てみたら、結婚前と違うので、びっくりした」。そこで、自分のこれまでの過去は「天竜川に投げ捨て」なくてはならないと思ったのだという。

当時、組合みたいなものが十軒近くであって、五軒辺りに一つの井戸があって、〔井戸のある家で＝引用者注〕水を「使わせてもらって」いました。井戸から水道が引いていないから「もらいに行く」んですね。結婚するまでは、町場にいたから、水道を使っていました。蛇口をひねれば水道がでる。だから、井戸の水汲みにいくのがいやでいやで……。

それで〔石坂の本を読んでから＝引用者注〕井戸の水から水道を引いて、それぞれの家に水道を引こうと思いました。実際に提案してみると、「お金がかかるから、いままでのように水をもらいに行けばいいじゃないか」と反対されました。でも、結果的には、みんなでお金を出し合って、それぞれの家に水道を引きました。

みんなには文句を言われたけれど、一人っきりで留守番をしていたおばあさんは、水汲みにいっていたんですが、その方には唯一お礼を言われたのが印象に残っています。

――他には何かおありですか？

もう一つは、長女の進学問題です。当時、長女は高校の男女共修のはしりの頃でした。もともと本人は勉強好きでした。本人の希望もありましたし、もう昔じゃないから、女の子も男の子と同じように勉強したらいい、自由にさせたい、と飯田高校に強引に〔夫の反対を押し切って＝引用者注〕進学させたんです。

主人は「男みたいになってしまうから」、風越〔女子校＝引用者注〕じゃなきゃだめだといいました。教員なのにね。大反対でした。でも自由にさせたいと、このころけんかはしょっちゅうでした。

〔石坂の＝引用者注〕本を読んで、自分の思うことをするようになったと思います。なにも主人の言うことをはいはいと言っていることもないわ、という気持ちになったと思います。転換を乗り越える力は読書にあったと思います。世の中の流れが変わったというのもありますけれど……。

このように、Ｉさんは石坂洋次郎の『若い人』に多大な影響を受け、「解放感」を味わうのみならず、「自分の思うように生活してみよう」と、実際の行動に出る。それまでは、我慢して水汲みに行っていたのを、共同で水道を引くことを近隣の家に働きかけ、反対にあいながらもそれを実現させている。また、長女の進学問題に関しても、夫と「けんか」をしながら、長女の進学希望と自分の「自由にさせたい」という考えを貫いた。このことから、読書はＩさんにとって、自分の意志を明確に表現し、さらに目的の実現のために他者に対して働きかける原動力となったといえよう。たとえば、Ｉさんは婦人文庫の配本の際に、本とともに「母親文庫感想記録帳」を入れて回し、配本グループのメンバー一人と読後感想を書きあう、という試みも行なっている。読後感を書くことは、それなりに大変であったようだが、「書いて次の人に廻した後、何かしら心の満たされた思いがいたします。そして年若いＹ子さんの考えの中に、私はなる程と思う事があります。Ｙ子さんも私の書いた中に、年長者の考えに参考になる事があるそうです」(249)と記しており、他者とともに読書をすることの面白さも見いだしている。

このことから、読書は婦人文庫の会員の女性たちの考え方に多大な影響を及ぼし、自分の意思を実行する原動力となるものであったといえよう。さらに、配本のグループの中で読書感想を交わすことなどは、ささやかではあるが自分なりの「読み」を他者に向けて発信し、同時に他者の「読み」に触れる機会となった(250)。このような機会は、集団での読書活動に対する意欲を培うものであったと考えられる。

婦人文庫の活動では、「配本」などの折に感想や自分なりの「読み」を交わすこともあったが、年一回開催される総会ではより多くの会員に向かって自分の「読み」を「発表」する機会も設けられている。次に、この「発表」における個人の「読み」を検討することにしよう。

ある会員の読後感想発表(251)

一九六三年の発表で取り上げられたのは、大原富枝の『悪名高き女』（一九六二年）である。発表者は、これを「放火犯という悪名を背負いながらも、一代をけなげにも強く生きぬいてゆく一人の女性の姿」を描いたものと紹介している。

発表者は、この本を読み終えて、「いつまでもいつまでも心の中に波がさわいでいて、之でいゝのだろうか、之でいゝのだろうか、と考えていました」という。発表者がこの本の中で注目したのは、主人公が「放火犯」とみなされ、無実でありながらも「ハイと云えば家へ帰れるんだよ」という甘い言葉にのせられて「何日もの拘留で家こいしさの余り遂に「ハイ」と放火を認めてしまうくだりである。発表者は、「今の様に自分の意志をはっきり表現する様に指導されている子供たちなら、「うそ」をそのまゝ「うん」などといわないでしょうと思います」という。そのうえで発表者は、週刊誌に掲載された平沢死刑囚の記事や、松川事件に触れながら、「警察は本当に真実を追究していてくれるだろうか」という疑問を提示する。さらに「空には人工衛星が、人を乗せて宇宙を飛行してくると云うのに、科学はすゝみ文化生活は向上していると云うのに」、「吉展ちゃん誘拐事件」をはじめとして、「次から次へと殺人がおき、誘拐事件が起きる」のは「どうしてなのだろう」という「心の波」を抑えきれない。

発表者は、「こんな世の中だもの犯罪だっておきるだろう、社会が悪いんだ」と言われたことを引き合いに出しながら、「社会、社会って、社会に責任をもたせる人格があるのだろうか？　いやいや責任をもたなくてはならない人格は個人にこそあるのだ」、「道は遠くとも、個人個人が責任をもちあい、そして一人一人のお母さんたちが手をつなぎあって暖かい社会を作るのだ」とする結論を示す。そしてそのためには、「人の道、人間らしい心、一人一人の責任感、皆の仕合せ」について「真剣になってお互いに考えて」いくことが必要であり、自分自身は「絶えず波たちさわぎ乍ら手をつなぐ母親として生きてゆきたい」と発表を結んでいる。

この発表で浮き彫りにされるのは、発表者がたんに読書した本の内容やそれに対する自分自身の感想を述べるだけではなく、読書した内容を自分自身の持つ疑問に引き寄せて考え、それに対する自分なりの考え方を明確に示していること、さらに自分の提示した問題について、他者とともに考えたいと主張していることである。このことから、この読後感想発表には、自分自身の問題にひきつけて読書を行なうとともに、読書を通して世の中の事柄に目を向け、自分なりの「読み」・解釈を他者に対して発信していこうとする読書のあり方が反映されているといえよう。

個人での読書経験についての聞き取りにも見られるように、読書は個人の意識を「解放」するとともに、行動の原動力となるものであった。さらに、婦人文庫の活動の一環である「発表」を通して、女性たちは、自分自身の問題にひきつけて本を読み、さらに他者へと拓かれていく「読み」を展開していくことになる。

次項では、婦人文庫の会員たちの読書が個人的な営みにとどまらず、他者へと拓かれていくことに注目し、共同的な読書はどのように営まれ、このことは女性たちにとってどのような意味を有するものであったのかを読書会に焦点を当てて検討する。

㈢　婦人文庫の読書活動――読書会を中心に

読書会設立の経緯

ここで、婦人文庫において読書会が設立される経緯をたどってみよう。

婦人文庫では、設立当初から「読むこと」「書くこと」「話し合うこと」を活動の柱に据えていたが、当時の指導者的立場にあった木下右治は次のように述べている。

読書することも、生活を記録することも、その結果を話し合いの場にまで持っていきたいものである。個人の読書からグループの読書会に進みたく、生活を記録したものを、グループで話し合い、実際生活の問題にとっくみ、

そこに内在する問題を明確にし、その問題について討議したいものである。(252)

このことから、木下は「読むこと」「書くこと」「話し合うこと」を一挙に実行しようと考えていたわけではなく、まず「読むこと」によって女性の読書欲をかきたて、次に「読書を生活に結びつけ」、「自分を良くみきわめる」べく「書くこと」を行ない、これらの活動を基盤として「話し合うこと」を行なう、というように段階的に実行しようとしていたことがわかる。(253) ここで注目されるのは、「個人の読書」から「グループへの読書会」への展開は、婦人文庫における読書活動の一つの「発展」として位置づけられていたことである。

木下は上記の意図に基づき、一九五八年から婦人文庫のグループを作っていた婦人会を回って、読書会の必要性を説いた。当時、木下の働きかけを受けた女性は次のように綴っている。

> ねらいにつきましては、農家の主婦は読書する暇さえない生活の中で、何かの方法に依って読書の意欲を高めて、一人が十歩進むより、十人が一歩ずつ進むようにするのが狙いだとおっしゃっていました。
>
> 読書会の方法は、各村区有志が組織化して、成可く小グループに分けて読み易い本を持ち寄り、明かるい楽しい雰囲気をつくってやる事、無理に読ませない様に、声をはっきり読み合い内容をよく解釈して話合う事。
>
> その場合、「こんな事云ったら、人が何んとか云うかしら」なんて、人にこだ《（ママ）》わらず、自由な気持ちで話合う事。どこまでも個人を尊重し合った会でなくてはならない事。会合で発言せずに、影で人の批評などする事は絶対いけない事等をお話し下さいました。(254)

読書をしたり、人前で自分の意見を発表することに関する経験があまりなく、消極的にならざるをえない当時の女性の状況をよく把握した上での、きめ細やかな助言といえよう。婦人文庫の会員によれば、「婦人文庫開設の明る年（三十三年)、五月読書会結成の回覧板が回ってまいりました」[255]という。[256]木下は、配本のたびに「お話」を行なっていたが、「お話」に対する女性の反応を見て、読書会の結成に踏み切ったのだろう。

一九六〇年代初頭、「一日を農事と家事に追いまわされて、何の刺激もなく、これといって打ち込める勉強も趣味も持たない自分、家の中だけの生活に追われていると自分の殻だけにこもって何の進歩もない月日になってしまい勝ちな自分に気づき」、「こんなことをいつも考えている同じ年齢層の人たちがグループを作り、一緒に本を読んだり、生花を習いたい(中略)と話し合ったことがあります」とあるように、[257]閉塞的な環境にあった女性たちの間には、グループで学習したり、話し合ったりすることに対する潜在的な欲求が存在していた。このような潜在的な欲求に後押しされ、女性たちは「町内の友」と誘い合わせたりして、読書会に入っていくのである。

読書会の開催

一九五八年より始まった読書会がどのように行なわれていたのかを検討していこう。木下は、読書会を始めるに当たって、簡単なテキストを婦人文集の中から適当なものを拾って作り、自分たちが描いた身近な話題について読み合わせ、話し合いをした上で、本格的な読書会に入っていった。【資料編、表16】。

読書会は毎月一回開催され、丸岡秀子が編集した『明日を呼ぶ母の声』が最初のテキストとなっている。『明日を呼ぶ母の声』は熊本の婦人の生活記録を元にしたものであるが、女性たちにとっては「身近な問題だけに、いろいろ考えさせられ学ぶことがあり」、「これを読み合うのに、これに関連して、話し合いがはずみ横道へそれたり、自分達の生活を話し合ったり」して、計一八回、一年四カ月をかけて読書会を行なっている。[258]

次にテキストとしたのは、土屋文明の『万葉名歌』である。これは、読書会を指導していた木下が万葉集を研究対象としていたこと、さらに「祖先がうたった歌を読み合い、その生活感情を知りたい」という会員の希望があったことによって選ばれた。このテキストは約一〇回かけて読まれている。万葉集の読書会に参加した会員は、「万葉の歌人の物の感じ方、ものの見方は、自由であり、自然であり、こだわりがなく、人間の本性を、そのまま歌いあげているところに、今日のわれわれと全く血の通っているという事を知」ったと綴っている。[259]また別の会員は、「三日坊主の怠け者で通っている私が、軒並グループの読書会のお陰で、土屋文明の『万葉名歌』を読み終えた。新潮文庫の小さい一冊は、隅から隅まで私のものだという気がして、一人悦に入っている」[260]と記している。読書会における読書は、なかなか自分ひとりでは読みきれない本を、内容の理解まで含めて「私のもの」にするという、ある種の達成感を女性たちにもたらしたといえよう。

『万葉名歌』の後は、亀井勝一郎の『現代夫婦論』、さらに会員たちの文章によって編まれている『かざこし』第三号を読み合わせている。この時点で、読書会は四年目（一九六二年）を迎えているが、「こうして長年やっておりますと、仲間が皆んな仲良しになりまして、家庭の問題等、皆が裸になって話し合うようになりまして止むを得ず出席できない時など本当に寂しくなってしまいます」[261]とあり、読書会の中で一定の信頼関係、「仲間」意識が構築されつつあったことが示されている。なかには、「私は何時も黙って皆様のご意見をお聞きしているだけですが、その中から数々のものを学ぶ事が出来ました」[262]という会員もいることから、すべての参加者が発言するわけではないにせよ、そのような会員にとっても居心地の良い空間ができつつあったといえよう。

次にテキストとなったのは、宮沢俊義・国分太一著『わたくしたちの憲法』である。『憲法』そのものは木下が作成した読書会テキストの中にも含まれており、木下は憲法学習に力を入れていたと考えられる。[263]会員たちの中には、「憲法は大学生の読むものであって、（中略）私共には分からない」としり込みする声もあったが、[264]読み進めるにつれて「新憲法のもっとも一番心を打つものは第九条ではないでしょうか」、「読むたびに胸を打たれるような思いのする一句」として第十二条の条文を挙げるなど、自分たちにとって身近なものであるという印象を深めている。[265]読書会では、

第三章　戦争の放棄　第九条　の問題に、真剣に意見をたたかわしたのでした。とにかくもう戦争だけはおんこりごりだ。戦争だけはどんなことがあっても絶対にさけなければならない。そのためには戦力は持つべきではない。いやそうではない。日本だけが戦力を持たなくては世界の国々から馬鹿にされ、みじめな思いをしなければならない——など、とうとう私達主婦の立場から、戦力保持云々を論じたわけでした。(266)

とあるように、毎回真剣な議論がなされた。

憲法の読書会と前後し、この読書会から派生する形で一九六二（昭和三七）年一月から短歌会（後に「かざこし歌会」となる＝筆者注）が設けられる。木下は短歌会設立の意図は、「憲法の基本精神を受けとめることのできる感受性を養(267)」うことにあると位置づけている。実際に参加した会員たちは、短歌会を「自己表現の方法」と捉えていたようだが(268)、いずれにせよ短歌会は「心から打ち込めるもの」として続けられていく。

上記に示した読書会だけではなく、一九六〇年代になるとさまざまな読書会が開催されるようになった。例えば一九六〇（昭和三五）年には枕草子読書会、一九六五（昭和四〇）年には徒然草読書会が、一九六七（昭和四二）年には木曜読書会が結成され、現在まで続行している。読書会で使用するテキストは、当初は指導者に選択を委ねることが多かったが、次第に「楽な本なら一人で読んでも理解できるのだから、指導者もいて、グループで読むときこそ、普段一人で読めない本をということで、今までにも比較的難しい本が選ばれてきました(269)」とあるように、読書会という集団での読書の性質を生かした選書を行なうようになった。

読書会の内容

読書会を記録した文集によれば、読書会は輪読形式で進められていたようである。

> 皆様の前で一章ずつ順々に読み回し、話し合うのですが、人前で正確に読むということは、私にはなかなか大変なことで、内容はおろか、読む努力が精いっぱいで、たどたどしい読み方に全身燃えるようにほてり、かきざみ（ママ）にどこかがふるえるのを静止できない有様。[270]

会員たちは、人前での発言や意見交換などにとまどいを覚えることもあった。また、

> 狭い地域によって集まりました読書会は、全員に年齢差もございますし、本が読めるとか読めないとか、字が上手だとか下手だとか、発言するとかしないとか申しました表面的な個人差もございまして、これにおかしな感情的なこだわりを生じてしまうのです。読書会をはじめる以前には考えてもみませんでした仲間づくりのむずかしさといった問題に只今は直面致しております。[271]

とあるように、読書会を進める過程で人間関係のもつれなどの困難にも直面している。[272] それにもかかわらず、女性たちが読書会に参加し続けたのはなぜなのだろうか。

　女性たちは、婦人文庫の文集に文章を綴り、また読書会に参加するなどの活動を経験する過程で、「自分の書いたものに、又は言動にどれだけの正確さと、どれだけの責任が持てるかと云う事は自分では解からぬ事で、皆様の御批判を受けてこそ始めてそれぞれの立場でその文章も生きるのだと思う[273]」とあるように、「他者の批判」を受けることが自分自身にとって重要であるということに気づくようになる。

　配本を通じた個人での読書は、次第に他者と話し合いたいという意欲を生み出していったが、読書会という場での読書は他者の意見を聞くこと、ときには批判にさらされることの重要性を会員たちに明確に認識させることとなった。女性たちは、「一人だけで読む読書もよいですが、十人で読んで話し合えばもっと沢山のよい事を覚えることが出来

ます[274]」として、読書会独自の読書形態に価値を見いだしている。
そして、会員たちが読書会に集う大きな原動力となったと考えられるのが、読書会において自分のものとは異なる多様な「読み」に出会うという、読書が持つ面白さを見いだしたこと、さらにそのような多様な「読み」を披露しあえる「仲間」との出会いである。ある会員は、枕草子読書会について次のように綴っている。

始めのうちは人前で声を出して読むのも、分からないところを聞くのも、声がつまるほど勇気のいるものでした。慣れるにつれて、納得のいくまで質問したり、自分の意見を出せるようになりました。そうなると、人に反駁され、批判され、また考える、そうした仲間があってこそ、その刺激によって人間として訓練され、高められて行くのだと互いに思うようになってきました。（中略）〔一つの段の解釈をめぐって＝引用者注〕盛んに頭をひねり合って、注釈書にはない自分の考えが出たり、それは新説、珍説などと笑ったりして、なごやかに頭も休まるというわけで楽しい時がたつのであります[275]。

この文章で注目されるのは、一九六〇年代も後半になり、読書会に「慣れる」に従って、質問したり自分の意見が出せるようになると、かつては「人前」という存在でしかなかった読書会のメンバーが、「仲間」として認識されるようになるということである。もとより読書会のメンバーは「顔見知り」であったが、読書会を通じて互いの「読み」・解釈やそれに対する意見を自由に交換するという経験を通じ、会員たちは「批判」を含めたさまざまな見解を許容しうる「仲間」として互いを再認識することになる。この「仲間」との出会いによって、読書会の参加者たちは「新説」や「珍説」などのさまざまな「読み」を交換し合うという、読書会独自の楽しさを味わうことが可能となったといえよう。
また、「一編一編の感じ方も受け取り方も、各自各様に違って」いるにもかかわらず、「集団で一冊の古典を長い年月をかけて読み終った」ことは、読書会の参加者に、「かたつむりのようにおそくとも必ず出来るという自信と、集団の和が大切でこれが大きく固くなる喜び」という「心のささえ」を与えている。この「心のささえ」を得たことにより、「人の噂話をしないこと、噂をされても気にかけないこと、そして自分をよく見つめることができるようになった[276]」という。

さらに、この会員は「最後に勉強の終ったあと、熱いお茶を戴きながら話し合う三十分はとても大切で、読んだ感想、時事問題、子供のこと等話し合う。この三十分は大変に大切で、この三十分が読書会を左右するものとなった[277]」と文章を結んでいる。これは、自分の意見や多様な「読み」を忌憚なく発表し、それを受け容れることのできる土壌、すなわち「仲間」が読書会を通じて形成されたことを示すものである。

これらのことから、女性たちは読書会を通じて、本を隅々まで理解し、読み終えることの達成感を味わっただけではなく、多様な「読み」・解釈の違いに出会うという集団での読書活動ならではの読書の面白さ、さらには読書を媒介として何でも話し合うことのできる「仲間」と出会うこととなった。これらの事柄が、女性たちの読書会を存続させる要因となったと考えられる。

また読書会は、「仲間と考え合うのは、自分で調べきれず、考えもつかない幅の広いものが得られ、そうなるときおい、自分の割り当てのところは十分わかっていなくてはならなくなります[278]」という文章にもあるように、個々人での新たな読書活動を促す原動力ともなったのである。

女性たちは読書会を通じて、自分の意見とは異なる多様な「読み」に出会い、集団での読書活動固有の読書の面白さに気づいていく。また、多様な「読み」を発表し、これを受容する「場」が読書会によって形成され、何でも話し合える「仲間」と出会ったことは、女性たちの「心のささえ」となっている。このような「心のささえ」によって、女性たちは新たな読書活動を展開していく力を得ることができたのである。

このことから、読書会における集団での読書は、個々人の読書を他者に向かって拓いていくだけではなく、集団での読書活動を媒介として個人が新たな読書活動を展開していく原動力となったといえよう。

集団で読書することの意味

飯伊婦人文庫における個人および読書会における集団での読書活動について、文集の分析を通じて明らかにされたことを整理して本項のまとめとしたい。

婦人文庫において、女性たちの読書活動を促したのは、「配本」という制度であった。一九五〇年代後半、自分自身で本を買う経済的な余裕を持ち併せていなかった女性たちは、配本された本を読み、次第に自分なりの読書の嗜好を形成し、自身の「読み」・解釈を読後感想という形で文集に綴っていく。ここで注目されるのは、女性たちが配本を通じて読書経験を積み重ね、自分なりの「読み」を明確に意識するに従って、個々人での読書では飽き足らず、他者の「読み」も聞いてみたい、あるいは他者と「読み」について話し合ってみたいという意欲を持つようになることである。

個々人での読書を通じて、他者とのつながりを求めることは、個人の読書経験に即した分析でも明らかにされた。女性たちにとって、読書は自分の意思を明確にするのみならず、他者に対して働きかける原動力となり、また、自分の問題にひきつけた「読み」を展開し、自分の抱えている疑問や問題について他者とともに考えていこうとする意識をもたらすものであった。このような意味において、個々人の読書活動の進展、あるいはその深まりは、個人の「読み」を深めることにとどまらず、他者へと拓かれていくものであったといえよう[279]。

読書会活動は、他者と話し合いたい、という意識が女性たちの中に芽生えたことに支えられて展開されていった。人前で自分の意見を発表することに慣れていない女性たちにとって、読書会での輪読や質問、意見の発表は最初の頃はなかなか骨の折れるものであり、人間関係のもつれなどの問題にも直面している。しかしながら、読書会は多様な「読み」と出会うという、集団での読書活動ならではの読書の面白さを女性たちに味あわせるとともに、多様な「読み」

を提示し、あるいは許容しうる、何でも話すことのできる「仲間」と出会うことを可能にした[280]。一九六〇年代後半になると、女性たちは、このような仲間との出会いを「心のささえ」として、集団での読書活動を進めていくとともに、多様な「読み」に刺激され、個人での読書活動も深めていくことになる。

本項で明らかにされたのは、個々人の読書活動の積み重ねは、他者へと拓かれていく可能性をもつこと、さらに読書会という集団での読書活動は、多様な「読み」に出会うという読書そのものの持つ面白さを女性たちに伝え、さらに多様な「読み」を話し合うことのできる「仲間」との出会いをもたらすということである。そしてこのような集団での「読み」の面白さ、「読み」を共有しあえる「仲間」との出会いをもたらした読書会は、女性たちの「心のささえ」となって、個人のさらなる読書活動を展開していく大きな原動力となった。このことから、個々人の読書活動の深まりは、他者へと拓かれていくものであると同時に、集団での読書活動の深まりもまた、個々人の読書を推進していく原動力となるといえよう。そして、個人、集団での読書活動の深まりをもたらすのは、読書行為を通じて自分自身の考え方や主張を再認識しながら、本の内容を理解し、解釈していくという一人一人の「読み」であった。

小括

本章で検討した、戦後長野県における読書運動、すなわち小笠原による読書会連絡会の活動、宮沢による読書会活動、そして下伊那地方で展開された飯伊婦人文庫の活動の内容とその意味を検討しておこう。

上記の読書運動はすべて不読者層を対象とした読書普及活動であり、集団的な読書会という形式を採用していたことが共通点として挙げられる。しかしながら、その意図するところは大きく異なっていた。

小笠原の活動は、農村の人々の読書に対する潜在的な要求を汲み取り、あるいは読書に対する要求そのものを刺激し、読書会を立ち上げたという点、さらにそれまで各地域や青年団で個別的に行なわれていた読書会を相互に結びつけたり、交流の場を設定したりするなど、読書会を組織化していったという点において評価される。しかしながら、読書会連絡会から「私の大学」への移行を「発展的解消」と位置づけていたことにも反映されるように、小笠原は読書会そのものについてそれほど強いこだわりを有してはいなかった。小笠原は社会科学的な系統学習に強い期待と関心を寄せており、読書会はあくまで社会科学的な系統学習への発展手段、あるいは準備段階にあるものと見なされている。もっとも、このような小笠原の志向が、読書会参加者たちの意図や要求をうまく組み込んだものであったかは疑問が残る。なぜなら、系統学習そのものがすぐに行詰りを示す一方で、系統学習にそれほど拘泥しない読書会が下伊那地方を中心に展開されていくことになるからである。

宮沢の読書会活動は、農村の封建性の打破に根ざした「生活の充実」を目標とし、読書会を通じて農村の女性たちの狭小な思考と視野を広げ、「進歩的な人間関係」を構築することを目的としていた。この点において、宮沢の読書会は、社会科学的な関心に基づいて読書会を組織していた小笠原のそれとは異なり、地域の人々の生活に密着したものであったといえよう[281]。宮沢の読書会の指導理念は、戦時中、戦後と一貫して「生活の充実」を目標として掲げていることが注目される。もちろん、充実を図ろうとする「生活」の内容は戦時中と戦後とでは異なると考えられるが、戦時中の「一つの方向に駆り立てる」問題にせよ、戦後の「村の封建性」にせよ、いずれも類型化された狭小な視野や思考の領域を拡大するための方法として読書が位置づけられているという点においては、一定の連続性が見いだされるのである。もっとも、宮沢は「集団で読むこと」そのものをそれほど重視していない。宮沢にとって、集団的な読書はあくまで封建的な農村社会において読書をしやすい環境を生み出し、読書を生活の中に根づかせる方法であった。このことは、宮沢が個人読書の前段階として集団読書を位置づけていたことにも反映されている。

飯伊婦人文庫の読書活動は、活動当初から「読むこと、書くこと、話しあうこと」を活動方針とし、「集団で読むこと」そのものに積極的な意味を見いだしていたという点において特徴的である。女性たちは婦人文庫の活動を通じて読書を習慣化していっただけではなく、集団で読書をし、話し合い、学習し、書くということの楽しさを見いだしている。女性たちは読書会という集団的な読書形式を通じて、多様な「読み」に出会うという読書そのものの面白さに気づいた。さらに、読書会は多様な「読み」の存在を認め、それについて話し合うことのできる「仲間」と出会う場を提供した。このことは、個々人の読書活動の深まりによって、自分とは異なる意見を聞いてみたい、あるいは他者と話し合いたい、という他者とのつながりを求めていた女性たちの潜在的な要求に応えるものであったといえよう。そして読書会での多様な「読み」との出会いは、さらなる個々人の読書活動、学習活動の深まりをもたらすこととなった。したがって、個々人の読書活動の深まりはけっして閉じたものではなく、他者に対して拓かれていくものであるといえる。それと同時に、集団での読書活動の深まり、新たな「読み」との出会いもまた、個々人のさらなる読書活動を展開させる原動力となるものであった。

これらのことから、個々人、集団での読書活動の深まりをもたらすのは、読書行為を通じて自身の考えや思考を反省的に捉えつつ、本の内容を自分なりに理解し、解釈していく一人一人の「読み」であったといえるのである。そしてこの「読み」は一直線に女性たちの主体形成につながるものではないにせよ、既存のものの見方や考え方を組み替えていく、あるいは「ずらして」批判的に考える潜在的な「力」となったと考えられる。その意味において、飯伊婦人文庫の事例は、読書行為が「教育」として成立するためには、個々人の「読み」をどのように読書行為の中に位置づけていくかという問題が抜きがたく存在するということを明確に示しているのである。

(1) 国立教育研究所編『日本近代教育百年史　社会教育(二)』第八巻、一九七四年、五八一頁。
(2) 同前書、五八三頁。
(3) 長野県教育史刊行会編『長野県教育史』第三巻総説編三、一九八三年、一二一六頁。
(4) 同前書、一二一七頁。また一九四六年七月五日には飯田図書館において市町村文庫経営協議会が教育民政部長により開催されている。その趣旨は、「県下図書館運営者に対し現時局下の諸事情に即応する図書館文庫の経営に関する協議研究をなす」とされ、乙部泉三郎が「新時代に処する図書館の経営」という題で講演を行なっている（「昭和二十一年　松尾村長　青年会長宛文書」『松尾青年会二　昭和二十一年度』松尾支所文書、飯田市歴史研究所所蔵）。

（5）前掲注1、五九七頁。

（6）前掲注3、一二二〇頁。

（7）前掲注1、六一〇頁。一九五四（昭和二九）年には、従来の青年団活動の反省を踏まえ、「話しあいと仲間づくりを中核とした小集団による学習方式」を提唱し、生活学習・生産学習・政治学習に根ざした第一回青年問題研究集会（青研集会）を一九五五（昭和三〇）年より開催する。

（8）前掲注1、一〇六四頁。

（9）長野県ＰＴＡ母親文庫の活動とその理念については叶沢清介『図書館、ＰＴＡ、そして母親文庫』（日本図書館協会、一九九〇年）を参照のこと。

（10）長野県下伊那連合青年団史編纂委員会『下伊那青年運動史』国土社、一九六〇年、一五九頁。

（11）松本市教育百年史編纂委員会『松本市教育百年史』一九七八年、九四頁。松本読書会の会長は松本高等学校長・木村秀夫、顧問に石川柏亭、秀取秀真、宇野浩二らが名を連ね、「文化国家建設には一人一人が高い教養と深い情緒の陶冶とを図る事が緊要であり、そのために読書人の団結によって、定期的に講演・講習会を公開する」とその趣旨が掲げられている。

（12）前掲注10、二三二頁。

（13）同前書、一六一頁。

（14）同前書、二三二頁。また、一九四六年の下伊那郡連合青年団・同連合女子青年団宛の文書には、「読書会世話人懇談会報告ノ件」として「去ル五月三〇日〜三十一日ニ渡ル農村文化協会主催ノ県下青年団関係読書会及農村文化振興ニ関シ種々協議之有リ候左記ニ依リ大要御報告申上候」として、「1、文化協会主事　八木林二による開会挨拶（中略）3、読書会用図書斡旋ニ付キ種々ノ懇談ヲナス（中略）6、農村文化礎立ノ為ノ方策及特ニ現下青年ノ智的《ママ》向上ヲ期スル事急務ナリトノ意見が多ク之レガ為ニ読書会及読書ニ対スル指導ヲ重要視サル」とある（「昭和二十一年六月五日　下伊那連合青年団　下伊那郡連合女子青年団各村男女青年団長殿」前掲注4）。

（15）叶沢の指導による「ＰＴＡ母親文庫」は不読者層の最下層を女性と捉え、ＰＴＡ組織を利用してこれらの女性を対象として展開された読書普及運動である。この活動の詳細については、叶沢清介、前掲注9を参照のこと。最近では、石川敬史「叶沢清介の図書館づくり――ＰＴＡ母親文庫まで」（日本図書館文化史研究会編『図書館人物伝――図書館を育てた二〇人の活動と生涯』

日外アソシエーツ、二〇〇七年、一四一―一六一頁）がある。

(16)『日誌』自昭和二十四年四月一日至昭和二六年十二月三十一日、松本市立中央図書館蔵（以下、『日誌』日付の順で記載することとする）。

(17) 松本市立図書館が開架式に正式に移行するのは翌一九五二年一〇月二三日からである。また、それに先立って三月一〇日には図書の貸出しを従来のカードからブックカードに切り替えている（以上、『日誌』）。

(18) なおＰＴＡ母親文庫の創立に際しては、松本市立中央図書館内に配本所を設けるなどしているが、あくまでその活動を物理的にバックアップすることにとどまっていたようである。

(19) 小笠原忠統「農村に於ける読書会のモチベーションについて」『図書館雑誌』第四八巻第八号、一九五四年、一三頁。

(20)『日誌』昭和二七年一二月三〇日。

(21) 小笠原忠統「読書会の運営をこうした」『図書館雑誌』第四八巻第一二号、一九五四年、八頁。

(22) 同前。実際の読書会参加者の社会階層に関するデータは、読書会連絡会関係の資料には残されていない。小笠原の組織した「中信地区読書会」については、「五七％は中流層（非農であれば月収二―五万、農であれば田畑一町歩―三町歩）、三〇％は下流層（非農であれば月収二万未満）、農であれば田畑一町未満」であり、「主力はこの地方の中流階層にあるとみなされる」としている。もっとも、「そのほかいろいろの面からみて、読書サークルの人たちの多くが、もしこのサークルを組織しなかったならば本を読むことほとんどなかったであろう人たちであることは（中略）、明らかである」という分析がなされている。この分析に基づき、「またそれだからこそ、こういう読書会の組織は大きい意味をもつものである。またかれらのなかの青年層から、面接にあたって、「修養」といったようなことばをたびたび聞いたのはとくに印象的であった。都会の青年たちからこういうことばをたびたび聞くことはまずないであろう。読書サークルの人たちの心がまえは、ここに象徴されているようにして、たいへん真剣なのである」と結論づけられている（富永健一・竹内郁郎「中都市および農村における読書生活――一つの事例調査」清水義弘編『読書』所収、有斐閣、一九六一年、六八―六九頁）。これらの分析から、小笠原が指導した読書会の構成員は、読書にほとんどなじみのない人々が比較的多かったこと、また六〇年代には読書に対する姿勢が娯楽的なものへと移行しているとされてはいるものの、そのような姿勢の普及には地域差、そして読書という行為にどれだけなじみがあるか、などに象徴される階層差が存在していたといえよう。

(23) 小笠原、前掲注19、一三頁。

(24) 小笠原、前掲注21、八頁。

(25) 小笠原、前掲注19、一三頁。
(26) 小笠原、前掲注21、一二―一三頁。
(27) 小笠原、前掲注19、九頁。
(28) 『日誌』昭和二七年一月一日―昭和二九年三月三一日参照。
(29) 小笠原は自身が出席する読書会の一覧表をつくるなどマメな性格で、かつ気さくな人物であったという(二〇〇七年九月八日、松下拡氏聞き取り)。
(30) 小笠原忠統「松本「私の大学」開講まで――各種の学習サークルの結集をめざして」『月刊社会教育』第五巻第六号、一九六一年、八四頁。
(31) 「婦人読書会の記」『松筑図書館協会報』創刊号、一九五三年、一〇―一一頁。
(32) 同前。ただし、「館長様」という言葉遣いにも見られるように、「元華族」がわざわざ足を運んでくれることに対する「ありがたみがあった」ということにも注意すべきだろう。他の読書会においても、「今まで言葉などかけて戴くことなどあるまいと考えていた先生がお出で下さって読書会をして下さるとのお話で、私達でも出来るかしら?」と何となく不安でしたが……」と読書会の成り立ちが説明されている(神戸新田「読書会の歩み」『遠近』春季号、一九五五年、一一頁)。また、小笠原の組織する読書会に村の青年が参加しない理由〔普段、村の読書会には参加している=引用者注〕について、「先生はうまく心の中に飛び込まれてもどうにも話しにくいこと」のほか、「やっぱり先生は農民でないんだと云う事である」とする読書会参加者の青年の分析がある(「今夜は読書会」(上郷)『遠近』春季号、一九五五年、二二頁)。これらのことは、読書会における指導者と被指導者の関係をたんなる「教える―教えられる」だけではなく、その地域の階層構造を含む権力関係も含めて考慮する必要があることを示唆しているといえよう。
(33) 前掲注31。
(34) 「天白町婦人読書グループ」(SBC放送「いいたい放題」における放送記録)『松筑図書館協会報』第二号、一九五五年、三―四頁。
(35) 読書会で使用されたテキストの分析によると、「大きくわけて文学もの、社会科学もの、農業ものの三つ」になるという(富永健一・竹内郁郎、前掲論文、七四頁)。
(36) 以上、前掲注34。
(37) 同前。
(38) 同前。

(39) 小笠原、前掲注21、九頁。
(40) 同前論文、一〇頁。
(41) 同前論文、八頁。当該時期の小笠原の読書指導を分析した富永健一・竹内郁郎は小笠原を「一人の有力なオルガナイザー」と位置づけた上で、婦人を主体とした読書サークルのなかには、結成後数年をへたこんにちでさえ、O氏が手を引けばたちまち解体してしまいそうに見受けられたものも多かった。けれども、たとえO氏の熱心な努力があったにしても、会員のがわに自発性の裏つけがなければ、読書サークルが現在のように発展することはなかったであろう」と評価している（富永・竹内、前掲論文、六五頁）。
(42) 「小倉読書会」『遠近』春季号、一九五五年、六頁。
(43) 『松筑図書館協会報』第三号、一九五六年、三—四頁。
(44) 小笠原、前掲注21、一一頁。
(45) 読書会大会に出席した読書会の数は以下のとおりであった。松本市（9）、東筑摩郡（9）、南安曇郡（2）、北安曇郡（1）、上伊那郡（1）、下伊那郡（3）。これらはいずれも読書会連絡会に加盟している団体と考えられる（「第7回読書会大会出席者名簿」『遠近』秋季号、一九五五年、頁なし）。なお、事務局は松本市立図書館内に置かれた。
(46) 井口福夫「「読書会」と「私の大学」」『松筑図書館協会報』第六号、一九六一年、一二—一三頁。
(47) 同前。
(48) 同前。
(49) 小笠原、前掲注30、八五頁。そのほか、「公教育機関からの呼びかけとサービス（財政的な援助）により、既存の組織を利用しその事業の一部として展開されてきた部分が多いため、サークルの自主性が欠やすく、公教育機関への依存度が強すぎること」などが挙げられている。ただ、「三十四年頃からは、公教育機関の普及型の読書会が、その内容を異にして」、「イ、話しあいのグループ、ロ、実践活動型のグループ、ハ、教養グループ、ニ、楽しみグループ等に分かれていき、それぞれの性質をもって、新しいスタイルの読書会が生まれるきっかけがみえはじめてきた」とされている（同前）。
(50) 以上、「飯田市連合青年団上郷村青年協議会、青年問題研究集会資料」長野県歴史館所蔵、一九五八年。
(51) 同前。
(52) 下伊那郡青年団協議会「読書会講習会について」『郡青情報No.3』第一四号、一九五八年所収、長野県歴史館所蔵。
(53) 小笠原、前掲注30、八五頁。

(54) 同前。
(55) 松下拡氏によれば、小笠原はどちらかといえば社会科学的な志向が強かったという（二〇〇七年九月八日聞き取り）。
(56) 「第一回青研資料、女子研資料」一九五五年、長野県歴史館所蔵。
(57) 「読書会研究会報告」『市連青ニュース』第一号、一九五七年四月二〇日、長野県歴史館所蔵。
(58) 「四賀村錦部七嵐読書会　読書会報告」『遠近』秋季号、一九五五年、一九―二〇頁。
(59) たとえば松尾青年会の昭和二二年度事業計画には、文化部の事業計画として「夜季講座、映画鑑奨《（ママ）》、音楽鑑奨《（ママ）》」などと並んで「各会に読書会、生花の普及を図る」とあるし、図書部も事業計画として「巡回文庫・読書会の開催」を盛り込んでいる（松尾青年会「昭和二十二年一月　昭和二十二年度予算事業計画書」前掲注4）。
(60) 宮沢三二「学校図書館の経営を試みて」『信濃教育』第七五六号、一九四九年、二三―二八頁。
(61) 前掲注10、二三二頁。なお、「青年会には図書部の協議会があって、各村々の交流もあり、宮沢三二先生の指導もうけた」という証言もある（飯伊婦人文庫『みんなとだから読めた！　聞き書きによる飯田下伊那地方の読書会の歴史』二〇〇七年、一七五頁）。
(62) 分析対象とする『日記』は一九五四年―一九六一年のものである。ただし一九五六年は欠落している。宮沢恒介氏所蔵。
(63) 宮沢三二「部落の宇宙と読書」四二頁。『日記』より一九六一（昭和三六）年のものと判明。
(64) 『日記』一九五四年一月二一日。
(65) その他「トルストイの短編」（九月五日）、「光を求める農婦人」（新聞記事と考えられる。一〇月一〇日＝筆者注）、「ロハス大統領と神得中佐」（一九五五年三月二五日）、『徒然草』（一九五五年五月一九日）をテキストとしている（以上、『日記』）。
(66) 宮沢、前掲注63、四二頁。
(67) 宮沢、同前論文、四三頁。
(68) 宮沢、同前論文、四四頁。
(69) 同前。
(70) 宮沢、同前論文、七頁。
(71) 宮沢、同前論文、一〇頁。
(72) 宮沢、同前論文、九頁。
(73) 宮沢、同前論文、一一頁。

(74) 宮沢、同前論文、一七頁。
(75) 宮沢、同前論文、四一頁。
(76) 同前。
(77) 宮沢、同前論文、四六頁。
(78) 同前。
(79) 宮沢三二「働きかけるということ」執筆年不明、頁なし。
(80) 同前。
(81) 宮沢、前掲注63、三七頁。
(82) 宮沢、前掲注77。
(83) 宮沢、前掲注63、五二頁。
(84) 宮沢、同前論文、五六頁。
(85) この他にも宮沢は「学校時代に、あるいは青年団時代に将来を期待されていたのものが、世の中に出るとたちまち平凡卑俗な人間になってしまっているという悲しむべき事実はたくさんにある。孤立してしまったからである。それでは孤立しないでいるにはどうするか。仲間をつくることである。集団をつくることである。質のよい集団をつくることによって、封建的なものを制することである」と述べている（宮沢、前掲注63、四一頁）。この文章からも、宮沢の関心はあくまで村の封建性の打破、すなわち生活の改善にあり、これを実現する方法として集団的な読書会が位置づけられていたことが読み取れる。集団的な読書に関しては、次節で取り上げる飯伊婦人文庫の活動と比較しながら検討する。
(86) 宮沢三二「呼びかけるということ」執筆年不明、二六頁。
(87) 宮沢、同前論文、四七頁。
(88) 綿屋、秋屋、土井場はいずれも屋号。
(89) 『日記』一九五四年、七月二六日。
(90) 『日記』一九五四年、三月二五日。
(91) 『日記』一九五四年八月三〇日。
(92) 『日記』一九五七年一月一七日、上郷図書館での講演の感想。
(93) 『日記』一九五七年五月一一日。

(94)『日記』一九五七年七月一六日。
(95)『日記』一九五四年二月二八日。同年一一月一日にも来訪の記録がある。
(96)『日記』一九五五年五月一七日。
(97)『日記』一九五七年八月三〇日。
(98)二〇〇七年九月八日、松下拡氏聞き取り。また、松下氏は「生活の充実という事が最も大切だったから、読書会の対象として「若い母親」というこだわりは(叶沢長野県立図書館長と異なって)あまりなかったのではないか」という(二〇〇七年九月九日、松下拡氏聞き取り)。
(99)宮沢の「生活をより充実したものとする」べく読書会を行なうという発想は、戦時中にも見られるものであった(第四章三参照)。もちろん、「生活の充実」の内容は、戦後の村の封建性の打破をめざすものと、戦時中に構想されていたものとは異なると考えられるが、戦前から戦後にかけて一貫して宮沢が「生活の充実」という観点から読書会活動をとらえていたことは注目されるべきであろう。
(100)一九五七年七月一五日には県立図書館の本を配本する飯伊婦人文庫が、同年七月二〇日には飯田市立図書館の本を配本する飯田母親文庫が設立され、一九七二年に飯伊婦人文庫に一本化され、現在に至っている。両文庫の活動内容は実質的には同一であることから、以下、本書では「飯伊婦人文庫」とする。
(101)戦後の読書運動について検討した裏田と上田は、図書館の注目すべき館外奉仕活動としてPTA母親文庫と読書会連絡会の活動を挙げ、特に前者については「従来あまりかえりみられなかった母親の文化要求や学習活動の要求の潜在性に注目」し、「大衆の自己運動になるように位置づけたことは、従来の日本の図書館員による読書運動に見られなかった点で注目される」と評価している(裏田武夫・上田安彦「日本における読書運動の回顧と展望」『日本の社会教育』第七集、一九六二年、一一頁)。
(102)後に飯田市立図書館に勤務し、飯伊婦人文庫の運営に携った今村兼義氏は、青年団活動の過程で小笠原氏と出会い、多大な影響を受けたという(二〇〇四年八月一八日聞き取り)。
(103)以上、島田修一「長野県における読書運動」『日本の社会教育』第七集、一九六二年、一二頁参照。
(104)辻村輝雄『戦後信州女性史』家政教育社、一九七八年、三六四頁(初版は一九六六年)。
(105)大串潤児「山本茂美と『葦会』」(『戦後日本の民衆意識と知識人　年報日本現代史』第八号、現代史料出版、二〇〇二年、六九―一〇八頁)および『南信州』紙上における連載「『南信州』にみる伊那谷の戦後史」(二〇〇三年一〇月―)、北河賢三「青年団における戦後の出発――下伊那青年団の運動を事例として」(『社会科学討究』第四二巻第三号、一九九七年、一一九―一四五頁）などが挙げられる。そのほかにも、大串隆吉「「生活記録運動——戦前と戦後」覚え書」（『人文学報』第一五〇号、一九八一年、一四一—一五八頁）などがある。

(106) 赤澤史朗「戦中・戦後文化論」『岩波講座日本通史　近代四』岩波書店、一九九五年、二八三—三二八頁。

(107) 辻智子「農村で女が「生活を書く」ということ——一九四五—六〇年代の生活記録運動から」『国立婦人教育会館研究紀要』第二号、一九九八年、七九—八五頁。

(108) 石原豊美「山村女性の生活意識——昭和三〇年代の生活記録を素材として」『農総研季報』第三〇号、一九九六年、四七—五八頁。

(109) 当時の婦人文集の成立と展開については、池田憲介・丸山義二共編『伊那谷につづる　母ちゃん文集』（家の光協会、一九六五年）に詳しい。

(110) 一九五五年からは婦人会が選書を含め、婦人文庫の運営を行なうようになる。

(111) 生活記録運動の経験が飯伊婦人文庫の活動の基盤となったという見解は、「私達下伊那の婦人会の学習活動として、生活記録を綴る事を以前から行っておりますことも、大いに役立っている事かと思いますが」とあるように、飯伊婦人文庫の会員自身によっても示されている（「読書についての文集をつくるについて」『読書についての文集』第一号、一九六二年、四頁）。

(112) これら一連の陳情活動には木下右治が下伊那図書館協会の副会長として携っている。

(113) 二〇〇四年八月一八日、今村兼義氏聞き取り。

(114) 木下右治「本心」『丘の白菊』第三号、一九五六年、六八—六九頁参照。

(115) 木下右治「婦人文集は何のために書くか」『丘の白菊』第四号、一九五七年、八七頁。

(116) 同前。

(117) 木下右治「婦人と読書」一九五六年一一月一一日、ＳＢＣ飯田支局にて放送、木下右治『方丈の庭』秀文社、一九八八年、六〇頁所収。

(118) 同前、六一頁参照。さらに木下はこの中で、読書はテレビやラジオと比較すると自己が働きかけてゆく主体的な、心の欲求であり、きわめて積極的なものであること、この積極的な読書する力がものを判断することのできる基礎となるという見解を示している。

(119) 二〇〇四年八月一八日、今村兼義氏聞き取り。このことに関して、長野県立図書館長・叶沢は「あまり機嫌が良くなかった」と今村氏は回想している。

(120) 二〇〇四年、八月一八日、今村兼義氏聞き取り。

(121) 木下右治「母親文庫（婦人文庫）のめざすもの＝六年間を顧みて」『読書についての文集』第二号、一九六三年、八頁。

(122) 同前。
(123) 前掲注121、九頁。
(124) 同前、一二頁。
(125) 後に、木下はこの読書会を婦人文庫の世話役をしていて忘れることのできないものと位置づけている（木下右治「母親文庫・婦人文庫の追想」『読書についての文集』第六号、一九六八年、一一頁）。
(126) 木下右治「飯田婦人文庫を回顧して」『かざこし』第七号、一九六五年、五―六頁参照。なお、母親文庫も同様の活動内容であったことから、婦人文庫についての規定を見ていく。
(127) 同前。
(128) 年会費は一九五七―六〇年までが五円、一九六一―六四年までが一〇円、一九六五―六七年までが三〇円となっている。
(129) 木下、前掲注126、八頁。なお、飯田婦人文庫（旧市部）の役員の任期は二年であったが、飯田母親文庫（旧村部）の任期は一年となっている。
(130) 一九六四（昭和三九）年より一回二冊となった。
(131) 木下、前掲注126、六―七頁。
(132) いずれも一九五八（昭和三三）年から開催される。講師は木下のほか、各地区の公民館長や元校長など下伊那地方の知識人が担当した。文学散歩を行なう「ふるさと探訪」、「お話を聞く会」、「四地区研修会・講習会」が開催されるのは一九八〇年代になってからのことである。
(133) 「忘れ得ぬ飯田図書館」『読書についての文集』第四号、一九六六年、八四頁。
(134) 「思い出に添えて――お詫びと共に」『かざこし』九号、一九六七年、四頁。
(135) 飯伊婦人文庫『みんなで読もう　飯伊婦人文庫四〇年史』南信州新聞社出版局、一九九七年、三七〇頁。
(136) 当時の女性の置かれた状況を叙述するために、一部松尾婦人会発行の文集『ほほえみ』と竜丘婦人会発行の『丘の白菊』を利用する。
(137) 一九六一年以降の文章も、当該時期を回想したものであれば分析の対象とした。
(138) 「家人の理解」『ほほえみ』第一号、一九五五年、六―七頁。
(139) 「婦人文庫と家庭」同前書、三六頁。
(140) 「映画と実習を」同前書、三九頁。

(141)「女性と読書」同前書、四一頁。
(142)「幼時の思い出」『読書についての文集』第一号、一九六二年、一二〇頁。
(143)同前。
(144)「生活と読書」『かざこし』第六号、一九六四年、二三頁。
(145)「回覧図書について」『読書についての文集』第三号、一九六四年、一四五頁。
(146)この他にも、「終戦前は嫁は本など読までもよいとされ、新聞さえみることもできず、姑様への気がねと働くことのみで頭はいっぱいでした。その習慣がついてか、時間があってもなかなか本を読むことができない」(「過ぎし日をしのびて」『読書についての文集』第四号、一九六六年、七九頁)という文章があり、「女は本を読まない」という「習慣」が長く女性を支配していたことを示している。
(147)「婦人文庫と家庭」『ほほえみ』第一号、一九五五年、三七頁。
(148)「楽しい婦人文庫」『かざこし』第一号、一九五九年、一五頁。
(149)「読書」同前書、二二頁。
(150)例えば、「いつも子供達にとって良き先輩であり、良き友達であり、又旦那様の良き相談相手の一要素としての教養を身につけるためにも是非何らかの時間を読書のためにとりたいと思います」(「読書雑感」『かざこし』第一号、一九五五年、二二頁)や「手近に本を読む時間を作ってお話し合をして子供に恥しくない自分になりたいと思います」(「初めての反抗」『かざこし』第一号、一九五五年、四九頁)、「話し合うことによって、少しでも子供や時代におくれない様に常に学ぶ母親でありたいと念願しております」(「商人と読書」『かざこし』第四号、一九六二年、一一―一二頁)、「読書して子供のよき相談相手となりたいものです」(「読書についての雑感」『かざこし』第一一号、一九六九年、六六頁)などの文章が綴られている。
(151)「感想(婦人文庫によせて)」『かざこし』第一号、一九五五年、八―一一頁。
(152)「読書について」同前書、一四頁。
(153)「婦人文庫」『かざこし』第一号、一九五五年、二四頁。
(154)さらに、「学生時代には何んなりと本を手にした」するという恵まれた状況にあったが、「結婚という全く自由を失った生活に入ることによって、「読書とも自分ともお別れしたような生活」を送ることになった。ＰＴＡとして学校に行き、先生やお母さん方の話を聞いて「この十年間まるで闇の中で暮らして来たのだ。すっかり社会からおいてけぼりにされてしまったと胸に手をあて、あぜんとしてしま」ったことをきっかけに婦人文庫に入会したという回想もある(「読書をかえりみて」『読書についての文集』第三号、一九六四年、一二九－一三〇頁)。このことから、年齢差、教育経験の違いいかんにかかわらず、総じて当時の女性は結婚、子育てを機に読書をはじめとする学習・文化活動において「空白」の時間を経験していたといえよう。教員の家に生まれ、農家に嫁いだ女性は「読書は十年近い空白時代」があったと回想している(「主婦と読書」『読書についての文集』第六号、一九六八年、二一頁)。

(155)「母親文庫についての所感」『読書についての文集』第一号、一九六二年、一四三頁。

(156)「読書グループに入って」『読書についての文集』第七五号、一九六九年、六七頁。

(157)「読書によせて」『かざこし』第三号、一九六一年、二三頁。

(158)「母親文庫と共に歩いた十年間」『読書についての文集』第八号、一九七〇年、九五頁。

(159)「母親文庫に感謝」『読書についての文集』第一号、一九六二年、一四四頁。

(160)「配本日四日前」『かざこし』第三号、一九六一年、一五四頁。

(161)「読書会に入りて」『かざこし』第三号、一九六一年、八頁。

(162)「読書グループに入って」『かざこし』第一号、一九五九年、二八頁。

(163)「夜道」『読書についての文集』第一号、一九六二年、一〇七頁。

(164)前掲注157、一九六一年、二四頁。

(165)「頭の回転」『かざこし』第四号、一九六二年、二一頁。

(166)以上、「読書グループに入って」『読書についての文集』第一号、一九六二年、一一〇頁参照

(167)同前。

(168)「農家の主婦と読書」『読書についての文集』第一号、一九六二年、一三八頁。

(169)「母ちゃんしぐのいやだ」『読書についての文集』第二号、一九六三年、七八頁。

(170)前掲注10、一四四頁。

(171)「読書の必要性について」『読書についての文集』第一号、一九六二年、一三一頁。

(172)「読書週間に望む」『読書についての文集』第一号、一九六二年、一四二頁。

(173)「グループ活動に思う」『かざこし』第三号、一九六一年、二〇頁。

(174)「私のこの頃」『読書についての文集』第六号、一九六八年、八八頁。さらにこの女性は「「内職」で得たお金が、我が家の教養費になるのである」と述べ、長女の進学に言及している。パートや内職など女性の現金収入を得るための活動は、たんなる消費

生活のためだけではなく、進学熱の高まりとも密接な関係があると考えられるが、この問題に関しては別の機会に論じることにしたい。

(175)「人を愛し愛される人に」『読書についての文集』第三号、一九六四年、一四二頁。

(176)「読後感にはならないが」『読書についての文集』第四号、一九六六年、八四—八五頁。

(177)前掲注10、二二八頁。

(178)「私達の生活と読書」『読書についての文集』第三号、一九六四年、一三八頁。

(179)「なかなか読めない」『読書についての文集』第一号、一九六二年、一二六頁。

(180)前掲注158、九四—九五頁。

(181)前掲注10、一四六頁参照。

(182)一九五一年、下伊那郡の兼業率は約六八パーセントであったが、一九六六年には約八五パーセントとなり、兼業主の割合も約三一パーセントから約四七パーセントへと上昇している(数値は各年度の『下伊那郡勢要覧』より算出)。

(183)矢口悦子「わが国における共同学習論の系譜」『日本社会教育学会紀要』第二八号、一九九二年、一頁。また藤岡貞彦は当該時期の農村の社会経済的流動化が価値観の多様化を招き、既存の共同学習理論では学習主体が捉えきれなくなったことを指摘している(藤岡貞彦「昭和三〇年代社会教育学習理論の展開と帰結(上)」『東京大学教育学部紀要』第一〇巻、一九六八年、二一七頁参照)。

(184)たとえば、一九六〇年代後半から、松尾婦人会で発行していた文集『ほほえみ』には、婦人会活動の中でも「料理教室」や「生花教室」、「茶道教室」に関する文章が多く見られるようになり、さらに「婦人会」組織にとらわれず個々人の趣味に合わせた活動を希望する声が高まっている。

(185)木下右治「飯田婦人文庫を回顧して」『かざこし』第七号、一九六五年、九頁。前掲『みんなで読もう　飯伊婦人文庫四〇年史』においても、「婦人文庫の活動は質的な高まりを見せていった」と位置づけられている(飯伊婦人文庫、一九九七年、五八頁)。

(186)「後記」『かざこし』第九号、一九六七年、八八頁。また、「初めの頃のように、原稿が集まらなくて発行の日がおくれるようなこともなくなりました」(「発刊によせて」『読書についての文集』第四号、一九六六年、五頁)という指摘もある。

(187)会員たちが書く行為に習熟してきたことは、「読書に関係の無い生活記録や創作は思い切って割愛」しても九〇編近い原稿が集まり、文集が発行されたことにも反映されている(「後記」『読書についての文集』第四号、一九六六年、一二五頁)。

(188)木下右治「八年間の飯伊母親文庫」『読書についての文集』第四号、一四頁。

(189) 通り町四丁目読書会「読書会事始め」『かざこし』第一〇号、一九六八年、七一頁。

(190) 「読書会」『かざこし』第一一号、一九六九年、六八頁。

(191) このほかにも配本日に十円玉を握って出かけ、学校や子どものこと、家のことなどを話し合う「世間話」をしていたが、それではもったいないという気持ちが芽生えて本による話し合いでもしたらということになってできた「家の光」の読書会や（「灯―読書会の歩み」『読書についての文集』第二号、一九六三年、一二五頁）、「後日の参考のために、あらすじと簡単な感想を記して」いる読書会の報告（「私たちの読書グループと読書記録」『読書についての文集』第二号、一九六三年、一一三頁）などがある。

(192) 前掲注150、「商人と読書」、一〇頁。

(193) 「読書」『かざこし』第六号、一九六四年、二二頁。

(194) 「婦人文庫に入会して」『かざこし』第六号、一九六四年、二一頁。

(195) 「わたくしたちの憲法」『読書についての文集』第二号、一九六三年、七九頁。

(196) 「私の進歩」『読書についての文集』第三号、一九六四年、一一九頁。

(197) 「暮らしの中の読書」『読書についての文集』第三号、一九六四年、一五四頁。

(198) 「本を読む愉しみについて」『読書についての文集』第一号、一九六二年、一〇五―一〇六頁参照。

(199) 同前。

(200) 「読書の時間を持ちたい」『読書についての文集』第四号、一九六六年、八七頁。

(201) 「多読」『読書についての文集』第二号、一九六三年、一二八頁。

(202) 「読書について」『読書についての文集』第三号、一九六四年、一三五頁。

(203) 「読書について」『読書についての文集』第三号、一九六四年、一二〇頁。

(204) 「読書」『かざこし』第六号、一九六四年、二二頁。

(205) 前掲注111、四頁。

(206) 「私達の家庭文庫」『読書についての文集』第三号、一三一頁。

(207) 「私の読書の歩み」『読書についての文集』第四号、一九六六年、九〇頁。

(208) 「親子読書」『読書についての文集』第三号、一九六四年、一一七頁。なお、親子読書の実践は当時下伊那地方に入ってきた久保田彦穂（椋鳩十）の活動の影響があると考えられる。久保田は一九六四年に飯田市立図書館において講演を行なっている。

(209) そのほかにも、「第一条　毎日活字とデートすること」に始まる「私の読書に関する六条」を示し、自分なりの読書法を確立した会員もいた(「私の読書」『読書についての文集』第六号、一九六四年、八二－八三頁参照)。

(210) 「読書について」『読書についての文集』第六号、一九六四年、九七頁。

(211) 「読書」『読書についての文集』第一号、一九六二年、一〇七頁。

(212) 「本当の読書とは」『読書についての文集』第二号、一九六三年、一一八－一一九頁。

(213) 「読書から感じたこと」『読書についての文集』第五号、一九六七年、七五頁。

(214) 題名無し『読書についての文集』第四号、一九六六年、一〇八頁。

(215) このことは、網羅組織であった婦人会が崩壊した後も婦人文庫が活動を続けたことにも端的に示されている。石原は前掲「山村女性の生活意識」において、生活記録文集に寄稿された作品を用いて、女性たちの生活状況と意識の様態を把握する方法が有効性を保ちうるのは、昭和三〇年代に婦人会が組織として村の女性を一定程度覆い、会員が機構を自己の生活を見直す重要な機会と受け止めていた限りにおいてであることを指摘している(五六頁)。しかしながら、生活記録を書く運動が消滅していくこととは対照的に、婦人文庫は婦人会消滅後も活動を継続させ、文集の発行も途絶えることはなかった。このことは、読書という行為が女性の生活の中に根づいたことを意味していると考えられる。

(216) このことは、女性たちが自分なりに編み出した「読書法」の多くがなんらかの「我慢」をする、あるいは自己犠牲を強いるものであったことにも反映されている。

(217) 本節の先行研究に相当するものとして、生活記録文集の分析を通して、女性の学習の実態や学習者の意識、さらに女性にとっての学習の意味を検討した辻智子の研究(前掲注107)や、石原豊美の研究(前掲注108)が挙げられる。最近では、思想の科学研究会のサークル研究(思想の科学研究会『共同研究「集団」サークルの戦後思想史』平凡社、一九七六年)の流れを汲みつつ、「つきあい」をサークル活動の源泉と見て、この「つきあい」のあり方をたどりながら、サークル活動の「内側」に迫ろうとした天野正子の研究(『「つきあい」の戦後――サークル・ネットワークの拓く地平』吉川弘文館、二〇〇五年)がある。天野の「つきあい」に焦点化した研究からは、読書という行為を集団で営むことの意味を、人間関係の構築という視点から検討するという示唆を受けた。また、鹿野政直は、つきあいを「わたし」に固執しながら「わたし」に閉じることとなく、主体としての「わたし」の転生をはかるものであり、「わたしとわたしたち」「個と共同性」の発想といってよいだろう、と捉えており、集団での「読む」行為の意味を検討しようとする本節も鹿野の指摘に多くの示唆を受けている(鹿野政直『現代日本の女性史　フェミニズムを軸として』有斐閣、二〇〇四年参照)。

（218）飯伊婦人文庫の会員の文章は、会員の在住する地域の生活記録文集などに掲載されているものもあるので、適宜これを利用する。

（219）本節は一九六〇年代を主たる分析対象とするが、飯伊婦人文庫が設立された一九五七年から、飯伊婦人・飯田母親両文庫が飯伊婦人文庫に一本化される一九七二年までを分析の対象に含めた。また、当該時期を回想したものに限って、一九七二年以降の文集も適宜利用した。

（220）共同学習論の発生から展開、批判さらに再評価をめぐる系譜を検討した矢口悦子の「学習理論と社会教育実践――共同学習論をめぐって」（『日本社会教育学会紀要』第二八号、一九九二年、一―五頁）では、「共通の事実を「共同で書く」という方法を、認識論、主体形成という視点からさらに深めていくことが求められている」という指摘がなされている。共同学習論では、このような「書く」という行為や「話し合い」に注目した検討が多くなされているものの、しばしば共同学習の中に取り入れられている「読む」行為に関しては十分な研究蓄積があるとはいえない。

（221）前掲注160、一五四頁。

（222）前掲注133、八四頁。

（223）前掲注163、一〇七頁。

（224）「母親文庫について」『読書についての文集』第二号、一九六三年、一三〇頁。

（225）「私の読書記録」『かざこし』第二号、一九六〇年、八頁。

（226）「五十年続く愛」『読書についての文集』第一号、一九六二年、八四頁。

（227）「私の読書記録」『かざこし』第二号、一九六〇年、八頁。なお、読書記録を習慣については、飯伊婦人文庫の指導者的立場にあった木下右治、池田寿一の助言のほか、一九六一年の飯伊婦人文庫総会で行なわれた丸岡秀子の講演も大きな影響を与えていると考えられる。会員の文集によれば、この時丸山は「パンの次には本と云う問題が出来てきて、本を読むことによって頭の営養《（マヽ）》をつけなくてはならない」（「丸岡秀子先生のお話」『松の実』第七号、一九六二年、一六頁）、「自分の生活と結びつけて、本を読むこと。記録をしたくなる。共鳴した所は赤線、否の所は黒線で書き込む」（「昭和三十六年度婦人文庫のメモ帳より」『読書についての文集』第二五号、一九八七年、八七頁）など、具体的な本の読み方について講演している。

（228）毎日新聞社『読書世論調査』一九六三年度、二〇頁。

（229）Iさんによれば、石坂洋次郎の『若い人』は人気が高く、婦人会の文化部で予算を出して複本を購入したという（二〇〇五年八月一七日聞き取り）。

（230）毎日新聞社、『読書世論調査』一九六三年度、一八頁。なお、『あいつと私』については石原裕次郎主演で映画化された影響も考慮する必要があるが、婦人文庫の会員がどれだけこの映画を観たのかは不明である。
(231)「読後感を記録して」『読書についての文集』第一号、一九六二年、八頁。
(232)Iさんによれば、波多野勤子の『少年期』は人気が高く、婦人会の文化部の予算で複本を購入したという(二〇〇五年八月一七日聞き取り)。また、一九六一年に開催された長野県図書館大会での松尾千代子の講演会(「新しい子供の躾けと親の生き方」)に参加した会員は、「兄弟げんかをしても親が絶対に仲裁を絶対にしない。大正生まれの私たちには及びもつかない教育法だと感じる」(「長野県図書館大会に出席して」『読書についての文集』第一号、一九六二年、九三頁)や、「先生のお話の中に老いて子供の世話になりたくないと申されました。(中略)いかにして子供の教育をして行くべきかと考えさせられます」(「長野県図書館大会に出席して」『読書についての文集』第一号、一九六二年、九六頁)などの感想を記している。
(233)「春泥尼抄」『読書についての文集』第二号、一九六三年、六〇頁。
(234)「読書記録から」『かざこし』第五号、一九六五年、一二頁。
(235)「読書について」『読書についての文集』第一号、一九六二年、一一六―一一七頁。
(236)「きのうきょう」『かざこし』第六号、一九六四年、三一頁。
(237)「読書と文集」『読書についての文集』第五号、一九六七年、七頁。なお、池田はこの「希望書と配本との矛盾を解消」するために、読書感想ノートやリレー日記の活用を助言している。
(238)この他にも、「齢も五十に近く、人生も静けさを好むようになってくると、随筆、ことに女性の作家のものを読んでみたいように思う。森田たま、幸田文、円地文子、一人の作家を通して読みたいと思っている。そんな曲がり角に来たので、自分で選んで読んで見たいと思っている」という文章も綴られている(「読書さまざま」『かざこし』第二号、一九六〇年、一二頁)。
(239)「楽しい婦人文庫」『かざこし』第一号、一九五九年、一六頁。
(240)「読書について」『かざこし』第一号、一九五九年、一四頁。
(241)「中根千枝「未開の顔　文明の顔」」『読書についての文集』第二号、一九六三年、一六頁。
(242)「部落の女医」『かざこし』第一二号、一九七二年、一三頁。
(243)「島崎藤村著「破戒」」『読書についての文集』第四号、一九六六年、三一頁。
(244)「雑感」『読書についての文集』第一号、一九六二年、一〇四頁。
(245)前掲注201。
(246)「母親文庫の読後感」『読書についての文集』第四号、一九六六年、四八頁。

(247) 「橋のない川」『読書についての文集』第二号、一九六三年、五一頁。
(248) これは、二〇〇五年八月一七日、飯田市立中央図書館で婦人文庫設立当時からの会員であったIさんに、婦人文庫設立当初の活動と印象に残った本との出会いについて伺った内容である。
(249) 「読後感を記して」『読書についての文集』第一号、一九六二年、一〇頁。
(250) この他にも、配本時に「同じグループに良く出来た方で熱心な方が居られるので、読んだ後、感想を言いあうのが楽しみです」という文章もある（『読書についての文集』第一号、一九六二年、八一頁）。
(251) 「一冊の読書が投げた心の波紋」『ちぐさ』第六号、一九六四年、一一二―一一七頁。なお、これは一九六三年の総会で行なった読後感想発表の原稿である。
(252) 前掲注121、一二頁。
(253) もっとも、これは婦人文庫の活動を軌道に乗せるための方法であり、「読み書き話し合いの三つのことを総合的に進めていきたい」というのが木下の理想であった（前掲注121、一三頁）。
(254) 「読書会に参加して」『松の実』第三号、一九五八年、一二頁。
(255) 「読書会に入りて」『かざこし』第三号、一九六一年、八頁。
(256) 会員の文章によれば、読書会そのものの結成は、一九五八（昭和三三）年の四月である（「四年間の読書会」『読書についての文集』第一号、一九六二年、八八頁）。
(257) 「グループをつくって学習したい」『松の実』第五号、一九六〇年、一一頁。なお、この女性は「農村に良くありがちな事ですが、他人の行動を詮索して話題にし、事実も確かめずに謗る習慣があります。それがお互いの生活の向上を阻んだり脅かしたりしてはいないでしょうか」と当時の閉塞的な環境に言及している。
(258) 前掲注256、八九頁。
(259) 同前。
(260) 「万葉名歌」『読書についての文集』第二号、一九六三年、二九頁。
(261) 前掲注258、九〇頁。
(262) 「婦人文庫に学んで」『かざこし』第四号、一九六四年、二八頁。
(263) ただ、『わたくしたちの憲法』については、「この本を読むように教えて行って下さいました丸岡秀子先生の足跡の一つを有難く思います」（前掲注195、八〇頁）という文章があることから、これをテキストとして採用する際には、一九六一（昭和三六）年に婦人文庫総会において講演を行なった丸岡秀子の影響もあると考えられる。
(264)「氷壁」『読書についての文集』第二号、一九六三年、八八頁。
(265)「「憲法」読書会」『かざこし』第四号、一九六二年、一六―一八頁。
(266)「平和へのねがい」『読書についての文集』第二号、一九六三年、二六頁。
(267)前掲注121、一三頁。
(268)二〇〇五年八月一七日、I氏聞き取り。I氏は、短歌会について、「短歌は文章より短いし、自己表現には適している、これを元に読書会ができると木下先生は考えていらしたんじゃないかしら」という。
(269)「道元禅師の「典座教訓」と開善寺」『読書についての文集』第五号、一九六七年、一二頁。
(270)「読書会事始め」『かざこし』第一〇号、一九七〇年、七一頁。
(271)前掲注154「主婦と読書」、二二頁。
(272)また、「問題は、こういった会合に出席できない残りの人達にあるのではないでしょうか。そうして、そういう見落とされがちな人達が案外に多いという事も事実です」と、集団での活動に参加することができないことそのものの問題性を指摘する声もある(「グループ学習の難しさ」『松の実』第五号、一九六〇年、一〇頁)。
(273)「グループ活動に思う」『かざこし』第三号、一九六一年、二〇頁。
(274)前掲注191「灯――読書会の歩み」、二二六頁。
(275)「枕草子と読書会」『読書についての文集』第六号、一九六八年、一一五―一一六頁。
(276)「読書会」『読書についての文集』第一〇号、一九七二年、五七―五八頁。
(277)同前。
(278)前掲注275、一一六頁。
(279)このような読書経験が女性たちの生活、思考にどのような意味をもたらすものであったのかという問題については、個々人のライフヒストリーに即して検討する必要があると考えられるが、この点については今後の課題としたい。
(280)辻智子は、農村で女が「生活を書く」場合、ありのままに書けない状況があり、生活を書くには、秘密を言いあえる関係、または「どこの誰だか分からない状況」が不可欠であったと指摘している(辻、前掲注107、八二頁)。婦人文庫の女性たちも文集を書く際に同様の状況に直面しているが、次第にこの状況を読書会などを通じて打開していく。文集での記名率の高まり(たとえば『かざこし』第四号(一九六四年)の「編集後記」には、木下が「今度の原稿を見るに、特に今までと異なるところは、作者がほとんど氏名を書いたことである。これは、今までの飯田下伊那地区で発行した百幾冊かの婦人文集の中で特筆すべきものである」と記している）、自分の名前や立場を明らかにしても大丈夫である、という安心感が読書活動の中で形成されていったことを示しているといえよう。この安心感は、多様な「読み」を受け容れる仲間との出会いによって生まれたものと考えられる。

（281）宮沢が読書会参加者・学習者たちの置かれた状況、意欲や関心などを汲み取り、生活に密着した指導を展開しえた要因として、宮沢が小笠原とは異なり、在村の知識人・教育者であったことを考慮する必要があるだろう。宮沢の読書指導にとどまらず、下伊那地方で展開された学習・文化活動には、戦前・戦後を通じて在村の知識人・教育者の果たした役割が少なからず影響していると考えられるが、この問題に関しては今後の課題としたい。

終　章　近代日本における読書の教育的位置づけ

本書では、近代日本の教育の中に読書という行為がどのように位置づけられてきたのかを歴史的に検討してきた。具体的には、読書という行為に対していち早く注目したと考えられる社会教育、特に図書館における活動の理念と実践を主たる分析対象とし、通俗教育に対する関心が高まりを見せる明治末期から、読書の「大衆化」が見られる一九六〇年代までの比較的長いスパンを設定して、近代日本における読書行為の教育的位置づけはどのようになされてきたのか、そして知的営為から疎外されがちな人々の読書行為への参入はいかになされ、そのことはいかなる意味をもつものであったのかを検討している。

本書の意義は、以下の三点に集約される。

第一に、読書を教育の中に位置づけようとする教育者側の理念、政策を社会教育の成立過程に焦点化することによって明らかにしたことである。もちろん、読書行為の普及には基礎的能力である識字の習得、教科書を初めとする「本を読む」という経験、さらに「国語」という教科における読書指導などを展開した学校教育の果たした役割も重要であり、これは今後の検討課題としなければならない。しかしながら、本書で実証された、社会教育が学校教育の枠外にある人々をも「教育」の対象とすることを構想し、その方法として読書という行為を教育的に位置づけていく歴史的経緯は、読書がなぜ教育上の問題として扱われなければならなかったのかという問題を検討する上で、重要な視点を提供するものである。

第二に、読書の教育的位置づけを教育者側・指導者側の視点からのみならず、被教育者側・学習者側がどのように読書活動を営み、そのことにいかなる意味を見いだしていたのかという実態をも分析し、読書の教育への位置づけを歴史的かつ重層的に描出したことである。本書で示された読書指導の理念と、実際の読書指導の「ずれ」、あるいは教育者側・指導者側の意図と被教育者側・学習者側の反応の「ずれ」――それは意図せざる結果でもあるのだが――は、読書という行為に付随する「読み」・解釈が、読書が教育活動として成立する上でどのような役割を果たしているのかを考察する糸口となった。

第三に、近代日本の教育史における読書の位置づけを明らかにするために、農村地域の女性の読書行為への参入を検討したことによって、読書行為の普及が内包する性差、階層差の問題を明らかにしたことである。この研究成果は、読書行為に代表される知的営為の普及や参入のあり方を視点として、近代日本の教育の内実とはいかなるものであったのかを歴史的に検討することに寄与するものである。

以下では、本書において明らかにされてきたことを概観した上で、その教育的意義を論じ、本書のまとめとする。その際、①読書の教育的位置づけ（読書の「何」に、「なぜ」注目し、その結果として読書がどのように教育的に位置づけられてきたのか）とそれに基づく教育活動の展開、②従来、読書に代表される知的営みから疎外されてきた人々――本書では主に農村の女性を対象としている――が、読書行為に参入することはどのような意味を有するものであったのか、そして③読書行為を教育活動として成立させるものはなにか、なぜ読書行為が教育的営為・教育活動として成立しうるのか、という問題に留意しながら論を展開していきたい。

読書という行為の教育的役割に注目する契機としては、明治維新以降の「近代化」過程における、義務制就学制度の普及に根ざしたリテラシーの向上、印刷技術および流通網の発達による出版物の流布、さらに多様な「読み」の対象が誕生したことによって、維新前には想定しえないほどに読者層が拡大したことが挙げられる。もちろん、読書行為の普及には性差、地域差、そして階層差が存在し、この問題は一九六〇年代に至っても根強く残っている。しかしながら、多様な読者層――たとえば大衆読者層――にも対応する読み物を誕生させながら、読書行為は人々の間に膾炙することとなる。

このように、「従来読者として想定されていない人々」が読書行為に参入するばかりか、一定の読者層を形成したことは、半ば必然的に読書行為に対する教育的関心を高める要因となった。なぜなら、「従来読者として想定されていない人々」を含む、多様な読者層に対応した読み物の誕生は、その読み物を通して読者の意識を組織化する作用があると考えられていたからである。また、維新前には「読者」として想定されていない人々にまで新たな思想、知識、価値観に触れる機会が生れたこともまた、読書を教育上の問題として捉える契機となった。教育上「有害な」小説が流布することを問題視したり、あるいは小説そのものを教育的に利用して積極的に「善い」読み物を提供しようと試みる動きは、「教育なき読者」という当時の言葉に代表される、いわば新興読者層の誕生を受けて、読書を教育的観点から捉えようとする思想のあらわれといえよう。明治三〇年代末における「家庭小説」というジャンルの創出の背後にあるのは、読書という行為が人々の意識形成に深く関与するという認識であり、読書という行為を教育的配慮に基づいて「正しく」導いて行かなければならないという発想である。この時点で、何を読むかのみならず、「誰が、何を読むのか」が重要な教育上の問題として浮上するようになったといえよう。そして、このような読書行為が人々の意識形成に果たす役割にいち早く注目し、これを「通俗教育」を構成する主要な教育的営為として位置づけたのが内務官僚・井上友一であった。

井上が日露戦後経営策である地方改良運動において「自治民育」をスローガンに掲げ、通俗教育、特にその教育機関として図書館の果たす役割に注目した背景には、以下の二重の目的があった。第一の目的は、図書館において教育上有益な書物を広く一般庶民に提供し、彼らを「教化」することである。これは、読書行為のもつ人々の意識形成の作用に注目したものといえよう。第二の目的は、図書館を各地方に設置するなどの通俗教育政策に中農層を積極的に従事させることにより、国家の発展に自発的に貢献する「自治民」を育成し、彼らを核として国民全体の統合を達成することである。これは第一の目的である読書による教化そのものではなく、庶民教化を目的とした通俗教育事業に携わらせることを重視したものであるが、井上が中農層の果たすべき役割を『斯民』という雑誌メディアを通じて発信していたことは注目に値する。なぜなら『斯民』は中農層を主要な読者層として想定した雑誌であり、井上はこの雑誌を読むことを通して、中農層の人々が「自治民」として果たすべき役割を内面化していくことを期待していたと考えられるからである。実際に、地方改良運動の展開過程において、その内実はともあれ図書館の数は急増し、その過程で図書館が「庶民教化」機関としての役割を担うという認識が徐々に普及していくこととなる。この意味において、井上の構想した「自治民育」を核とする図書館の教育的位置づけは、その後の文部行政において成立・展開していく「社会教育」政策の布石となるものであったといえよう。

大逆事件を契機とする通俗教育調査委員会の設置、第一次大戦後の「教育改造」の方向性を模索した臨時教育会議を経て文部省は積極的に通俗教育行政を展開していくこととなる。明治末期から大正期にかけての「通俗教育」から「社会教育」への移行は、たんなる官制上の名称変更にとどまらず、その性質においても大きな転換を内包していた。それはかつての地方改良運動における「自治民育」に象徴されるように、国民のごく一部をなす中農層の掌握を核として、国民全体を統合していこうとする構想から、国家が階層を問わず国民全体を直接的に統合していこうとする構想への転換であったといえよう。このような大規模な国民統合を実践するためには、学校教育のみでは不十分であり、学校教育の枠の外にある人々をも教育の対象として捉え、間断なく教育的な働きかけを行なうことが不可欠であった。以上の経緯から、学校教育以外にも教育の機会を設け、社会全体を教育の場として再構成するべく社会教育が必要とされることとなった。したがって、社会教育は、もはや「通俗教育」という名称では捉えきれない教育目的と内容を備えることとなる。このような社会教育の成立過程において、読書行為は社会教育の有効な手段として位置づけられ、図書館は良書閲読の奨励によって思想善導を行なう社会教育機関としての役割を期待されるようになった。

文部官僚・乗杉嘉寿と川本宇之介は早くから図書館を社会教育機関とする位置づけを明確にし、学校教育を基礎としつつも、図書館を一個の教育機関として発展させることを主張している。なぜなら、乗杉と川本には、日本を欧米列強諸国に比肩しうるような国家とするためには常に進歩する社会の情勢を把握し、新知識を取り入れようとする進取の気質、そして自主的・自発的精神に富んだ人材、すなわち「自主人《セルフ・メード・マン》」の育成が不可欠であるという認識があったからである。こうして図書館は自主的・自発的な学習を促し、「自主人《セルフ・メード・マン》」を育成するために最適な教育機関として位置づけられることとなる。乗杉や川本の構想においては、図書館における自主的・自発的な学習の成果はあくまで国家の繁栄に収束していくべきものと考えられている。このような被教育者の自主性や自発性を一定の水準まで育成しつつ、その成果を国家の発展へと回収していく方策は内務省の地方改良運動のそれを踏襲したものといえよう。したがって乗杉や川本の図書館論はきわめて社会教化的な色彩の濃いものであったが、図書館が明確に社会教育機関として位置づけられたことの意義は大きい。なぜなら、乗杉と川本の発案によって、教育機関としての図書館を支える専門職員の養成が着手されたからである。

このような経緯をたどり、図書館は社会教育機関、あるいは社会教化機関としての役割を付与されていくことになるが、その一方、図書館で働く図書館員の間では、図書館を自己教育機関として発展させていこうとする論が形成されつつあった。その代表的なものが今澤慈海の図書館論であろう。

今澤の図書館論の特徴は、教育を「生涯的教育」と捉えた上で、図書館を「生涯的教育」機関として位置づけ、その役割を模索するものであったというところにある。したがって、今澤の図書館論においては、学校教育の果たす役割、図書館における児童から成人に至るまでの働きかけ、各種の図書館サービスなどのすべてが「生涯的教育」を達成するべく有機的に結びつけられ、読書という行為は「生涯的教育」の有効な手段として位置づけられている。

今澤と同時期に図書館における先進的な活動を展開した中田邦造もまた、図書館を「自己教育」機関として機能させるべく、「読書学級」などの集団を単位とした読書指導方法を含む論を展開している。中田の図書館論は、いわゆる「附帯施設論争」にも見られるように、図書館の教育機関としての自律性について、今澤より厳格な見解を有していたこと、さらに自己教育の欠如という観点から、学校教育批判さらには社会教育批判を展開し、これらの問題を克服すべく図書館における教育の必要性を主張していたことにおいて特徴的である。したがって、中田の図書館論は、図書館が自律的な人間を育成するための教育機関として機能する可能性を秘めたものであった。

今澤の「生涯的教育」論と中田の「自己教育」論に共通しているのは、読書という行為が学校教育機関に依存することなく、生涯にわたって自律的な教育を行ないうるという点に読書固有の教育的意義を見いだしていることである。もっとも、「生涯的教育」論にせよ、「自己教育」論にせよ、「生涯的教育」や「自己教育」の目的はどのようなものであるのかが明確にされず、さらに教育目的との関連が問われない構造となっていた。したがって、「生涯的教育」や「自己教育」は教育目的を問わないまま実践に傾注し、その結果としていかなる教育目的にも従属しうる、たとえば国家の示す目的に無批判に包摂されていくという理論的な脆弱性を内包していたのである。今澤や中田の論が内包する脆弱性は、当時の時代的制約に還元できるものではなく、教育目的との関連において学習や実践の方向性を検討する必要があるという、現代にも通ずる問題提起をしているといえよう。

一九三〇年代に入ると、「時局下」という時代背景の下で読書の教育的位置づけは質的に大きく転換することとなる。読書は従来の良書閲読の奨励に基づく「思想善導」から、読書の解釈、すなわち「読み」のレベルにまで踏み込んで、これを国家の示す方向に位置づけようとする「読書指導」へと転換していく。この時点で、「誰が、何を、どのように」読むのかが教育上の問題としてとりあげられ、しかも読書という行為はもはや個人的な問題ではなく、「国民精神総動員」のための国家的な問題として捉えられることとなった。読書の教育的意義が「国民的自覚を促し、その自覚に基づいてさらなる自発的な自己教育を促進する」ことにあるとするという表現は、「読み」に示される個々人の自発性や自主性をどのように位置づけるかが重要な課題として浮上していたことを示すものである。この根底には、読書という行為が「教化」ではなく、必然的に「教育」という枠組みに位置づけられなければならないという認識があり、これは、戦時下において人々の自主的・自発的な協力をとりつけようとする教育論と通底するものといえよう。

したがって、集団的な読書方法、すなわち読書会による読書指導は、「読み」、すなわち解釈のレベルにまで踏み込み、より深化したレベルでの読書指導を実践すべく、半ば必然的に選び取られた方法であった。この時期から中田の読書学級を基盤とした読書指導法は、国家の示す目的への方向づけを行なう有効な手段と読み替えられ、中田の「自己教育」論も国家事業への自発的な奉仕として組み込まれていくこととなる。

このような読書指導理念に基づき、農村青年を対象とした読書会指導を「国家への御奉公」として大規模に展開したのが、長野県立中央図書館長であった乙部泉三郎である。乙部の指導に基づき、長野県下の青年団では読書会や巡回文庫活動が盛んに展開された。もっともここで興味深いのは、実際に展開された読書会の中には、三穂青年団の読書会のように、乙部の理念とは一線を画す性質を有するものも存在したということである。

三穂青年団において当時の読書指導理念とは必ずしも一致しない活動が展開された理由を、ひとえに宮沢の指導理念にのみ求めることは早計であろう。なぜなら、戦時下において「一人々々の生活の充実」を追求することは、結果的には総力戦体制に加担していくことになるという可能性も否めないからである。むしろ、宮沢が活動当初の読書会指導に対する青年たちの「つまらない」という率直な感想を受け、その結果として、三穂青年団においては個々人の感想発表を主軸に据えた読書会指導が展開されたことに留意する必要があろう。したがって、三穂青年団の読書会が展開された要因としては、①宮沢三二という読書会指導者の指導理念が「生活をよりよくする」という、当時の国家レベルで示されていた読書指導理念と必ずしも一致するものではなかったということ、②宮沢が当時の「模範的」な読書会を行なったところ、青年たちには不評で指導方法を変更せざるをえなかったこと、があり、この両者が相俟ったことによって当時の読書指導理念とは異なる読書会が成立したと考えられる。

戦時下における三穂青年団の読書会の事例は、読書会における読書指導が教育活動として成立するのか、それとも教化活動として展開されるのかという問題を考察する上で重要な示唆を与えている。なぜなら、読書会における指導者が、読書会の参加者の意志や自発性、さらには自由な「読み」すなわち解釈をどのように位置づけ、これを読書指導として組織していくのかによって、読書会の性質は大きく変わると考えられるからである。

読書会における指導者の指導理念、特にいかなる意図をもって指導を展開するかという問題は、戦時下のみならず戦後の読書活動を評価する上でも重要な視点を提供するものである。たとえば松本市立図書館長・小笠原忠統の読書会指導は、戦後における青年たちの学習・文化運動の高まりとこれらに対する要求をよく捉えた活動であった。さらに小笠原は農村地帯の女性たちの学習に対する潜在的な要求にも働きかけ、あるいはこれを組織化して読書会活動に結実させたこと、従来個別的に展開されていた読書会を「連絡会」によって相互に結びつけ交流・研究の場を設けたことなどにおいても評価される。

その一方、小笠原が読書会参加者たちの学習についての要求を的確に把握していたかという点については疑問の余地がある。小笠原は読書会の停滞や「マンネリズム」への対応策として社会科学的な系統学習への移行を断行し、それは「私の大学」設立への「発展的解消」という形で現われてくるが、読書会の参加者たちは必ずしも社会科学的な系統学習をしたいという要求を共有してはいなかったと考えられるからである。それは、読書会の参加者たちが生活記録などを利用した学習活動を「自分たちには関係のないもの」と捉えていたことや、読書会の停滞が指摘される一方で、文学作品をテキストとして充実した活動を展開する読書会が誕生していたことにも反映されているといえよう。小笠原が読書会連絡会の組織を「私の大学」へと発展的に解消させていく背景には、小笠原は元来社会科学的な系統学習への志向が高く、必ずしも読書、あるいは読書会においてさまざまな「読み」を交換することそのものへの強いこだわりを有していなかったことがあると考えられる。

宮沢三二は、戦前に引き続き下伊那地方において農村の女性を対象とした読書会活動を展開している。宮沢の読書指導の目的は「村の封建制の打破」に根ざした「生活内容の充実」にあった。もちろん、充実を図る生活の内容は戦前のそれとは異なるものもあると考えられるが、宮沢が戦前・戦後を通じて一つの方向へと駆り立てられることや類型的な行動を強いられることによって、視野や思考領域が狭小になることを問題視し、この問題の打開策として読書を位置づけていたという点については一貫性を見いだすことができる。

　もっとも宮沢にとって、集団的な読書あるいは読書会は、あくまで読書を習慣化し、生活の中に根づかせることや、封建的な農村の人々に読書を介して共通の話題を提供し、「進歩的な人間関係を構築する」こと以上の意味を有してはいなかった。このことは、宮沢が読書をあくまで個人的な行為と捉え、集団的な読書を個人的な読書への移行過程と捉えていたことにも反映されている。

　しかしながら、飯伊婦人文庫においては活動当初から「読むこと、書くこと、話しあうこと」という活動方針が掲げられ、いずれの活動も個人のみならず集団で営まれることの重要性が指導者によって強調されていた。もちろん、集団での読書活動が展開された背景には、宮沢の指摘したように女性が読書をすることに対する物理的、精神的負担を取り除く必要があったこともある。また、婦人文庫の活動そのものも、当初は指導者による啓蒙的な色彩によるところが大きかったことも否めない。しかしながらそれだからといって、婦人文庫の活動が女性たちの主体形成に寄与するものではないと評価することは拙速であろう。なぜなら、当時の農村の女性たちはこのような「啓蒙」なしに読書行為に参入することは困難な状況に置かれていたし、読書行為に参入する過程で、読書することの意味を自分たちなりに見いだし、主体的に読書をするようになった人々も存在したからである。

　婦人文庫の活動を通して、女性たちは読書の習慣を身につけただけではなく、読書することの意味を捉え返すという経験をしている。これは、読書活動を継続することを困難にする要因、具体的には生活の多忙化、テレビの普及、婦人会を初めとする農村の共同体の崩壊という「危機」に直面したことが契機となっている。女性たちはかつての「世間に遅れずについていくため」など何かのために読書をするのではなく、読書そのものの面白さ、楽しさ、さらには読書をしたいという自身の意志に基づいて読書をするようになった。

　外界から情報を得たり、あるいは自分自身の考えを表現する手段を持たなかった当時の女性たちにとって、読書をすることは自身の思考や視野を拡大し、既存のものの見方や考え方を「ずらして」みる契機となったと考えられる。

このことは、女性たちの「主体形成」や「自律」に一直線に結びつくものではなかったにせよ、既存の物事を組み替えていく潜在的な「力」となったのではないだろうか。

ここで注目されるのは、読書の面白さや楽しさを見いだす上で、集団での読書活動が大きな役割を果たしていることであろう。女性たちは、自分自身の読書活動が深まるにつれて、次第に自分のそれとは異なる「読み」を聞きたい、あるいは他者と「読み」、解釈について話し合いたいという欲求を持つようになった。このような潜在的な要求に対して、婦人文庫での感想発表や読書会などの活動は、自分のそれとは異なる「読み」、解釈と出会う場を提供し、女性たちが改めて読書の奥深さと集団で読むことの意味を見いだすことに貢献したのである。特に読書会は、女性たちが異質な「読み」を安心して話しあい、異質であることを認めてくれる「仲間」と出会う場であった。女性たちは読書会の参加者が同質であるがゆえにその活動を続けたのではなく、むしろ自身とは異質な「読み」と出会う楽しさ、面白さに惹かれて読書会に参加している。このような仲間との出会いは、異質でありながらも互いを認める「寛容さ」を女性たちが身につけていく上でも重要な役割を果たしていたと考えられる。

読書会においてもたらされる異質な「読み」との出会いは、参加者一人一人のさらなる個人的な読書活動や学習活動を進展させると同時に、他者の「読み」に対する関心へと拓かれていくものであった。この意味において、一人一人の「読み」の深まりは、個人の読書活動や学習活動を進展させていくと同時に、他者の「読み」、さらにはその背後にある未知の「世界」へと拓かれていくという相互性のあるものであったといえよう。

このように、集団での読書活動の重要性は文集への執筆、婦人文庫での感想発表、読書会の組織を通じて指導者側から一方的に主張されただけではなく、婦人文庫の活動を通じて女性たち自身にもその意味が認識されていったことは留意すべきである。なぜなら、読書が教育活動として位置づけられるためには、いかなる意図に基づいて読書を指導しているのか、また個々人の「読み」のもつ力をどのように読書指導の中に位置づけるのかという指導者の意図もさることながら、読書をすることに対していかなる意味を見いだすのか、そして読書活動の中で深まる「読み」をどのように位置づけるのかという学習者側の自覚が不可欠であるといえるからである。

戦時下の三穂青年団において、当時の読書指導理念とは一線を画した読書会が展開されたのは、宮沢の読書指導理念のみによるのではなく、宮沢が青年たちから示された読書指導に対する不満に直面し、指導方法を変更せざるをえない状況に追い込まれたことによるところも大きいことはすでに述べたとおりである。宮沢にとって、青年たちの不満は読書指導における一つの挫折であったといえよう。しかしながら、宮沢はこの挫折を踏まえ、参加者自身が自由に選択した本について感想発表を行なうという形式に指導方法を切り替える。このように宮沢が実践上の挫折を次なる読書指導の過程に組み込んだことによって、読書指導は継続され、さらに青年たちの「読み」とそれについての議論が読書活動の中核に位置づけられるという、当時の時代状況にあっては画期的ともいえる読書会活動が展開されたのである。

戦後の「民主的」な読書会活動であったとしても、小笠原の活動は、小笠原自身がそれほど明確な教育的意図をもって読書指導を行なわなかったこと、そして読書そのものにそれほど強い意味を見いだしていなかったことにより、読書会が「マンネリズム」に陥るとすぐに「私の大学」へと「発展的解消」を遂げてしまった。このことは読書会指導者が実践上の挫折をどのように引き受け、それを教育活動の中に組み込んでいくのかという問題が、読書という行為が教育活動として成立するか否かを決定づけるということの証左である。

一方、読書会の参加者、すなわち学習者自身が読書をすることについてどのような意味を見いだしているのか、さらに読書活動の中で深まる「読み」、解釈をどのように位置づけるかという問題もまた、読書活動が教育の一環となりうるか否かを左右する重要な要因となる。なぜなら婦人文庫の事例で検討したように、女性たちは読書活動を継続する上での「危機」に直面し、あらためて読書をすることの意味を捉え返した上で読書活動を継続していくことを選択していくし、読書活動の過程で出会った多様な「読み」を、さらなる読書活動や学習活動の原動力としていくからである。

本書において示されたのは、読書という行為は人々の意識を組織化する一方、それに必然的にともなう「読み」は既存のものの考え方や枠組みをずらし、あるいは疑うことによって、従来のものの考え方やあり方、さらには秩序に揺さぶりをかけ、ときとしてそれを組み替えたり超えていく潜在的な力となるということである。

そしてこの読書行為における「意識の組織化」の作用に注目し、これを教育的営みとして位置づけることを模索したのが、内務官僚・井上友一であったといえる。しかしながら、井上における「通俗教育」から乗杉や川本における「社会教育」の成立、さらに今澤に代表される教育機関としての図書館論が成立する過程において、徐々に読書行為における「意識の組織化」とは別の側面、すなわち「読み」による「意識の組織化をゆるがす」側面にも注意が向けられるようになった。このことは、今澤、乗杉や川本の図書館論において階級差別的な選書についての言及が見られることにも反映されている。そして読書行為による「意識の組織化」だけではなく、被教育者、学習者の自主性や自発性の発現である「読み」の統制によって、当時の「教育」目的を貫徹しようとする動きは、戦時下における「読書指導」に結実したのである。

したがって、読書指導に対する指導者の教育的意図の有無、そして学習者の自由な「読み」をどのように読書指導の過程に位置づけるかが、読書行為が教育活動として成立するか否かを左右するといっても過言ではない。なぜなら、読書という行為は人々の意識を組織化する力を持つ一方、意識の組織化に抵抗しうる「力」を――それは無意識的であるにせよ――養うこともまた事実だからである。そしてこの「力」を養う上で重要な役割を果たすのが、テクストを批判的に解釈する一人一人の「読み」なのである。

もっとも、教育者側のみならず、被教育者側、学習者の側も上記の問題に大きく関わっている。なぜなら読書活動が継続していくためには、学習者が読書をすることについてその意味を自覚的に問い直し、ときとして教育者や指導者側の働きかけに揺さぶりをかけること、さらに学習者が読書活動の過程で生み出す「読み」が原動力として不可欠だからである。また、読書活動にともなう「読み」は学習者自身が読書を自己教育的に展開する上でも、教育者側が学習者側に対して働きかける上でも重要な役割を果たしているといえよう。なぜなら、この「読み」こそ読書をする人間と他者、あるいは外界とをつなぐ唯一の媒介項となるからであり、読書という行為を介して人々が既存の思考やもののあり方を組み替え、ときとしてそれを超えていく潜在的な「力」となると考えられるからである。

教育者が学習者の自由な「読み」を読書活動の中に位置づけ、これをさらなる読書活動を展開する原動力とするだけでなく、学習者自身が、自身の「読み」、さらには他者の「読み」に対して拓かれ、その力を自覚する時、読書という行為は「教育」活動として成立することとなるのである。

資料編

	主な著作活動
	『西遊所感』(報徳会、のち『列国の形勢と民政』として補修)
	『欧西自治の大観』(報徳会),『列国の形成と民政』(報徳会)
4 月	「自治と公徳」(『斯民』第 1 編第 1 号)
7 月	「民を導くの道は古今一なり」(『斯民』第 1 編第 7 号)
11 月	「花園都市と花園農園」(『斯民』第 1 編第 8 号)
5 月	「大なる生活」(『斯民』第 2 編第 2 号)
7 月	「誠実の人と其事業」(『斯民』第 2 編第 4 号)
8 月	「地方民心の一新」(『斯民』第 2 編第 5 号)
9 月	「斯民叢話」(『斯民』第 2 編第 6 号)
11 月	「斯民叢話」(『斯民』) 第 2 編第 8 号)
12 月	『田園都市』(内務省地方局編纂)
12 月	「斯民叢話」(『斯民』第 2 編第 9 号)
3 月	「地主と小作人は親子也」(『斯民』第 2 編第 12 号)
5 月	「防長行啓地の民政資料」(『斯民』第 3 編第 2 号)
5 月	「カーネギーとグラスゴー」(『斯民』第 3 編第 3 号)
9 月	「地方事業に魂を入れよ」(『斯民』第 3 編第 7 号)
12 月	『楽翁と須多因』(良書刊行会)
3 月	『救済制度要義』(博文館)
11 月	『自治要義』(博文館)
12 月	「自治訓練の方法」(内務省地方局編『地方改良運動講演集上』所収)
明治 42-43 年	『自治興新論』
8 月	「地元の青年」(『斯民』第 5 編第 6 号)
10 月	『欧米自治救済小鑑』(内務省地方局編纂)
3 月	『感化救済小鑑』(内務省地方局編纂)
7 月	『都市行政及法制 (上)』(博文館)
7 月	「地方篤志家のう美はしき事業」(『斯民』第 6 編第 4 号)
8 月	『都市行政及法制 (下)』(博文館)

表1　井上友一年表

年次		事績
1871（明治 4）年		金沢藩士井上盛重の長男として生まれる
1890（明治 23）年		第四高等中学校卒業
1893（明治 26）年		帝国大学法科大学英吉利法律科卒業
	8 月	内務省試補、県治局勤務
1895（明治 28）年	1 月	県治局市町村課長に就任
1896（明治 29）年	12 月	従七位に叙せられる
1897（明治 30）年	9 月	県治局府県課長に就任
	10 月	内務大臣秘書官を兼任
	11 月	大谷鶴子と結婚
	12 月	正七位に叙せられる
1900（明治 33）年	4 月	万国公私救済事業会議 (パリ開催）に委員として出席
	6 月	欧米各国を視察
1901（明治 34）年	3 月	欧米より帰国
1902（明治 35）年	3 月	正六位に叙せられる
1904（明治 37）年	4 月	従五位に叙せられる
1905（明治 38）年	11 月	二宮尊徳翁五十年記念会開催，報徳会の設立に参与
1906（明治 39）年	4 月	報徳会機関誌『斯民』創刊
	12 月	正五位に叙せられる
1907（明治 40）年	8 月	第 1 回報徳会夏期講習会において「報徳の本義」講演
1908（明治 41）年	7 月	神社局長兼内務参事官，府県課長兼任
	9 月	第 1 回感化救済事業講習会開催、講演
	10 月	中央事前協会発足，創立委員となる
	10 月	夫人死去
1909（明治 42）年	5 月	法学博士の学位授与
	7-8 月	第 1 回地方改良事業講習会開催，講演
	11 月	早川鼎子と結婚
1910（明治 43）年		
1911（明治 44）年		

主な著作活動	
9月	「地方美談」(『斯民』第5編第6号)
10月	『自治の開発訓練』(中央報徳会)
2月	『民政史稿』(内務省地方局編纂)
2月	「教育家土地法改良」(『斯民』第8編第11号)
7月	「農村教育上の三希望」(『斯民』第9編第4号)
5月	「我自治制起草委員たりしモッセ氏の書束を紹介する」(『斯民』第10編第2号)
7月	「村格を磨き上げられ度候」(『斯民』第10編第4号)
4月	「斯民十年の愛読者に感謝す」(『斯民』第11編第1号)
2月	「戦後の準備民資増殖の一法」(『斯民』第11編第11号)
6月	「現戦争と独逸青年」(『斯民』第13編第6号)
4月	「戦後経営の五大要綱」(『斯民』第14編第4号)
6月	「益々大を加ふ米国」(『斯民』第14編第6号)

表2　東京市立図書館の沿革

年次	事績
1900(明治33)年	東京市教育会設立(会長:星亨,副会長:寺田勇吉)
1902(明治35)年	東京市教育会,通俗図書館設立建議を松田秀雄市長に提出
1903(明治36)年	尾崎行雄,東京市長に就任
1904(明治37)年	坪谷善四郎らにより「通俗図書館設立の建議案」が市議会に提出,可決
1908(明治41)年	東京市立日比谷図書館開館
1911(明治44)年	東京市立図書館が全19館になる
1914(大正3)年	12月,今澤慈海が東京市立図書館主事に就任
1915(大正4)年	3月,日比谷図書館に館頭,他の図書館には主事を置き,館頭が全図書館を統制する中央図書館制が始まる

佐藤正孝『市民社会と図書館の歩み』をもとに作成

表1　(つづき)

年次		事績
1911 (明治 44) 年	10 月	第 4 回感化救済事業講習会開催，講演
1912 (大正 元) 年		
1913 (大正 2) 年		
1914 (大正 3) 年	1 月	大礼使事務官
1915 (大正 4) 年	4 月	明治神宮造営局長兼任
	7 月	東京府知事に就任
1916 (大正 5) 年	1 月	第 9 回地方改良講習会において講演「自治の将来」
1917 (大正 6) 年	2 月	東京府慈善協会設立，会長に就任，正四位に叙せられる
1918 (大正 7) 年	3 月	救済委員制度を設置
	8 月	米騒動の際，白米廉売事業を行なう
1919 (大正 8) 年	6 月	従三位に叙せられる
	6 月 12 日	死去，日比谷公園において府葬

右田紀久恵，木村壽の表を基に作成

表3　東京市立図書館におけるサービスの導入と閲覧人員の推移 (単位：人)

年	東京市立図書館全体	新聞雑誌室	児童室	深川図書館	サービス
1911	517,656	47,149	144,668	39,966	
1916	1,586,569	105,745	229,428	155,444	日比谷：児童閲覧料無料化・深川：閲覧料無料化
1921	2,110,524	461,015	290,252	170,182	日比谷：新聞雑誌室無料化，館報発行
1926	2,055,314	435,611	231,516	103,288	

数値は各年度の『東京市立図書館一覧』による

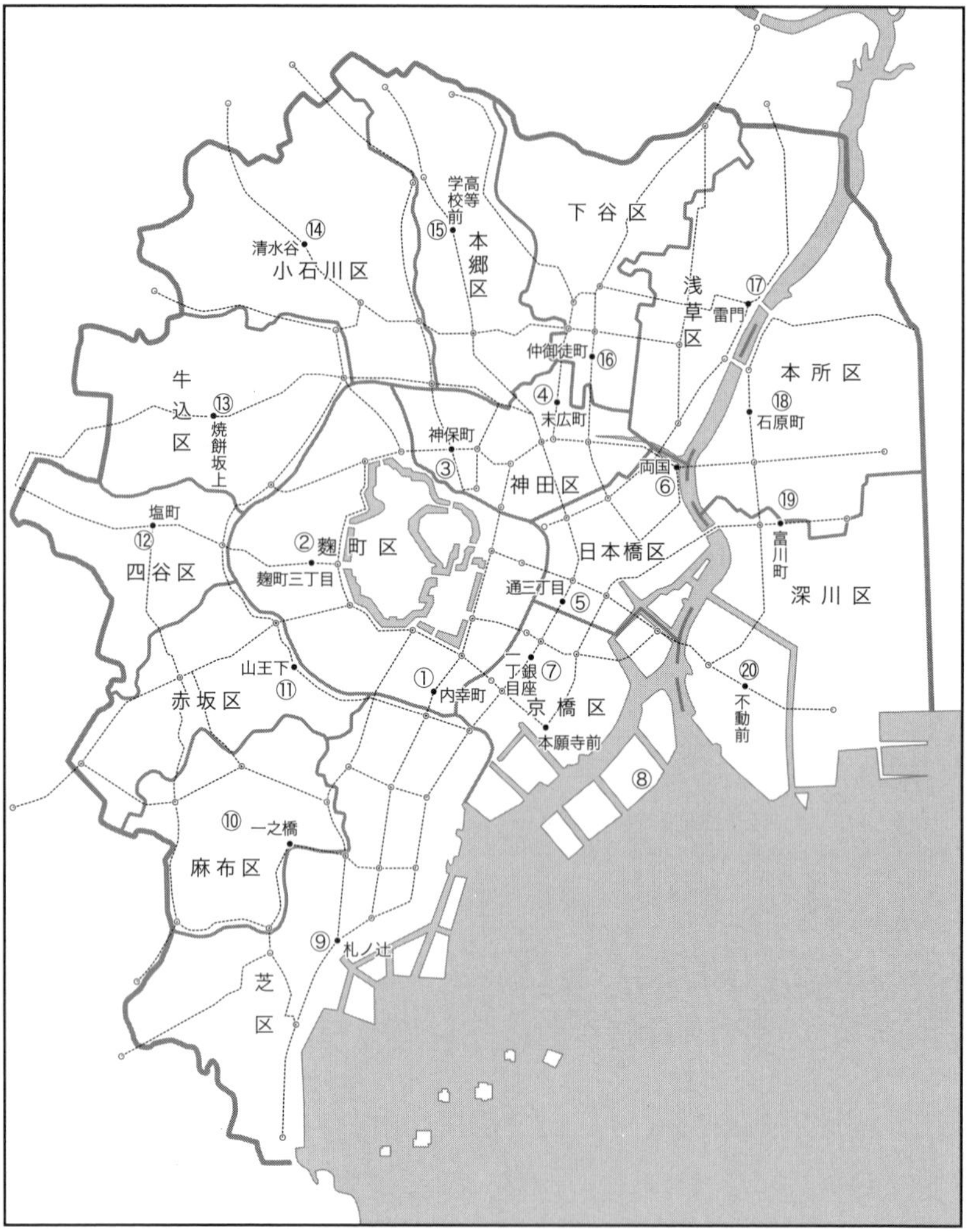

図1　東京市立図書館分布一覧
出所：『市立図書館と其事業』（第6号，1922年）をもとに作成．国鉄線（現JR線）や河川の細部，最寄り駅以外の停留所名は省略した．

館名	所在地（現在の町名）	最寄電車 停留所
① 日比谷図書館	麹町区日比谷公園内 (現千代田区内幸町)	内幸町
② 麹町図書館	麹町区元園町一ノ三一　麹町尋常小学校内 (現千代田区麹町一番町)	麹町三丁目
③ 一橋図書館	神田区一ツ橋通町二一 (現千代田区一ツ橋)	神保町
④ 外神田図書館	神田区金澤町二五　芳林尋常小学校内 (現千代田区外神田)	末廣町
⑤ 日本橋図書館	日本橋区箔屋町一一　城東尋常小学校内 (現中央区日本橋)	通三丁目
⑥ 両国図書館	日本橋区矢ノ倉町一七　千代田尋常小学校内 (現中央区東日本橋)	両国
⑦ 京橋図書館	京橋区金六町一六　京橋尋常小学校内 (現中央区銀座)	銀座一丁目
⑧ 月島図書館	京橋区月島通り三ノ七　月島尋常小学校内 (現中央区月島)	本願寺前
⑨ 三田図書館	芝区通新町一四　御田高等小学校内 (現港区三田)	札ノ辻
⑩ 麻布図書館	麻布区宮村町六九　南山尋常小学校内 (現港区麻布十番)	一之橋
⑪ 氷川図書館	赤坂区氷川町一　氷川尋常小学校内 (現港区氷川町)	山王下
⑫ 四谷図書館	四谷区左門町七六　四谷第二尋常小学校内 (現新宿区左門町)	鹽町
⑬ 牛込図書館	牛込区市ヶ谷山伏町一〇　市ヶ谷尋常小学校内 (現新宿区山伏町)	焼餅坂上
⑭ 小石川図書館	小石川区竹早町一〇九　小石川高等小学校内 (現文京区小石川)	清水谷
⑮ 本郷図書館	本郷区東片町一七　本郷高等小学校内 (現文京区向丘)	高等学校前
⑯ 台南図書館	下谷区御徒町一ノ四五　御徒町尋常小学校内 (現台東区上野)	仲御徒町
⑰ 浅草図書館	浅草区馬道町四ノ一九　浅草尋常小学校内 (現台東区花川戸)	雷門
⑱ 本所図書館	本所区北二葉町一一　本所高等小学校内 (現墨田区石原)	石原町
⑲ 中和図書館	本所区林町三ノ四〇　中和尋常小学校内 (現墨田区菊川)	富川町
⑳ 深川図書館	深川区深川公園内 (現江東区清澄)	不動前

表４　東京市立図書館の蔵書冊数，閲覧人員，経費

年	蔵書冊数（冊）	閲覧人員（人）	経費（円）
1913	114,244	1,403,977	51,175
1914	119,158	1,344,836	60,165
1915	158,275	1,438,215	49,830
1916	141,401	1,586,569	57,412
1917	150,708	1,601,884	59,190
1918	158,976	1,696,994	74,626
1919	169,079	1,792,015	108,522
1920	228,307	1,961,356	183,544
1921	268,491	2,110,524	197,562
1922	298,516	2,107,308	202,688
1923	154,044	1,219,696	190,373
1924	191,894	1,566,242	285,014
1925	212,141	2,430,491	222,518

各年度の『文部省年報』をもとに作成

表５　東京市立図書館年表

年月日		事項
1904（明治 37）年	3月 7日	東京市会において「市立図書館設立ノ建議」可決
1908（明治 41）年	1月	今澤，東京市に就職．ゴルドン文庫の整理に携わる
	11月 21日	東京市立日比谷図書館開館，児童・新聞雑誌室（1回1銭，15回9銭）
1909（明治 42）年	1月 30日	初めての児童講演会開催
1913（大正 2）年	4月	東京市立図書館館則，図書閲覧規定および図書帯出規定制定
	8月	児童帯出取扱開始
1914（大正 3）年	12月 26日	今澤が東京市主事，東京市立日比谷図書館館長に就任
1915（大正 4）年	3月 31日	東京市立図書館処務規程改正，全19館からなる東京市立図書館体系の確立
	4月 1日	今澤，東京市立日比谷図書館館頭を命ぜられる
	4月	東京市立図書館図書選定会毎月1回開催
	5月	東京市立図書館児童室貸付開始
	8月	東京市立図書館館則改正，児童閲覧料無料化，登館年齢制限撤廃
1917（大正 6）年	9月	東京市立図書館館報発行
1919（大正 8）年	8月 1日	牛込図書館焼失

表5（つづき）

1920（大正 9）年	6月11日	日比谷図書館新館建設（45坪4合），階下を児童室および新聞閲覧室，階上を展覧会場とする
1921（大正10）年	4月	牛込図書館復旧開館，館則改正
1922（大正11）年	1月18日	麹町図書館開館
	4月	京橋図書館移転開館（京橋区有志による建設）
1923（大正12）年	9月 1日	関東大震災，10万3500冊を焼失
	9月20日	臨時図書閲覧所6カ所設置
	10月 2日	被災を免れた市立図書館漸次開館
	11月 1日	平常開館，麹町図書館他罹災図書館漸次バラックで開館
1924（大正13）年	1月	一橋，両国，京橋，浅草，本所，深川図書館仮建築着手
	3月	震災復旧費100万円（本所，深川，一橋分）可決
	4月 1日	両国，浅草図書館2館開館
	6月 1日	一橋，京橋，本所，深川図書館開館
	6月 9日	臨時図書閲覧所閉鎖
	11月 1日	第1回図書館週間
1926（大正15）年	9月30日	台南図書館復興
1927（昭和 2）年	4月22日	麹町図書館復興
1928（昭和 3）年	2月19日	外神田図書館復興
	4月 6日	小石川図書館，大塚窪町小学校内に移転
	6月 1日	月島図書館復興
	9月 6日	深川図書館，新館にて閲覧開始，再び有料化
	9月29日	深川図書館落成式
1929（昭和 4）年	12月 1日	一橋図書館，駿河台図書館と改名
1930（昭和 5）年	7月 2日	図書館文化祭（5日間）開催
	10月	図書館利用の実例募集
1931（昭和 6）年	3月31日	今澤，東京市辞職
	4月 1日	図書館は教育局長の直接監督を受ける．日比谷，駿河台，京橋，深川の各図書館に館長を置き，その他の図書館に主任を置き，学校内設置の図書館に監事を置く．広谷宜布が東京市立図書館館長に就任．

表6　読書指導関連年表

年	事項
1929年（昭和 4）	文部省社会教育局設置
1933年（昭和 8）	図書館令改正（勅令第175号） 公立図書館職員令（勅令第176号） 改正図書館令施行規則（文部省令第14号）
1937年（昭和12）	国民精神総動員運動開始 11月,「国民精神総動員ニ関シ中央図書館ニ於テ施設スベキ事項」決議（中央図書館長協会協議会）
1938年（昭和13）	国家総動員法公布 文部大臣諮問事項「国民精神ノ徹底ノ為図書館ノ採ルベキ具体的方策如何」（第32回全国図書館大会） →貸出文庫の普及，青年の読書教育の振興方針の決定
1939年（昭和14）	文書教育の振興，読書指導の徹底 →係官の地方派遣 5月，「東亜ノ新秩序建設ノ国策ニ鑑ミ図書館ノ採ルベキ具体的方策如何」（第33回全国図書館大会） →「図書館ヲ中心トスル国民皆読週間」の設置方針 →「図書館週間」が「読書普及運動」となる 10月，第6回北信五県図書館大会「図書館ニヨリ銃後生活ノ強化ヲ徹底セシムル具体策如何」 →「読書会，輪読会，其ノ他団体読書ノ方法ヲ講ズルコト」
1940年（昭和15）	6月，教育審議会「社会教育ニ関スル件」答申 →「図書館活動ノ積極化ヲ図ル為読書指導ヲ強化スルト共ニ貸出文庫，移動文庫等ノ施設ヲ拡充スルコト」
1941年（昭和16）	「中央図書館ニ於ケル時局資料利用ニ関スル件」（文部省主催，全国社会教育主管課長会議） →中央図書館に時局資料の巡回文庫実施を指示，図書購入費として350円の交付を各地方長官に求める（7月） →6月，長野県で「時局文庫」開始，文書教育の基盤となる
1942年（昭和17）	5月，「貸出文庫ヲ中心トセル読書指導ノ方法」（全国中央図書館長会議） 文部大臣諮問事項「大東亜共栄圏建設ニ即応スベキ国民読書指導ノ方策如何」（第2回図書館協会総合協議会） →読書指導組織ヲ確立スルコト（答申） 9月，『読書会指導要綱』（日本図書館協会）発行 「読書会指導ニ関スル研究協議会」開催（文部省主催） 11月，社会教育局廃止，図書館の所管は教化局（のち教学局）となる
1943年（昭和18）	5月，道府県中央図書館長会議「読書会ノ運営ニ関スル件」，「図書ノ優先配給ニ関スル件」
1944年（昭和19）	2月・3月，読書会指導者思想錬成会開催（文部省，大政翼賛会共催）

表 7　県立長野図書館読書指導関連年表

年		事項
1933 年(昭和 8)	2 月	「教員赤化事件」により教員百数十名検挙
	3 月	図書館講習会開催（講師：松本喜一，乙部泉三郎ほか）
	3 月	『農村図書館標準図書目録』第 2 集刊行
	7 月	勅令第 175 号，図書館令改正(中央図書館制導入)，図書館令施行規則公布
	7 月	『教育関係図書目録』刊行
	8 月	県立長野図書館，長野県中央図書館に指定され，県立長野中央図書館となる
	10 月	県下図書館関係者会議開催，『優良児童図書目録』刊行
1934 年(昭和 9)	2 月	「二・四事件」により南信一帯の左翼検挙
	3 月	乙部泉三郎「農村図書館経営の手引」を執筆，県内全図書館に配布
	6 月	図書館報「県立長野図書館報」創刊（1934 年 9 月より「長野県中央図書館報」と改題）
	7 月	県令第 52 号，「長野県図書館令施行細則」および「図書館令施行細則実施方ニ関スル通牒」
	8 月	北信五県図書館連合会結成（開催：金沢市）
	11 月	図書館員講習会（長野県主催，講師：松尾長造，乙部泉三郎ほか）
	11 月	長野県図書館協議会開催
1935 年(昭和 10)	6 月	長野県図書館事業研究会結成（1938–43 年まで毎年開催）
	11 月	第 2 回北信五県図書館連合会総会
	12 月	『農村図書館標準図書目録』第 3 集刊行
1936 年(昭和 11)	2 月	文部省より県立長野中央図書館に奨励金 500 円公布
	3 月	『産業関係図書目録』刊行
	4 月	乙部泉三郎『農村図書館の採るべき道』刊行
	5 月	貸出文庫設置，県内 12 カ所へ発送
	6 月	長野県告示第 431 号，「長野県図書館事業奨励規程」（読書指導に功績のある図書館員職員の表彰規程）
	12 月	県下図書館協議会開催（於：県立長野中央図書館）
1937 年(昭和 12)	5 月	乙部泉三郎「青年団が図書館を設立するには」（パンフレット）発行
	5 月	「敬老文庫」開始（1942 年頃まで継続）
	10 月	県下図書館関係者会議開催
	12 月	文部省より国民精神総動員文庫費 350 円交付
1939 年(昭和 14)	3 月	県下図書館教育講演協議会開催（講師：松本喜一，乙部泉三郎ほか）
	4 月	「県立長野図書館規則」一部改正
	5 月	乙部泉三郎『町村図書館の新経営　長野県下図書館のための』刊行
	8 月	乙部泉三郎『図書館の実際的経営』刊行
	9 月	文部省主催「全国道府県中央図書館司書講習会」開催
	10 月	「時局文庫」設置
	11 月	長野県図書館事業研究協議会開催
	11 月	読書普及運動期間中，「読書の栞」，「貸出文庫利用の栞」を配布
	12 月	『県立長野図書館十年史』を刊行
1940 年(昭和 15)	2 月	「長野県中央図書館報」を「信州の図書館」と改題(7 月号より「読書信州」と改題)

表7（つづき）

年		事項
1940年（昭和15）	3月	「貸出文庫利用の栞」，「図書貸出法」，「時局関係図書目録」，「図書分類法」刊行
	9月	長野県図書館協会結成
1941年（昭和16）	1月	『全村皆読書運動について』刊行
	2月	『信州の農村における読書運動』刊行
	3月	「下伊那郡名井図書館経営講習会」を開催（飯田市立図書館共催）
	4月	文書教育研究会開催（於：上田市立図書館）
1942年（昭和17）	2月	図書館関係者大正の成人教育講座開催（於：松本市，講師：乙部泉三郎ほか）
	8月	日本図書館協会開催『読書会指導要綱』委員会に乙部出席（於：小諸町）
	10月	『時局下青年向図書目録』刊行
	11月	『児童図書館経営の栞』刊行

『県立長野図書館三十年史』をもとに作成

表８　小笠原忠統・読書会指導一覧

日付		指導した読書会
1952年	7月17日	錦部村七嵐読書会
	8月 9日	錦部村殿畦入読書会
	8月30日	宗賀村読書会
	10月15日	新島々村読書会
	10月23日	筑摩地村読書会
	12月 9日	神田婦人会読書会
	12月12日	三才山読書会
1953年	1月 4日	坂北村読書会
	1月29日	笹賀村読書会
	2月26日	里山辺青年読書会
	3月10日	上生坂青年会読書会
	3月11日	北熊井青年会読書会
	3月28日	仁熊青年会読書会
	3月29日	真々部青年団読書会
	4月 5日	神戸村新田婦人会読書会
	4月24日	神田青年会読書会
	7月25日	広丘青年会読書会
	8月20日	錦部村反町読書会
	10月16日	天白町婦人会読書会
	11月 5日	鎌田婦人会読書会
	12月 6日	日向村（桑山）青年読書会
1954年	2月 2日	坂井村公民館主催読書会
	2月 5日	中山青年学級読書会
	2月 9日	渚青年会読書会
	2月18日	さつき会婦人学級読書会
	2月27日	座光寺外四ヶ村読書会、日向村井堀青年読書会
	3月7日	片岡村南熊井読書会
	3月17日	赤怒図書館読書会
	3月20日	会染村渋田見読書会
	4月24日	大島村読書会
	5月21日	小倉村読書会
	7月19日	元町婦人会読書会
	11月27日	丸の内婦人読書会

日付は初回指導時のもの
『松本市立図書館日誌』1952–54年をもとに作成

発表者	指導員	時間	備考
	出席(人数不明)	20時30分～22時	男子部と合同
			男子部と合同
2名	宮沢, 萩元	20時30分～	女子部のみで開催
2名	萩元	20時30分～22時30分	
2名	萩元	19時30分～22時30分	男子部と合同, 不満あり
3名		19時30分～	女子部
3名	萩元	19時～	男子部員も発表
	宮沢, 萩元	19時～22時	宮沢の発案により各自本を持参し読書
2名	宮沢, 丸山	19時～	
1名	宮沢, 萩元	19時～22時	
	萩元	18時30分～22時	各自持参の本を読書
		19時～	20時より部会開催, 読書会について協議
2名	宮沢, 太田, 萩元	20時～22時40分	
2名	宮沢, 萩元	20時30分～23時	
2名	宮沢, 太田, 木下	20時～23時	村の有力者, 壮年団長も参観
2名		21時～1時30分	千代青年団員, 読書会後男女分団長と指導員とで座談
3名	太田, 萩元	19時30分～22時30分	発表者の内1名は指導員, 内1名は男子部員
	萩元, 中塚	15時～17時30分	県立図書館長視察につき協議
	出席	19時30分～21時	
	出席	18時30分～22時	村の有力者, 単位団役員集合するも乙部来ず, 流会
2名	乙部, 上郷校長, 佐々木		乙部の視察
	宮沢, 萩元ほか	22時閉会	
2名	宮沢, 中塚	19時30分～	指導員, 分団員など多数出席
	宮沢ほか		来年度読書会研究発表者月別表作成, 作文発表を行なうことを決定
2名?	宮沢, 萩元	19時30分～	
4名	宮沢	20時30分～23時30分	
3名	萩元	19時30分～22時30分	
4名	宮沢, 萩元	20時30分～	
4名	萩元, 中塚, 春日	20時～	
3名	宮沢, 萩元, 中塚 春日	19時30分～	

表9　1942（昭和17）年度以降　三穂男子女子青年団第二分団　読書会活動一覧

年月日		活動内容	発表テキスト・内容
1942年	4月28日	輪読会	『時局ト青年』
	5月12日	輪読会	『時局ト青年』
	7月12日	読書会（第1回）	『赤十字記』『霊肉の闘ひ』
	8月19日	読書会（第2回）	『野口英世の母』『勝利の母』
	9月 8日	読書会（第3回）	『西往の父子』『兵隊と愛性』
	10月29日	俳句創作合評会	
	11月 6日	読書会（第4回）	『新しき故郷』『火線の母』『野に母あり』
	11月30日	読書会（第5回）	『ペスタロッチ』『野口英世』『吉田松陰の母』
	12月18日	読書日	
	12月24日	読書会（第6回）	『仕藤信州庫人を生んだ母』ほか
1943年	1月26日	読書会（第7回）	『勝ち抜く力』など
	1月28日	読書日	
	3月12日	読書会（第8回）	
	5月18日	読書会（第10回）	『九条武子夫人に就いて』『ナチス女性の生活に就いて』
	7月27日	読書会（第11回）	『麦の穂の乙女』『空征と少年兵』
	8月31日	読書会（第12回）	『戦争生活と文化』『皇道宣布の闘ひ』
	10月24日	読書会（第13回）	『茄子栽培の実際について』『戦ふ女性』
	11月25日	読書会（第14回）	『日本弓術』『還らざる挺進隊』『国民と栄養』
	12月 7日	部会	
	12月13日	読書会予行練習	
	12月17日	読書会（第15回）	
1944年	1月16日	読書会	『家庭防疫衛生必携』『徒然草に付いて』
	1月28日	読書会（第16回）	『決戦での家庭生活』『日本昆虫記』『詩の生まれるまで』
	3月 1日	読書会（第17回）	『国民と結核』『若き母に送る』
	3月 1日	部会	
	3月17日	読書会（第18回）	『何が病を治すか』，団長の発表
	4月26日	読書会（第19回）	『戦ふ世界の女性』『万葉集』『母の反省』『俳句の研究』
	5月17日	読書会（第20回）	『菅原伝授手習鑑』『茶のビタミン』『支那史』『薬草薬本の民間療法』
	7月28日	作文発表会（第21回）	
	8月23日	読書会（第22回）	『書物の中毒とその予防法』『愛馬標本』『日本女性と職業』『頑張る力』
	10月25日	読書会（第23回）	『勝ち抜く為の玄米食』『万葉集』『土に塗れて』

発表者	指導員	時間	備考
3名	萩元	19時〜	
		19時〜22時	読書会，作文発表会について協議
4名	乙部，宮沢	19時〜23時	乙部視察
4名	萩元, 中塚, 代田	19時〜	
6名	萩元	22時30分まで	2回分
			読書会について，作文，読書各5回ずつ発表
1名	記述なし	20時〜	
3名	木下	20時〜	発表の内1名は教員
3名	中塚	20時30分〜	発表者の内1名は教員
2名	太田	記述なし	発表者の内1名は教員
3名	春日		発表者の内1名は教員

婦人会の活動	青年団および青年会の活動	長野県図書館の活動・PTA活動・その他
	11月頃から自主的青年団結成盛ん	
5月, 長野県連合婦人会結成	2月, 長野県連合青年団結成	
		10月, 県下にPTA 124カ所結成
生活改善運動本格化	演劇活動盛ん	6月, 社会教育法公布
県連合婦人会『信州婦人』創刊 台所改善問題研究(下伊那)	県連合青年団『青年信州』創刊 北部5カ村(大島，山吹，市田，座光寺，上郷）図書館協議会結成《郡青図書部》	5月15日, 長野県図書館協議会発足 9月20日, PTA母親文庫発足

表9（つづき）

年月日	活動内容	発表テキスト・内容
1944年11月29日	作文発表会（第24回）	
1945年2月12日	部会	
2月21日	読書会（第25回）	『乳用牛の実際』『被服の科学』『改修万葉集』など
3月12日	読書会（第26回）	『結核にならぬ為に』『修身公民科の着手』『収穫栽培法』ほか
4月？	読書会・作文（第27回）	『日本縫針考』『国木田独歩』『空襲下の救護法』
4月26日	部会	萩元，中塚
5月10日	読書会・作文（第29回）	作文：「尊敬する人に就き」
5月24日	読書会・作文（第30回）	作文：「勉強する方針とその方法の参考」「尊敬する人」「落下の雪」
7月26日	読書会・作文（第31回）	作文：「街頭少形」「灯火大管制について」「勤労奉仕」「目の病気について」
10月10日	読書会・書籍（第32回）	「救護法」「文化類型学」
11月？	読書会・作文（第33回）	作文：「新聞記事より」「最近の新聞記事より」「新聞を読みて」「ヒトラー来たり去る」

注：第9回読書会に関しては原資料に記載なし。　同青年団文化部記録をもとに作成

表10　飯伊婦人文庫年表

	飯伊婦人文庫の周辺	公民館の活動
1945年(昭和20)		
1946年(昭和21)		
1947年(昭和22)	4月22日，飯田市大火	6月，第一回公民館長会議開催，下伊那郡では14カ村で公民館設置
1949年(昭和24)	地域生活の重視	公民館の啓蒙活動盛ん
1950年(昭和25)		3月，長野県公民館運営協議会開催，下伊那郡では公民館設置率93%

婦人会の活動	青年団および青年会の活動	長野県図書館の活動・PTA 活動・その他
		11 月, 第 1 回長野県図書館大会開催
	10 月, 5 カ村図書館協議会, 長野市北信 5 県図書館大会参加, 叶沢, 小笠原と知り合う。PTA 母親文庫配本所設置運動開始 上郷地区, 青年会が県立図書館の団体貸し出しを受け, 婦人会を通じて貸し出しを開始	8 月, 青年学級振興法公布
千代「めばえ」発行	高森地区, 青年会が県立図書館の団体貸し出しを受け, 母親たちに読書の普及を図る	11 月, 長野県図書館大会第 4 回大会に PTA 母親文庫部会が発足 12 月, 第 1 回長野県読書大会
7 月, 喬木村婦人会『たんぽぽ』, 松尾『ほほえみ』, 竜丘『丘の白菊』発行	6 月, 上郷青年団嫁姑問題調査実施 10 月, 伊賀良, 豊丘で演劇活動盛ん	12 月, 長野県読書会連絡会結成 510 グループ参加 竜丘 PTA 文庫を小学校の職員室に設置
3 月, 山吹「やまぶき」発行 11 月, 高森『松の実』発行		
4 月, 竜丘婦人会「母親文庫」設置 10 月,『下伊那連合婦人会 10 年のあゆみ』発行 北信 5 県図書館大会参加（竜丘地区婦人会）		北信 5 県図書館大会参加
4 月, 第 1 回飯伊母親大会開催 原水禁運動に参加	4 月, 県連合青年団互助会発足	7 月, 第 1 回長野県母親大会 PTA 母親文庫の利用者 10 万人
11 月, 長野県連合婦人会館落成		長野県 PTA 母親文庫発足 10 周年,「本を読む母親全国大会」
6 月, 県連合婦人会信州婦人大学講座開催		

表10（つづき）

	飯伊婦人文庫の周辺	公民館の活動
1951年 (昭和26)		
1953年 (昭和28)		11月, 県下公民館設置率100%
1954年 (昭和29)		5月, 飯伊婦人文庫配本所設置陳情書 松尾地区, 公民館図書室に婦人文庫設置 下伊那郡図書館協議会結成
1955年 (昭和30)	この頃, 兼業農家の増加, 公民館活動の停滞, 自主的な学習, 文集活動 テレビ・洗濯機・コタツなど普及	長野県に母親文庫設置の陳情《下伊那郡図書館協議会が中心となる》
1956年 (昭和31)		長野県に母親文庫設置の陳情《下伊那郡図書館協議会》
1957年 (昭和32)	7月, 飯伊婦人文庫の配本所設置 7月15日, 婦人会母体の飯伊婦人文庫開所(県の本) 7月20日, 飯田母親文庫開所（市の本） 11月, 飯伊婦人文庫および飯田母親文庫に運営委員会設置 テレビ普及(受像機179台)	5月, 下伊那図書館協会会長に飯田市教育長・図書館長松澤太郎氏が選出
1958年 (昭和33)	第1回総会 テレビ普及(受像機430台)	
1959年 (昭和34)	婦人会の崩壊, 婦人文庫の会員減少 『かざこし』第1号発行（～1971年第13号） 読書会始まる 9月, 本を読むお母さんの全国大会開催	
1960年 (昭和35)	この頃から1969（昭和44）年頃まで工場誘致盛ん 婦人文庫の総会において会員の発表始まる	

婦人会の活動	青年団および青年会の活動	長野県図書館の活動・PTA 活動・その他
		6 月, 本を読む母親の全国大会記録『本を読むお母さん』刊行
		8 月, 9 月, 母親大会分裂開催
	2 月, 県連合青年団部落問題青年講座開催	

表 10 （つづき）

	飯伊婦人文庫の周辺	公民館の活動
1961 年 (昭和 36)	6 月, 三六災害, 女性のパート進出, 内職増加 高校入学難	
1962 年 (昭和 37)	兼業化振興 (災害復興), 婦人会崩壊 『読書についての文集』第 1 号発行(～現在に至る 1965 年発行無し) 読書研修会始まる	第 1 回県公民館研究大会 公民館主事・社会教育主事等不当配転問題起こる
1963 年 (昭和 38)	三ちゃん農業増加	
1964 年 (昭和 39)	テレビ普及 (受像機 25000 台, 普及率市：63%, 郡 55%） 椋鳩十の「母と子の 20 分間読書」の広まり	
1965 年 (昭和 40)	テレビ普及率都市の 86%に達する	
1966 年 (昭和 41)		11 月,『戦後信州女性史』県連合婦人会 (辻村輝雄著) 刊行
1967 年 (昭和 42)	婦人文庫 10 周年記念総会 (400 名参加)	
1972 年 (昭和 47)	飯伊婦人文庫に一本化	

表11　婦人文集発行状況一覧

地域名	文集名	1955年以前	1955	1956	1957	1958	1959	1960
千代村	めばえ	9	2		2	1	1	1
喬木村	たんぽぽ		1	2	1	1	1	1
松尾（飯田市）	ほほえみ		2	2	2	2	1	
竜丘（飯田市）	丘の白菊		1	1	2	1		
竜丘（飯田市）	草の実		1	1				
竜丘（飯田市）	桐の花				2			
竜丘（飯田市）	ふきのとう			2				
竜丘（飯田市）	ぎんなん				1			
山吹（高森町）	やまぶき			1	1			
大島（松川町）	あじさい			2	2	1	1	
生田（松川町）	ははこぐさ			1	3	2	1	1
大下条（阿南町）	ともしび			1				
根羽村	こだま			1	1			1
座光寺（飯田市）	くらし			1	1	1	1	1
市田（高森町）	松の実			1	1			
三穂（飯田市）	福寿草			1				
泰阜村	しばくさ			1				
伍和（PTA）	峠・早苗			1				
上郷村	土筆				1	1	2	1
豊丘村（母子）	なごみ			1	1			
豊丘村	ゆたか							1
上久堅村　中宮	しあわせ				1	1		
上久堅村　越久保	なかよし				1			
上久堅村　上平	母の手				1			
上久堅村　下平	あゆみ					1		
上久堅村	小川路					1		
大下条大南（阿南町）	白梅				1	2		
下條村	さざんか				1	1		1
上村	しゃくなげ				1	1	1	
旦開（阿南町）	花の水					1	1	1
清内路村	清内路村文集					1	1	1
伊賀良　北方G	つばくろ					2	1	
伊賀良　北方	大井川					2	1	
伊賀良	まつかさ					2	1	
伊賀良　北方　宮森	末広					1	1	
伊賀良　北方　育良	いくら			1	1	1		
伊賀良　北方　山口	あゆみ					1	1	
伊賀良　北方　入野	ふもと					1	1	
伊賀良　北方　西原	こころ						1	
伊賀良　北方　中通	中通					1		
伊賀良　中村　朝臣	あさひ				1	1		

表11（つづき）

地域名	文集名	1955年以前	1955	1956	1957	1958	1959	1960
伊賀良　野池	ほほえみ					1		
伊賀良　大瀬木G	梅の花					1		
伊賀良　大瀬木	峠のみち					2		
伊賀良中村　中平	心の友					1		
伊賀良　中村　上中村	まど				1	1		
伊賀良　三日市場	めばえ					1		
伊賀良　中村　中川	いずみ				1	1		
鼎町（婦人学級）	培い			1	1	1		
鼎町	あまだれ							1
上久堅村	なかま					1		
下久堅村（飯田市）	ちぐさ					1	1	
飯田市	かざこし						1	1
大下条（阿南町）	朝霞						1	
売木村	峠						2	1
大鹿村	姑嫁の願					1		

下伊那郡婦人作文研究会準備会『伊那谷の母の文集』1960年をもとに作成，数字は発行回数

表12　飯伊婦人文庫会員数の推移

年度	グループ数	会員数（人）
1957（昭和32）年	1,758	7,020
1958（昭和33）年	1,772	7,088
1959（昭和34）年	2,224	7,064
1960（昭和35）年	1,707	5,978
1961（昭和36）年	1,485	7,086
1962（昭和37）年	1,262	4,878
1963（昭和38）年	1220	4,868
1964（昭和39）年	1,250	5,004
1965（昭和40）年		5,184
1966（昭和41）年		3,694
1967（昭和42）年		2,907
1968（昭和43）年		1,734
1969（昭和44）年	502	1,630
1970（昭和45）年	483	1,215

『みんなで読もう　婦人文庫40年史』より作成

1964年	備考
61	
200	36年より家庭文庫となる
23	
22	
137	39年より家庭文庫となる
54	
—	
30	
28	
—	40年より加入
70	
40	
239	39年より家庭文庫となる
59	
35	
30	
—	
—	
—	
43	
71	
31	
39	

講演	読書研修会	講師・内容
宇治正美「ガンと原子力」	7月 5日 8月18日 1月20日	石森延男「母と子の読書について」 吉田昇「今後のお母さんはこうありたい」 古屋綱武「新しい女の生き方」
石垣綾子「女の生き方」	11月19日	宮下正美「子供のしつけ」
臼井吉見「小説について」	11月 2日	山下肇「読書と生活」
丸岡秀子「これからの婦人のあり方」		

表 13　飯伊婦人文庫参加町村とグループ数の変遷

	1957 年	1958 年	1959 年	1960 年	1961 年	1962 年	1963 年
座光寺	128	80	71	60	63	66	61
伊賀良	80	80	80	80	80	80	200
山本	76	82	87	74	62	413	29
松尾	125	124	—	—	30	30	—
竜丘	94	100	168	190	168	168	156
川路	—	—	—	—	48	63	58
三穂	28	48	20	54	40	40	20
下久堅	110	110	80	70	58	27	35
上久堅			68	60	50	39	40
竜江	32	54	125	80	70	10	—
千代	—	—	—	—	—	—	—
山吹	146	138	132	110	98	67	70
市田	146	74	82	100	56	35	50
上郷	56	72	85	60	86	83	78
鼎	36	48	78	80	83	87	72
下条	39	52	82	88	60	35	35
新野	26	26	30	40	45	35	30
豊丘	60	150	128	110	100	60	45
松川	63	69	—	—	—	—	—
喬木	80	80	70	70	—	—	—
橋南	104	136	146	132	85	82	69
橋北	106	114	130	142	110	99	96
東野	69	53	50	47	43	43	33
羽場・丸山	16	39	66	52	40	60	41

『みんなで読もう　飯伊婦人文庫 40 年史』をもとに作成

表 14　飯伊婦人文庫総会における会員発表と講演，読書研修会

	総会	会員発表
1958（昭和 33）年	第 1 回総会（7 月 20 日）	
1959（昭和 34）年	第 2 回総会（7 月 20 日）	飯田婦人文庫の読書会について（3 名）
1960（昭和 35）年	第 3 回総会（7 月　5 日）	我が家の読書 私の村の母親文庫の経営 部落婦人の読書会 夫婦生活の本を読んで 孤独の時間を
1961（昭和 36）年	第 4 回総会（11 月 27 日）	読書で学んだこと 読書に関して 農村の母親と読書 生活と読書

講演	読書研修会	講師・内容
松尾ちよ子「新しい親子関係」	12月 8日	午前・母親文庫の運営について
	12月 8日	午後・テキスト憲法読書会
由起しげ子「生活のあじわい」	12月 6日	読書についての話しあい
住井すゑ「目をさまそう」		
羽仁説子「人間の生き甲斐について」	2月21日	午前・姑と嫁とお互いによく生き合うにはどうすればよいのか 午後・田中澄江「林芙美子を中心として」
猪木正文「読書と科学」	2月19日	加藤明治「童話を書きながら学んだこと」
丸岡秀子「本を読んで自分は変わったろうか」	2月18日	石森延男「創作と読書」
もろさわよう子		
宮口しずえ「会話以前のこと」	2月15日	小野惣平「ある1人の婦人の日記から」
山田霊林「生活と宗教」	2月14日	分科会方式　幼児・小学校低・小学校中高・中学校 代田昇「子供の本と親子読書」
田中富次郎「藤村の出発と芸術開眼」	2月20日	代田昇「読書の出発とその展開」
丸岡秀子「ひとすじの道について」	2月18日	清水悟郎「生涯教育と読書」

表14（つづき）

	総会	会員発表
1962（昭和37）年	第5回総会（7月　7日）	『母親文庫』
1962（昭和37）年		一葉の『たけくらべ』を読んで くらしと読書 母親文庫で学んだこと 私の読書 商人と読書
1963（昭和38）年	第6回総会（7月　6日）	くらしの中の読書 一冊の読書が投げかけた心の波紋 人を愛し愛される人に 読書について 失われた本の思い出 子供と読書
1964（昭和39）年	第7回総会（7月　4日）	目のみえない人と読書 子供の読書意欲を願って 生活に伴う読書 私達の読書会 私の読書生活を省みて
1965（昭和40）年	第8回総会（7月17日）	会員発表（4名）
1966（昭和41）年	第9回総会（7月17日）	会員発表（6名）
1967（昭和42）年	第10回総会（7月15日）	『華岡青洲の妻』を読んで 『橋のない川』から 母親文庫10周年を記念して 私のねがい 『天平の甍』
1968（昭和43）年	第11回総会（7月13日）	『源氏物語』の魅力にとりつかれて わらべうた
1969（昭和44）年	第12回総会（7月12日）	『聖夜の燭』を読んで 読書について感じたこと 『ああ野麦峠』を読んで 『古都』を読んで 母親文庫と共に歩いた十年間
1970（昭和45）年	第13回総会（7月19日）	『野麦峠』を読んで 最近の読書について 私達の読書グループの歩み 『神通川』を読んで
1971（昭和46）年	第14回総会（7月17日）	『心のふる里をゆく』を読んで 『椎の実学園誕生記』を読んで 母親文庫の本を読んで 私の家庭と読書
1972（昭和47）年	第15回総会（7月9日）	会員発表3名

『みんなで読もう　飯伊婦人文庫40年史』をもとに作成

表15　飯伊婦人文庫配本の一例

年度	月	著者	書名
1961（昭和36）年	5月	石坂洋次郎	『わが愛と命の記録』
	6月	望月一宏	『反抗期』
		丹羽文雄	『ふき溜りの人生』
	8月	北杜夫	『羽蟻のいる丘』
	9月	池波正太郎	『錯乱』
	10月	壺井栄	『海夜の』
	11月	井伏鱒二	『木靴の山』
	12月		『随筆寄席』
1962（昭和37）年	5月	壺井栄	『小さき花の物語』
	6月	小堀杏奴	『静かな日日』
	7月	辻アイ	『母ちゃんが書いたお前たちに遺す私の歴史』
	8月	平井政義	『話し合いの教育』
	9月	松田ふみ子	『この先生たち』
	10月	松本伸夫	『親子座談会』
	11月	小堀杏奴	『父』
1963（昭和38）年	5月	高津勉	『黒潮の果てに子らありて』
		波多野勤子	『少年期』
	7月	由起しげ子	『女中っ子』『この道の果てに』
		田中千代	『皇后さまのデザイナー』
	8月	松尾ちよ子	『ママ、お家が燃えてるの』
		平林良孝	『母ちゃん、しぐのいやだ』
	9月	桂ユキ子	『女ひとり原始部落に入る』
		谷口雅春	『幸福を招く365章』
	10月	重松敬一	『わが家の診断』
		有吉佐和子	『香華』
	11月	三宅艶子	『若き日の読書』
		宮城栄昌	『日本女性史』
1964（昭和39）年	12月	近藤啓太郎	『冬の嵐』
	1月	村井実・丸岡秀子	『夫も教師、妻も教師』
	2月		『街の底辺で』
	3月	椎名麟三	『運河』
	4月	石川達三	『悪女の手記』
	5月	有吉佐和子	『香華』
		曽野綾子	『男狩り』
	6月	清水慶子	『愛情の記録』
		富田常雄	『白蓮夫人』
	7月	平林良孝	『母ちゃん、しぐのいやだ』
		石垣綾子	『女論』
	8月	女流作家十七名	『女流文学論』
		井上友一郎	『純な女』
	9月	松尾千代子	『ママ、お家が燃えてるの』

表 15　(つづき)

年度	月	著者	書名
1964 (昭和 39) 年	10 月	林勝三	『こんな子どもはこのように』
		三浦哲郎	『揺籃』
	11 月	伊藤桂一	『落日の悲歓』
		日本作文の会	『お母さんこんにちは』
	12 月	有馬頼盛	『狼葬』
1965 (昭和 40) 年	1 月	北杜夫	『幽霊』
	5 月	森田たま	『おんな随筆』
	6 月	林友三郎	『おとなは敵だった』
	7 月	壺井栄	『どこかで何かが』
	8 月	井上靖	『河口』
		有馬頼義	『バラ園の共犯者』
	9 月	寺内大吉	『はぐれ念仏』
	10 月		『どんぞこ開店』
	11 月		『小さな城』
			『天のうてな』
	12 月	円地文子	『小町変相』

各年度の『読書についての文集』より作成

表 16　飯伊婦人文庫読書会テキスト

発行年月	題名
1958 (昭和 33) 年 12 月	第一編　生活改善「水道」婚礼」
1959 (昭和 34) 年 2 月	第二編　読書と読書会「私と読書」「楽しかった読書会」
1959 (昭和 34) 年 3 月	第三編　心を打ち込めるものをつかみたい「私の希い」「短歌と私」
1959 (昭和 34) 年 4 月	第四編　昔の歌今の歌「ある農家のひとときばなし」「叔母のかんどころ」
1959 (昭和 34) 年 5 月	第五編　母と子「へそくり」「三男の誕生日」
1960 (昭和 35) 年 1 月	第六編　夫婦「ナイトショウ」「蒲団」
1960 (昭和 35) 年 2 月	第七編　結婚「甥の結婚」「結婚について」
1961 (昭和 36) 年 1 月	第八編　くらしの工夫「ささやかな夢」「家族会」
1961 (昭和 36) 年 4 月	第九編　農休日「私たちの農休日」「私の農休日」
1962 (昭和 37) 年 1 月	第十編　家計簿「家計簿」
1962 (昭和 37) 年 9 月	第十一編　憲法「憲法読書会」附日本国憲法
	別編一「中年婦人の生き方」(石垣綾子)
	別編二「二十四時間の教育」(丸岡秀子)
	別編三「精神美容術」(亀井勝一郎)
	別編四「青年の離農問題をめぐって」(丸岡秀子)
	別編五「子供からおとなへ」(磯野富士子)
	別編六「姑と嫁とお互いによく生きあうにはどうすればよいか」(磯野富士子)

『読書についての文集』第 4 号，1966 年，13 頁をもとに作成

参考文献・資料

資料・資料集は本書中で言及した順に配列した。

単行書は、外国語文献、日本語文献の順で挙げ、外国語文献は著者（姓）のアルファベット順、日本語文献は著者（姓）の五十音順に配列した。

論文は著者（姓）の五十音順に配列した。

1 資料・資料集

教育学・教育史

教育史編纂会編『明治以降教育制度発達史』龍吟社、一九三八－三九年（本書では一九六四－六五年の復刻版も参照した）。

国立教育研究所編『日本近代教育百年史　社会教育㈠』第七巻、一九七四年。

――『日本近代教育百年史　社会教育㈡』第八巻、一九七四年。

文部省『日本帝国文部省年報』、『文部省年報』一八七三－四〇年。

――『資料臨時教育会議』第五集、一九七九年。

文部科学省編『二〇〇一　我が国の教育統計――明治・大正・昭和・平成』財務省印刷局、二〇〇一年。

大久保利謙・海後宗臣監修『教育審議会総会会議録』第八輯、一九四一年（本書では『近代日本教育資料叢書』史料篇三、宣文堂出版部、一九七一年を使用した）。

大霞会編『内務省史』第一巻－第三巻、地方財務協会、一九七一年。

長野県教育史刊行会編『長野県教育史』一九七二－八三年。

松本市教育百年史編纂委員会編『松本市教育百年史』一九七八年。

三穂小学校百周年紀念事業実行委員会『三穂小学校の百年』一九七三年。

毎日新聞社『読書世論調査』毎日新聞社、一九四七－七〇年。

社会教育、図書館関係

内務省地方局編『戦時地方ニ於ケル教育上ノ経営』一九〇五年。

――『戦時記念事業と自治経営』一九〇六年。

――『地方改良事業講演集』上・下巻、一九〇九年。

東京市立日比谷図書館『市立図書館と其事業』一九二一－三九年（一九三〇年より『東京市立図書館と其事業』と改題）。

――『東京市立図書館一覧　自大正九年至大正十年』一九二一年。

――『東京市立図書館一覧　大正十五年』一九二六年。

東京都立日比谷図書館『五十年紀要』一九五九年。

日本図書館協会『読書会指導要綱』一九四二年。

県立長野図書館『県立長野図書館報』第一－七四号、一九三五－四四年（一九三九年より『読書信州』と改題、長野県立長野図書館所蔵）。

――『県立長野図書館の表情』一九二九年（長野県立長野図書館所蔵）。

――「図書館事業研究協議会要項」一九三八年（長野県立長野図書館所蔵）。

――「県立長野図書館『時局文庫』実施要項」一九三八年（長野県立長野図書館所蔵）。

――「時局文庫目録」一九三八年（長野県立長野図書館所蔵）。

――『町村図書館の新経営　長野県下図書館のための』一九三九年（長野県立長野図書館所蔵）

――『長野県立図書館十年史』一九三九年（長野県立長野図書館所蔵）。

――『県立長野図書館三十年史』一九五九年（長野県立長野図書館所蔵）。

――『全村皆読書運動について』一九四一年（長野県立長野図書館所蔵）。

――『児童図書館経営の栞』一九四二年（長野県立長野図書館所蔵）。

――『時局下青年向図書目録』一九四二年（長野県立長野図書館所蔵）。

長野県図書館協会編『信州の農村における読書運動』一九四一年（長野県立長野図書館所蔵）。

石井敦監修『新聞集成図書館』大空社、一九九二年。

戦前・長野県青年会関係

三穂青年親友会「書籍目録」一九〇五－四二年（飯田市歴史研究所所蔵）。

――「大正十一年度文庫貸納簿」一九二二年（飯田市歴史研究所所蔵）。

三穂村青年会「三穂青年」一九二五年（飯田市歴史研究所所蔵）。

――「三穂青年」第二巻第四号、一九二五年（飯田市歴史研究所所蔵）。

三穂青年会「青年会関係昭和十二～二十七年」（飯田市歴史研究所所蔵）。

三穂男子女子青年団第二分団「昭和十九年度読書会」一九四四年（一九四二年以降の青年団文化部読書会の記録を含む。飯田市歴史研究所所蔵）。

三穂小学校「三穂小学校職員録」（飯田市立三穂小学校所蔵）。

戦後・図書館、青年会関係

松本市立図書館『松本市立図書館日誌』一九五一－五四年（松本市立中央図書館所蔵）。

松尾青年会「青年（松尾青年二）」昭和二一年度（飯田市歴史研究所所蔵）。

松筑図書館協会『松筑図書館協会報』一九五三年－（松本市立中央図書館所蔵）。

松本読書会連絡会『遠近』春季号・秋季号、一九五五年（長野県立長野図書館所蔵）。

「第一回青研資料、女子研資料」一九五五年（長野県歴史館所蔵）。

「読書会研究会報告」『市連青ニュース』第一号、一九五七年四月二〇日（長野県歴史館所蔵）。

下伊那青年団協議会「読書会講習会について」『郡青情報No.3』第一四号、一九五八年（長野県歴史館所蔵）。

「飯田市連合青年団上郷村青年協議会、青年問題研究集会資料」一九五八年（長野県歴史館所蔵）。

社会教育官僚・図書館員の著書・論文

井上友一『自治要義』博文館、一九〇九年。

――『救済制度要義』博文館、一九〇九年。

――『自治之開発訓練』中央報徳会、一九一二年。

清水澄・近江匡男編『井上明府遺稿』一九二〇年。

井上会編『井上博士と地方自治』全国町村会、一九一五年。

井上友一「自治訓練の方法」内務省地方局編『地方改良事業講演集』上巻、一九一〇年所収。

相田良雄「明府井上友一博士評傳」『教育』第五巻第一二号、一九三七年、四五―六一頁。

乗杉嘉寿『社会教育の研究』同文館、一九二三年。

――『社会教育に就いて』日本青年館、一九二三年。

川本宇之介『社会教育の体系と施設経営・経営篇』最新教育研究会、一九三一年。

今澤慈海「児童と図書館」『図書館雑誌』第一六号、一九一二年。

日本図書館協会編『図書館小識』一九一五年。

今澤慈海・竹貫直人『児童図書館の研究』博文館、一九一八年。

今澤慈海「公共図書館の使命と其達成――人生に於ける公共図書館の意義」『図書館雑誌』第四三号、一九二一年。

――「通俗図書館及通俗読み物」文部省普通学務局編『社会教育講演集』地方行政学会、一九二一年。

――「公共図書館は公衆の大学なり」『市立図書館と其事業』第一号、一九二一年。

――「読書趣味の養成と師範学校」『市立図書館と其事業』第一三号、一九二三年。

――「児童図書館之設備及経営」今澤慈海原稿、一九二三年（成田山仏教図書館今澤文庫所蔵）。

――「参考図書の使用法及び図書館に於ける参考事務」『図書館雑誌』第五五号、一九二四年。

――「市民生活の要素としての図書館」『図書館雑誌』第五八号、一九二四年。

――「成人教育と図書館」『市立図書館と其事業』第三〇号、一九二五年。

――「都市に於ける教育の中心としての図書館」『社会教育』第二巻第一一号、一九二五年。

――『図書館経営の理論及実際』叢文閣、一九二六年。

――「児童読モノヽ選ビ方ト与ヘ方」今澤慈海放送原稿、一九二八年（成田山仏教図書館今澤文庫所蔵）。

――「図書選択と思想問題」『図書館学講座』第二巻、図書館事業研究会、一九二八年。

――「中間集書に就て」『東京市立図書館と其事業』第五七号、一九三〇年。

――「読書の功罪」『東京市立図書館と其事業』第五八号、一九三〇年。

――「家庭と読書」社会教育協会編『婦人講座』第六編、一九三〇年。

――「館にありし頃」『書物展望』第二巻第二号、一九三二年。

――「図書館員養成問題漫語」『図書館雑誌』第三五年第九号、一九四一年。

成田山教育文化福祉財団『今澤慈海先生追悼録』一九六五年。

中田邦造「読書の内面的意義を省みて図書館関係者の任務をおもう」『石川県立図書館月報』第二二号、一九二六年（本書では梶井重雄編『中田邦造』日本図書館協会、一九〇八年も参照した）。

――「教化運動と図書館」『石川県立図書館月報』第六八号、一九二九年。

――「所謂附帯事業と事業の本質について」『石川県立図書館月報』第七四号、一九三〇年。

――「農民教養の現状と読書指導(二)――石川県米丸村村民読物調査の結果に鑑みて」『石川県立図書館月報』第七九号、一九三〇年。

――「農民教養の現状と読書指導(四)」『石川県立図書館月報』第八一号、一九三〇年。

――『公共図書館の使命』石川県社会課、一九三四年。

――「図書館社会教育の意義目的並に其範囲に属すべき事業の種類」『図書館雑誌』第二八年第八号、一九三四年。

――「読書会・研究会・座談会（町村図書館の社会教育的協働(二)）」『石川県立図書館月報』第一二二号、一九三四年。

――「集団的読書指導上における補助員制度と相互教育法（町村図書館の社会教育的協働(四)）」『石川県立図書館月報』第一三二号、一九三五年。

梶井重雄編『中田邦造』日本図書館協会、一九八〇年。

乙部泉三郎『農村図書館の採るべき道』一九三六年。

――『町村図書館に於ける図書貸出法』一九三九年。

――『図書館の実際的経営』一九三九年。

小笠原忠統「農村に於ける読書会のモチベーションについて」『図書館雑誌』第四八巻第八号、一九五四年所収。

――「読書会の運営をこうした」『図書館雑誌』第四八巻第一二号、一九五四年所収。

――松本「私の大学」開講まで――各種の学習サークルの結集をめざして」『月刊社会教育』第五巻第六号、一九六一年、八四頁。

宮沢三二『青年読書の実際』信友社、一九四九年。

――「学校図書館の経営を試みて」『信濃教育』七五六号、一九四九年、二三―二八頁。

――『日記』一九五四―一九六一年（ただし一九五六年は欠）（宮沢恒介氏所蔵）。

――「部落の宇宙と読書」一九六一年（宮沢恒介氏所蔵）。

――「働きかけるということ」執筆年不明（宮沢恒介氏所蔵）。

——「呼びかけるということ」執筆年不明（宮沢恒介氏所蔵）。

——「読書指導について——私の見た女子高生の読書から」執筆年不明（宮沢恒介氏所蔵）。

戦後読書活動・婦人文集

松尾婦人会『ほほえみ』第一–第七七号、一九五五–七七年（飯田市立中央図書館所蔵）。

竜丘駄科婦人会『丘の白菊』第二–第六号、一九五六–六〇年（飯田市立中央図書館所蔵）。

飯伊母親文庫・飯田婦人文庫『かざこし』第一–一三号、一九五九–七一年（飯田市立中央図書館所蔵）。

——『読書についての文集』第一–第一八号、一九六二–八〇年（一九七二年より飯伊婦人文庫発行となる。飯田市立中央図書館所蔵）。

飯伊婦人文庫『みんなで読もう　飯伊婦人文庫四〇年史』南信州新聞社出版局、一九九七年。

——『つながり——聞き書き・女性七〇人の読書と人生と』南信州新聞社出版局、二〇〇二年。

——『みんなとだから読めた！　聞き書きによる飯田下伊那地方の読書会の歴史』南信州新聞社出版局、二〇〇七年。

叶沢清介『図書館、ＰＴＡ、そして母親文庫』日本図書館協会、一九九〇年。

木下右治『方丈の庭』秀文社、一九八八年。

丸山義二・池田憲介『伊那谷につづる　かあちゃん文集』家の光協会、一九六五年。

雑誌

中央報徳会『斯民』一九〇六–二一年。

『社会と教化』一九二一–二三年。

『社会教育』一九二三–四四年。

『図書館雑誌』日本図書館協会、一九〇七–四五年。

『教育時論』開発社、一八八五–一九三四年。

『教育学術界』大日本学術協会、一八九九–一九二一年。

『思想の科学』一九四六年第二号、第八号、一九四七年第五号。

2　単行書

Anderson, Benedict, *Imagined Communities Reflections on the Origin and Spread of Nationalism*, 1983. (1991 Revised Edition)（本書ではベネディクト・アンダーソン『増補　想像の共同体――ナショナリズムの起源と流行』ＮＴＴ出版株式会社、一九九七年を使用した）。

Chartier, Roger (ed.), *Pratiquesde la lecture*, Rivages, 1985.（本書ではロジェ・シャルチエ編『書物から読者へ』みすず書房、一九九二年を使用した）。

―― *Lectures et lecteurs dans la France d'ancien Régime*, Promodis, 1987.（本書ではロジェ・シャルチエ『読書と読者』みすず書房、一九九四年を使用した）。

Darnton, Robert, *The Forbidden Best-Sellers of Pre-Revolutionary France*, Norton, 1995.（ロバート・ダーントン『禁じられたベストセラー　革命前のフランス人は何を読んでいたか』新曜社、二〇〇五年）。

――, The Great Cat Massacre and Other Episodes in French Cultural History, Basic Books, 1985.（ロバート・ダーントン『猫の大虐殺』岩波書店、一九八六年。本書では岩波現代文庫、二〇〇七年版を使用した）。

Iser, Wolfgang, *DER AKT DES LESENS Theorie ästhetischer Wirkung*, 1976, Wilhelm Fink Verlag.（本書ではヴォルフガング・イーザー『行為としての読書――美的作用の理論』岩波現代選書、一九八二年を使用した）。

Jauß, Hans Robert, *Das Ende der Kunstperiode – Aspekte der literarischen Revolution bei Heine,Hug und Stendhal., Literaturgeschichte als Plovakation der Literaturwissenschaft*, Suhrkamp Verlag, 1970.

――, *Die Theorie der Rezeption – Rückshau ihre unerkannte Vorgeschichte*, Konstanzer Universitätsreden, series #166, 1987.（ハンス・ローベルト・ヤウス『挑発としての文学史』岩波書店、一九七六年。本書では『挑発としての文学史』岩波現代文庫、二〇〇一年版を使用した）。

青野季吉『転換期の文学』春秋社、一九二七年（本書では『近代文芸評論叢書　一』日本図書センター、一九九〇年版を使用した）。

朝尾直弘ほか編『講座日本歴史一七　近代四』岩波書店、一九七六年。

天野郁夫『日本の教育システム』東京大学出版会、一九九六年。

天野正子『「つきあい」の戦後史――サークル・ネットワークの拓く地平』吉川弘文館、二〇〇五年。

飯田祐子『彼らの物語　日本近代文学とジェンダー』名古屋大学出版会、一九九八年。

――編『『青鞜』という場　文学・ジェンダー・〈新しい女〉』森話社、二〇〇二年。

石井敦『日本近代公共図書館史の研究』日本図書館協会、一九七二年。

――『図書館史　近代日本篇』教育史料出版会、一九八九年。

石川謙『学校の発達』岩崎書店、一九五一年。

――『日本庶民教育史』玉川大学出版部、一九七二年。

石田雄『近代日本政治構造の研究』未來社、一九五六年。

石原千秋・木股知史・小森陽一・島村輝・高橋修・高橋世織『読むための理論――文学・思想・批評』世織書房、一九九一年。

稲垣恭子『女学校と女学生　教養・たしなみ・モダン文化』中公新書、二〇〇七年。

今田絵里香『〈少女〉の社会史』勁草書房、二〇〇七年。

大門正克『民衆の教育経験』青木書店、二〇〇一年。

大門正克・安田常雄・天野正子編『戦後経験を生きる』吉川弘文館、二〇〇三年。

大串隆吉「「生活記録運動――戦前と戦後」覚え書」『人文学報』第一五〇号、一九八一年、一四一―一五八頁。

大島三津子『明治国家と地域社会』岩波書店、一九九四年。

笠間賢二『地方改良運動期における小学校と地域社会――「教化ノ中心」としての小学校』日本図書センター、二〇〇三年。

加藤治『駄菓子屋・読み物と子どもの近代』青弓社、二〇〇〇年。

鹿野政直『現代日本の女性史　フェミニズムを軸として』有斐閣、二〇〇四年。

木村小舟『明治少年文学史』第二巻、童話春秋社、一九四八年。

教育史学会編『教育史研究の最前線』日本図書センター、二〇〇七年。

久津見蕨村『立身達志　独学自修策』三育社、一九〇二年。

倉内史郎『明治末期社会教育観の研究』『野間教育研究所紀要』第二〇輯、一九六一年（本書では復刻版（『日本教育史基本文献・史料叢書一八』大空社、一九九二年）を使用した）。

国家学会編『明治憲政経済史論』有斐閣、一九一九年。

小森陽一『出来事としての読むこと』東京大学出版会、一九九六年。

――他編『メディア・表象・イデオロギー　明治三十年代の文化研究』小沢書店、一九九七年。

小山静子『良妻賢母という規範』勁草書房、一九九一年。

――『家庭の生成と女性の国民化』勁草書房、一九九九年。

――『子どもたちの近代　学校教育と家庭教育』吉川弘文館、二〇〇二年。

斉藤利彦『競争と管理の学校史――明治後期中学校教育の展開』東京大学出版会、一九九五年。

佐藤正孝『市民社会と図書館の歩み』第一法規、一九七九年。

――『東京の図書館百年の歩み』泰流社、一九九六年。

思想の科学研究会『共同研究「集団」サークルの戦後思想史』平凡社、一九七六年。

清水義弘編『読書』有斐閣、一九六一年。

下伊那郡公民館活動史編集委員会『下伊那郡公民館活動史』一九七四年。

鈴木俊幸『江戸の読書熱――自学する読者と書籍流通』平凡社、二〇〇七年。

駿台隠士『学生読書法』一九〇二年、大学館。

関礼子『語る女たちの時代――一葉と明治女性表現』新曜社、一九九七年。

高井浩『天保期、少年少女の教養形成過程の研究』河出書房新社、一九九一年。

竹内洋『立志・苦学・出世――受験生の社会史』講談社現代新書、一九九一年。

――『日本の近代一二　学歴貴族の栄光と挫折』中央公論新社、一九九九年。

――『教養主義の没落　変わりゆくエリート学生文化』中公新書、二〇〇三年。

辻村輝雄『戦後信州女性史』家政教育社、一九六六年。

筒井清忠『日本型「教養」の運命――歴史社会学的考察』岩波書店、一九九〇年。

鶴見俊輔『思想の科学　趣旨と行動』思想の科学社、一九五二年。

永末十四雄『日本公共図書館の形成』日本図書館協会、一九八四年。

長野県下伊那連合青年団史編纂委員会編『下伊那青年運動史』国土社、一九六〇年。

永嶺重敏『雑誌と読者の近代』日本エディタースクール出版部、一九九七年。

――『モダン都市の読書空間』日本エディタースクール出版部、二〇〇一年。

――『〈読書国民〉の誕生　明治三〇年代の活字メディアと読書文化』日本エディタースクール出版部、二〇〇四年。

――『東大生はどんな本を読んできたか　本郷・駒場の読書生活一三〇年』平凡社新書、二〇〇七年。

滑川道夫『こどもの読書指導』国土社、一九四九年。

新渡戸稲造『修養』一九一一年、実業之日本社（本書では『近代日本青年期教育叢書・第一期』第二巻、日本図書センター、一九九二年を使用した）。

――『新渡戸稲造全集』第七巻、教文館、一九七二年。

日本社会教育学会『日本の社会教育』第七集、一九六二年。

平田由美『女性表現の明治史――樋口一葉以前』岩波書店、一九九九年。

花井信『近代日本地域教育の展開――学校と民衆の地域史』梓出版、一九八六年。

藤原進『日本における庶民的自立論の形成と展開』ぺりかん社、一九八六年。

前田愛『近代読者の成立』有精堂、一九七三年。

増田信一『読書教育実践史研究』学芸図書、一九九七年。

松田武雄『近代日本社会教育の成立』九州大学出版会、二〇〇四年。

松本三之介『明治思想における伝統と近代』岩波書店、一九九六年。

南博・社会心理研究所『大正文化　一九〇五―一九二七』勁草書房、一九六五年。

宮坂広作『近代日本社会教育史の研究』法政大学出版局、一九六八年。

宮地正人『日露戦後政治史の研究――帝国主義形成期の都市と農村』東京大学出版会、一九七三年。

宮原誠一『図書館と社会教育』春陽堂、一九五四年。

――『青年の学習』国土社、一九六〇年（本書では『社会・生涯教育文献集Ⅲ』第二五巻、日本図書センター、二〇〇一年を使用した）。

八鍬友広『近世民衆の識字と政治参加』校倉書房、二〇〇一年。

山川均『山川均全集』第一五巻、勁草書房、一九六六年。

山本武利『近代日本の新聞読者層』法政大学出版局、一九八一年。

横田冬彦編『知識と学問をになう人びと』吉川弘文館、二〇〇七年。

和田敦彦『読むということ　テクストと読書の理論から』ひつじ書房、一九九七年。

――『メディアの中の読者　読書論の現在』ひつじ書房、二〇〇二年。

渡辺かよ子『近代日本の教養論――1930年代の教養論を中心に』行路社、一九九七年。

雑誌・読書関係特集

『環【歴史・環境・文明】特集「読む」とは何か』第一四号、藤原書店、二〇〇三年。

「江戸の思想」編集委員会『江戸の思想　五　読書の社会史』ぺりかん社、一九九六年。

『歴史評論　特集　書物と読書からみえる日本近世』第六〇五号、二〇〇〇年。

『言語　特集〝読む〟――知的営為の原点』第二七巻第二号、一九九八年。

日本思想史学会『日本思想史学　特集　思想を語るメディア――近世日本を例として』第三六号、ぺりかん社、二〇〇四年。

3　論文

青木美智男「幕末期民衆の教育要求と識字能力」『講座日本近世史』第七巻、有斐閣、一九八五年、二一九―二六九頁。

――「近世後期、読者としての江戸下層社会の女性――式亭三馬『浮世風呂』を素材に」『歴史評論』第六〇五号、二〇〇〇年、三七―五四頁。

――「近世後期、下層町人女性の教養と知性――式亭三馬『浮世風呂』を素材に」『専修史学』第三一号、二〇〇〇年、一〇―四八頁。

赤澤史朗「戦中・戦後文化論」『岩波講座日本通史　近代四』岩波書店、一九九五年、二八三―三二八頁。

赤星隆子「今沢慈海の児童図書館論――英米文献との関係を軸とした一考察」『図書館学会年報』第三六巻第四号、一九八〇年、一六七―一八二頁。

浅岡靖央「〈児童読物改善ニ関スル内務省指示要綱〉の成立――幼少年少女雑誌改善に関する答申案との照合」『児童文学研究』第二七号、一九九四年、九四―一〇五頁。

――「〈児童読物改善ニ関スル内務省指示要綱〉にいたる経緯」『児童文学研究』第二三号、一九九一年、一八―二六頁。

雨田英一「近代日本の青年と「成功」・学歴――雑誌『成功』の「記者と読者」欄の世界」『学習院大学文学部研究年報』第三五巻、一九八八年、二五九―三二二頁。

有山輝雄「一九二、三〇年代のメディア普及状態――給料生活者、労働者を中心に」『出版研究』第一五号、一九八四年、三〇―五八頁。

生野金三「国語科「読書」の歴史をめぐって」『西南学院大学児童教育学論集』第二六巻第二号、二〇〇〇年、二八九―三二六頁。

石原豊美「山村女性の生活意識――昭和三〇年代の生活記録を素材として」『農総研季報』第三〇号、一九九六年、四七―五八頁。

稲垣恭子（研究代表者）「関西地域における高等女学校の校風と女学生文化に関する教育社会学的研究（研究課題番号 14510276）」『平成一四年度―平成一五年度科学研究費補助金（基盤研究（C）⑵研究成果報告書）』二〇〇四年。

今田絵里香「少女雑誌における「少女ネットワーク」の成立と解体――一九三一―四五年の少女雑誌投稿欄分析を中心に」『教育社会学研究』第七〇集、二〇〇二年、一八五―二〇二頁。

宇野田尚哉「方法的視野としての読書論――コメント」『日本思想史学』第三六号、二〇〇四年、三五―三九頁。

裏田武夫・小川剛「明治・大正期公共図書館研究序説」『東京大学教育学部紀要』第八号、一九六五年、一五三―一八九頁。

内田純一「児童の課外読物に関する歴史的一考察――地方改良運動との関連から」『教育史研究室年報』(名古屋大学教育学部)第二号、一九九六年、四一―五三頁。

大串潤児「山本茂美と「葦会」」『年報日本現代史』第八号、二〇〇二年、六九―一〇八頁。

大島美津子「第一次大戦気の地方統合政策――雑誌『斯民』の分析を中心に」『専修史学』第二九号、一九九八年、一―四九頁。

岡田典夫「日露戦争後の教化政策と民間」伊藤彌彦編『日本近代教育史再考』昭和堂、一九八六年、一五三―一八九頁。

小川利夫・橋口菊・大蔵隆雄・磯野昌蔵「わが国社会教育の成立とその本質に関する一考察(一)(二)」『教育学研究』第二四巻第四号・第六号、一九五七年所収。

奥泉和久「『市立図書館と其事業』の成立と展開」『図書館界』第五二巻第三号、二〇〇〇年、一三四―一四七頁。

小黒浩司「「優良図書館」の誕生　長野県下伊那郡千代村立千代図書館の歴史」『図書館界』第五五巻第五号、二〇〇四年、二三四―二四五頁。

小河内芳子「資料　東京の児童図書館　明治二〇(一八八七)―昭和二〇(一九四五)年」『Library and Information Science』No. 9、一九七一年、二〇九―二二九頁。

梶井重雄「社会教育論者の群像――中田邦造における図書館社会教育の理論と実践」『社会教育』第三六巻第五号、一九八一年、四一―四五頁。

金子明雄「明治三〇年代の読者と小説――「社会小説」論争とその後」『東京大学新聞研究所紀要』第四一号、一九九〇年、一二三―一四〇頁。

叶沢清介「乙部泉三郎――長野の図書館の歴史を切り拓いた人々(先人を語る)」『図書館雑誌』第七七巻第七号、一九八三年、四二七―四二八頁。

北河賢三「青年団における戦後の出発――下伊那郡地方青年団の運動を事例として」『社会科学討究』第四二巻第三号、一九九七年、一一九―一四五頁。

木村壽「「井上友一」について〔含　著作目録〕」『大阪教育大学紀要二　社会科学・生活科学』第三一巻第二・三号、一九八三年、一三九―一五〇頁。

木村涼子「婦人雑誌の読書空間と女性大衆読者の成立――近代日本における主婦役割の形成との関連で」『思想』第八一二号、一九九二年、二三一―二五二頁。

清川郁子「「壮丁教育調査」にみられる義務制就学の普及――近代日本におけるリテラシーと公教育制度の成立」『教育社会学研究』第五一集、一九九二年、一一一―一三五頁。

香内信子「戦時下の図書館運動――読書指導論とその批判」『図書館学会年報』第二七巻第二号、一九八一年、八九―九六頁。

小林嘉宏「日露戦後経営と教育政策――第二次桂内閣期における内務省の教育思想」『京都大学教育学部紀要』第二七号、一九八一年、八四―九三頁。

是枝英子「大正デモクラシー時代の図書館」『専修人文論集』第五四号、一九九四年、一四五―一八〇頁。

佐藤（佐久間）りか「清き誌上でご交際を」『女性学』第四号、一九九六年、一一四―一四一頁。

塩見昇「成城の読書教育と学校図書館」『大阪教育大学紀要』第Ⅳ部門、第二六巻第三号、一九八七年、一四五―一五五頁。

篠崎恭久「明治末期社会改良論の特質――堺利彦と小河滋次郎の「家庭改良」論」『史境』第二五号、一九九二年、一―一八頁。

高橋一郎「明治期における「小説」イメージの転換――俗悪メディアから教育的メディアへ」『思想』第八一二号、一九九二年、一七五―一九二頁。

多仁廣照「福井県下昭和前期青年団団報と文書教育」『敦賀論叢』第六号、一九九一年、六一―七九頁。

辻智子「農村で女が「生活を書く」ということ――一九四五―六〇年代の生活記録運動から」『国立婦人教育会館研究紀要』第二号、一九九八年、七九―八五頁。

永井紀代子「誕生・少女たちの解放区」『閲ぎ合う女と男――近代　上』藤原書店、二〇〇〇年、二七八―三一一頁。

中子裕子「無足人の読書と文芸」『奈良歴史研究』第四八号、一九九八年、一―二三頁。

中村春作「〈素読〉という習慣」『古田敬一教授頌寿記念中国学論集』汲古書院、一九九七年、六七七―六九六頁。

成田龍一「『少年世界』と読書する青年たち――一九〇〇年前後、都市空間のなかの共同性と差異」『思想』第八四五号、一九九四年、一九三―二二一頁（のち『近代都市空間の文化経験』岩波書店、二〇〇三年に所収）。

橋本昭彦「江戸幕府素読吟味の実態とその性格」『国立教育研究所研究集録』第二二号、一九九九年、二一―二三頁。

原敦之「石川県図書推薦委員会の図書群――蔵書構成との関連から」『図書館史研究』第一一号、一九九四年所収。

福永義臣「地方図書館創成期の自己教育思想と活動の展開――中田邦造の読書指導の実践を中心に」『九州大学大学院教育学院生論集』第二号、二〇〇二年、一八一―二〇九頁。

藤岡貞彦「昭和三〇年代社会教育学習理論の展開と帰結（上）」『東京大学教育学部紀要』第一〇巻、一九六八年、二〇一―二二四頁。

古田東朔「江戸期の学習方式」『日本育英会研究紀要』第二集、一九六四年、一―二六頁。

不和和彦「日露戦後の「町村自治」振興策と国民教化」『村落社会研究』第一八集、一九八二年所収。

細谷重義「東京市立図書館の変遷――日比谷の創立から現代まで」『ひびや』第四号、一九五八年所収。

細谷重義・関野真吉編「今沢慈海著作年表（稿）」『ひびや』第一三号、一九八〇年所収。

前田愛「戦後における読書の変貌」『思想の科学』第二七五号、一九七六年、二一一〇頁。

――「座談会「読者論・読書論の今日的意味――文学論の前提として」『国文学 解釈と鑑賞』第四五巻第一〇号、一九八〇年所収。

枡居孝「内務省図書課昭和十三年児童雑誌検閲簿について」『国際児童文学館紀要』第一二号、一九九七年、一四一―一七二頁。

松沢弘陽『『西国立志編』と『自由之理』の世界――幕末儒学・ビクトリア朝急進主義・「文明開化」』『日本政治学会年報』一九七五年、九―五二頁。

丸山弘子「中田邦造の「図書群」運動」『読書科学』第一四巻第一号、一九七一年所収。

右田紀久恵「井上友一研究――1〔含 年譜〕」『社会問題研究』第四二巻第一号、一九九二年、三七―五二頁。

――「井上友一研究――2」『社会問題研究』第四二巻第二号、一九九三年、一―九―四五頁。

――「井上友一研究――3」『社会問題研究』第四三巻第二号、一九九四年、一―一九頁。

宮内美枝「埼玉県利島村青年団体と出井菊太郎――一寒村における青年団体の存在」地方史研究協議会『内陸の生活と文化』一九八六年、三四二―三六六頁所収。

宮島達夫「黙読の一般化――言語生活史の対照」『京都橘女子大学研究紀要』第二三号、一九九六年、一―一六頁。

矢口悦子「わが国における共同学習論の系譜」『日本社会教育学会紀要』第二八号、一九九二年所収。

八鍬友広「近世民衆の識字と政治参加――訴願の能力形成」『新潟大学教育人間科学部紀要』第三巻第二号、二〇〇一年、二四三―二五九頁（のち八鍬友広『近世民衆の識字と政治参加』校倉書房、二〇〇一年に所収）。

藪田貫「文字と女性」『岩波講座 日本通史 近世五』第一五巻、岩波書店、一九九五年、二二三―二五四頁。

山口健二「読書文化の構造転換期としての七〇年代」『岡山大学教育学部研究集録』一一六、二〇〇一年、一五七―一六五頁。

山口源治郎「中田邦造の図書館思想」『信州白樺』第五九・六〇合併号、一九八五年所収。

――「草創期社会教育行政と公共図書館論――川本宇之介の公共図書館論をめぐって」『公立図書館の思想と実践』森耕一追悼事業会、一九九三年、六九―八四頁所収。

山田俊治「音読と黙読の階層性――前田愛「音読から黙読へ――近代読者の成立」をめぐって」『立教大学日本文学』第七七号、一九九六年、五五―五七頁。

山梨あや「近代化と「読み」の変遷――読書を通じた自己形成の問題」『慶應義塾大学大学院社会学研究科紀要』第五二号、二〇〇一年、七一―八四頁。

――「東京市立図書館における社会教育実践」『慶應義塾大学大学院社会学研究科紀要』第五六号、二〇〇三年、五一―六二頁。

――「今澤慈海の生涯教育論」『慶應義塾大学大学院社会学研究科紀要』第五七号、二〇〇三年、六一―七三頁。

――「大正期における「生涯的教育」の模索――今澤慈海の図書館論を視点として」『日本生涯教育学会年報』第二五号、二〇〇四年、二〇五―二二二頁（研究ノート）。

――「1960年代における読書運動――飯伊婦人文庫の活動を中心に」『日本社会教育学会紀要』第四一号、二〇〇五年、七三―八三頁。

――「地方改良運動期における読書と社会教育――井上友一の「自治民育」構想を視点として」『哲学』第一一五集、二〇〇六年、一一五―一五五頁。

――「戦時下における読書指導の理念と実践――読書会における指導を中心に」『日本社会教育学会紀要』第四三号、二〇〇七年、七一―八一頁。

――「一九五〇年代における読書運動の展開――読書会指導者の指導理念を中心に」『生涯学習・社会教育研究ジャーナル』第二号、二〇〇八年、六五―八八頁。

――「「読書力」育成の行方――子どもの読書活動の推進をめぐって」『現代教育の争点・論点』（仮題）所収、一藝社、二〇一〇年刊行予定。

横田冬彦「益軒本の読者」横山俊夫編『貝原益軒　天地和楽の文明学』平凡社、一九九五年、三一五―三五一頁。

――「近世村落社会における〈知〉の問題」『ヒストリア』第一五九号、一九九八年、一―二七頁。

謝辞

本書を刊行するに際して、まずお礼を申し上げたいのが修士課程に入学したときから指導をしてくださった米山光儀先生である。突然、読書行為について教育史の問題として研究したいという無謀な計画をもって現われた私を、「特別な指導はしないよ」とおっしゃりつつも快く引き受け、筆者の拙い発表や論文に対して、常に厳しく、かつ充実した内容の助言と指導をして下さった。先生のゼミにおいては、先生が多くの院生に対してさまざまな助言、指摘をされる機会に立ち会うこととなったが、非常にご多忙ななか、論文や発表内容の細部に至るまで読み落とすことなく検討を加えられ、常に誠実に指導されていらした。このような場面にめぐりあうことができたことは、論文執筆中に院生から教員の道へと足を踏み入れた筆者にとって、かけがえのない財産となっている。研究者として、また教育者として尊敬できる先生に出会えたことは、筆者にとって非常に幸運なことであったと思う。

また、学部時代からお世話になり、副指導教授を引き受けて下さった真壁宏幹先生も、ドイツ教育思想史の観点からさまざまなヒントを与えてくださった。先生には、論文を執筆する過程で、ともすれば散漫になりがちな論の内容を、自分自身の問題関心、あるいは「原点」に立ち返って検討する必要性を教えられた。

学部時代からお世話なっている舟山俊明先生、山本正身先生にはいつも温かな励ましの言葉をかけていただき、また絶妙のタイミングで、論文を執筆する後押しをしていただいた。先生方に背中を押していただかなければ、怠け者の私には論文を提出することはとうていかなわなかっただろう。また大学院生として過ごした最後の一年間、松浦良充先生の講義において、「Learning の思想史」について検討することができたことも貴重な経験となっている。短い期間ではあったが、先生の講義では注意深く資料や文献を読むこと、「方法」に対する意識を研ぎ澄ませることの重要性を教えていただいたように思う。専門分野は異なるが、安藤寿康先生、藤澤啓子先生の精力的な研究姿勢は、本書のもととなる論文執筆の起爆剤となっている。本書がどれほど先生方の貴重な助言やご指摘に基づく研究成果となっているかは心もとないが、研究者としての入口に立った筆者にとって、先生方のアドバイスは研究を進めていく際の重要な指針となった。不足の部分については、今後の多くの課題としたい。

夏期集中講義で、「やりたいこととできることは違う」ことを踏まえつつ研究を進めることを教えて下さった京都大学の小山静子先生、徹底した資料分析に基づく研究を紹介してくださった名古屋大学の松田武雄先生、九州大学の新谷恭明先生、お忙しいなかメールボックスに入れておいた発表原稿や論文を読んで下さった糸賀雅児先生にもこの場を借りてお礼申し上げたい。

また、拙い私の発表や論文について丁寧かつ批判的に検討し、多様な「読み」を披露して下さった多くの先輩、同輩、後輩の方々にも心より感謝申し上げます。

本書は、大学外の諸機関、組織で活躍されている方々のご協力なしには書き上げることはできなかった。まずお礼を申し上げたいのが、飯田市歴史研究所の斉藤俊江氏はじめ研究所員の方々である。下伊那地方に何の土地勘もないまま、同地域の読書活動について歴史的に調査・研究したいという漠としたテーマを抱えて米山先生と伺ったが、膨大な貴重な資料を閲覧させていただいた。また、新資料が収集されるとその情報を教えてくださったり、資料調査の際にさまざまな心配りをしていただいたりしたことなど、お礼申し上げることは数え切れないほどである。

また、飯伊婦人文庫委員長の吉田五十鈴さんはじめ、飯伊婦人文庫の会員の方々との出会いも、筆者にとってかけがえのない経験となっている。飯田市立中央図書館で婦人文庫の『四〇年史』を見つけ、お話を伺いたいというお手紙を差し上げたところ、すぐにお電話を下さって、いつでもいらしてくださいと温かい言葉をかけてくださった。調査に伺うたびに、目を見張るばかりの地域ネットワークを発揮して読書経験の聞き取りのセッティングをして下さったり、読書活動の関係者を紹介していただいたり、さまざまな便宜を図っていただいた。美味しい手料理をいただきながら、読書活動について夜遅くまでお話したことも忘れがたい思い出となっている。「読書」という共通の研究テーマを通じて、このような素晴らしい出会いに恵まれたことは、筆者が研究を進める上で大きな原動力となったことを付記しておきたい。

婦人文庫の成立経緯について教えてくださった今村兼義さん、故・松澤太郎さん、婦人文庫の活動について豊かな、そして生き生きとしたお話を聞かせてくださった婦人文庫会員の皆様、戦前の竜丘地域の学習・文化活動について教えてくださった木下陸奥先生、戦後の下伊那地方の読書活動について、公民館主事としての経験を踏まえて貴重なお話を聞かせてくださった松下拡先生、宮沢三二氏の日記をはじめ、貴重な資料を快く貸してくださり、また当時の読書会の様子をお話して下さった宮沢恒介さんご夫妻にも、この場で改めて感謝申し上げます。

資料の閲覧についていつも親切に対応して下さった飯田市立中央図書館の方々、「職員会誌」をはじめ貴重な学校史料の閲覧を快諾して下さった飯田市立三穂小学校校長平林公平先生、『図書館日誌』の閲覧を許可して下さった松本市立中央図書館の方々、大量の複写にもかかわらずさまざまなご配慮をいただいた長野県立中央図書館の方々、「良い論文を書いてくださいね」と励ましてくださった長野県歴史館の方々、資料の調査に協力して下さった成田山仏教図書館、松本市文書館、下伊那教育会の方々、資料調査でお世話になった慶應義塾大学三田メディアセンターの方々にも、お礼申しあげます。

「研究」を通じて、さまざまな方々との出会いに恵まれたこと、そして自分自身がさまざまな方々に支えられていることに気づくことができたことは、筆者にとってなにものにも代えがたい糧となっている。

また私の拙い論文の出版を快く引き受けて下さった法政大学出版局の秋田公士さんにもこの場を借りて御礼申し上げたい。「読書」について研究しながら、出版に関して必要な知識が皆無であった筆者に常に適切なアドバイスを下さった。若林美雪さん、長屋幸子さんほか、慶應義塾大学三田研究支援センターの方々にも出版申請の手続きなどで全面的にお世話になった。この方々のご協力なしに本書の出版はかなわなかっただろう。
最後に私事で恐縮であるが、筆者の家族にも感謝したい。母亡き後、仕事をしながらも「主夫」として八面六臂の活躍をしてくれた父の支えは心強いものであった。不肖の娘のすることを快く支えてくれた父、常に筆者のすることを見守ってくれた母、そして本を読むことの楽しさと大切さとを教えてくれた亡き祖母に心から感謝の意を表します。

なお、本書の刊行は平成二二年度科学研究費補助金（研究成果公開促進費、課題番号 225196）の助成を受けたものである。

二〇一〇年一一月一七日

山梨　あや

ナ　行

ハ　行

マ　行

ヤ　行

ワ　行

索　引

（頁数は初出のみを記した）

著　者

山梨　あや（やまなし　あや）

1978年，東京都生まれ．2005年，慶應義塾大学大学院社会学研究科後期博士課程単位取得退学．博士（教育学）．現在，慶應義塾大学文学部准教授．主要著作に，「慶應義塾における「教育学」の創出過程——慶應義塾発足時から大学部設立1890（明治23）年まで」（『哲学』第123号，2010年），「「読書力」育成を考える」（『現代教育の争点・論点』第９章所収，一藝社，2014年刊行予定），「1950年代における読書運動の展開——読書会指導者の指導理念を中心に」（『生涯学習・社会教育研究ジャーナル』第２号，2008年），「1930～40年代にかけての「学校と家庭の連絡」—上郷尋常高等小学校の「懇話会記録」および「家庭訪問記録」を手がかりに—」（『社会教育学研究』第50巻第１号，2014年刊行予定），など．

近代日本における読書と社会教育
——図書館を中心とした教育活動の成立と展開

2011年２月18日　　初版第１刷発行
2014年５月15日　　　　第２刷発行

著　者　山梨 あや
発行所　一般財団法人 法政大学出版局
〒102-0071 東京都千代田区富士見 2-17-1
電話 03（5214）5540　振替 00160-6-95814
整版：緑営舎，印刷：平文社，製本：誠製本

ISBN 978-4-588-68605-4